만렙

만렙은 찰만(滿)과 레벨(Level)의 합성어로, 게임 등에서 지원하는 최대 레벨을 의미한다.

만렙 수학은 "내 수준에 맞는 유형서로 나의 수학 실력을 최대치까지 끌어올려 보자" 라는 의미로 사용되었으며,

두 수준의 유형서 PM, AM으로 구분된다.

상상 그 이상

모두의 새롭고 유익한 즐거움이
비상의 즐거움이기에

아무도 해보지 못한 콘텐츠를 만들어
학교에 새로운 활기를 불어넣고

전에 없던 플랫폼을 창조하여
배움이 더 즐거워지는 자기주도학습 환경을
실현해왔습니다

이제, 비상은
더 많은 이들의 행복한 경험과
성장에 기여하기 위해

글로벌 교육 문화 환경의
상상 그 이상을 실현해 나갑니다

상상을 실현하는 교육 문화 기업 **비상**

핵심 유형 마스터

만렙 PM

확률과 통계

만렙 PM의 특징

시험 빈출 핵심 유형 최다 수록

☑ 너무 쉬워서 시험에 안 나오는 문제는 NO
☑ 너무 어려워서 시험에 안 나오는 문제도 NO

기초 문제는 필요 없고 시험에 출제되는 상 수준의 문제까지 풀고 싶은 학생에게 최적화된 구성으로, 실속 있게 내 실력을 레벨업할 수 있다.

유형별로 모든 난이도의 문제를 한 번에 배열

☑ 1단계, 2단계, 3단계, …마다 같은 개념의 문제가 반복되는 구성이 지루하다.
☑ 유형별 문제를 한 번에 마스터하기 어렵다.

유형별로 시험에 출제되는 모든 문제를 한 번에 학습하기를 원하는 학생에게 최적화된 구성으로, 유형을 빠르게 마스터할 수 있다.

하	중	상
A개념	A개념	A개념
B개념	B개념	B개념
C개념	C개념	C개념

A개념	B개념	C개념
하 중 상	하 중 상	하 중 상

핵심 유형

핵심 유형 정리와 대표 문제만을 모아서 구성하여 핵심 및 대표 문제를 한눈에 파악하기 쉽다.

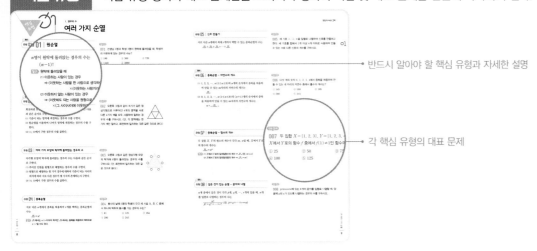

반드시 알아야 할 핵심 유형과 자세한 설명

각 핵심 유형의 대표 문제

핵심 유형 완성하기

대표 문제를 다시 한 번 풀어보고 다양한 난이도의 문제를 유형별로 풀어볼 수 있다.

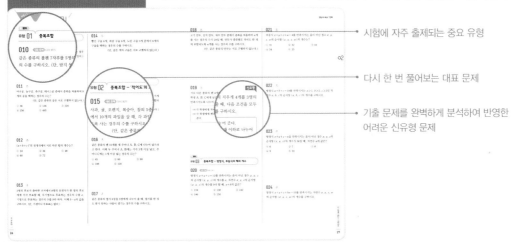

시험에 자주 출제되는 중요 유형

다시 한 번 풀어보는 대표 문제

기출 문제를 완벽하게 분석하여 반영한
어려운 신유형 문제

구성

핵심 유형 최종 점검하기

출제율 높은 핵심 문제로 자신의 실력을 테스트할 수 있다.

만렙 PM의
차례

경우의 수

Contents

확률

통계

여러 가지 순열

I. 경우의 수

여러 가지 순열

★중요
유형 01 | 원순열

n명이 원탁에 둘러앉는 경우의 수는

$(n-1)!$

참고 원탁에 둘러앉을 때

(1) 이웃하는 사람이 있는 경우
➡ (이웃하는 사람을 한 사람으로 생각하여 구한 원순열의 수)
×(이웃하는 사람끼리 자리를 바꾸는 경우의 수)

(2) 이웃하지 않는 사람이 있는 경우
➡ (이웃해도 되는 사람을 원형으로 배열하는 경우의 수)
×(그 사이사이에 이웃하지 않는 사람을 배열하는 경우의 수)

대표 문제

001 선생님 5명과 학생 3명이 원탁에 둘러앉을 때, 학생끼리 이웃하게 앉지 않는 경우의 수는?

① 180   ② 360   ③ 720

④ 1440   ⑤ 2880

★중요
유형 02 | 원순열 – 도형에 색칠하는 경우의 수

회전하면 모양이 일치하는 도형에 색칠하는 경우의 수는 다음과 같은 순서로 구한다.

(1) 기준이 되는 영역에 색칠하는 경우의 수를 구한다.

(2) 원순열을 이용하여 나머지 영역에 색칠하는 경우의 수를 구한다.

(3) (1), (2)에서 구한 경우의 수를 곱한다.

대표 문제

002 오른쪽 그림과 같이 크기가 같은 정삼각형으로 이루어진 4개의 영역을 서로 다른 4가지 색을 모두 사용하여 칠하는 경우의 수를 구하시오. (단, 각 영역에는 한 가지 색만 칠하고, 회전하여 일치하는 것은 같은 것으로 본다.)

유형 03 | 여러 가지 모양의 탁자에 둘러앉는 경우의 수

다각형 모양의 탁자에 둘러앉는 경우의 수는 다음과 같은 순서로 구한다.

(1) 주어진 인원을 원형으로 배열하는 경우의 수를 구한다.

(2) 원형으로 배열하는 한 가지 경우에 대하여 기준이 되는 자리의 위치에 따라 서로 다른 경우가 몇 가지씩 존재하는지 구한다.

(3) (1), (2)에서 구한 경우의 수를 곱한다.

대표 문제

003 오른쪽 그림과 같은 정삼각형 모양의 탁자에 6명이 둘러앉는 경우의 수를 구하시오. (단, 회전하여 일치하는 것은 같은 것으로 본다.)

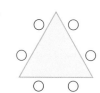

유형 04 | 중복순열

서로 다른 n개에서 중복을 허용하여 r개를 택하는 중복순열의 수는

$_n\Pi_r=n^r$

참고 $_n{\rm P}_r$에서는 $n \geq r$이어야 하지만 $_n\Pi_r$에서는 중복을 허용하여 택하므로 $n < r$일 수도 있다.

대표 문제

004 봉사의 날에 5명의 학생이 각각 세 시설 A, B, C 중에서 하나씩 택하여 봉사를 가는 경우의 수는?

① 81   ② 125   ③ 164

④ 200   ⑤ 243

유형 05 | 신호 만들기

서로 다른 n개에서 최대 r개까지 택할 수 있는 중복순열의 수는

$$_n\Pi_1 + _n\Pi_2 + _n\Pi_3 + \cdots + _n\Pi_r$$

대표 문제

005 세 기호 △, □, ☆을 일렬로 나열하여 신호를 만들려고 한다. 세 기호를 합해서 2개 이상 4개 이하로 사용하여 만들 수 있는 서로 다른 신호의 개수를 구하시오.

★중요

유형 06 | 중복순열 – 자연수의 개수

(1) 1, 2, 3, $\cdots$, n $(1 \leq n \leq 9)$의 n개의 숫자에서 중복을 허용하여 만들 수 있는 m자리의 자연수의 개수는

$$_n\Pi_m$$

(2) 0, 1, 2, 3, $\cdots$, n $(1 \leq n \leq 9)$의 $(n+1)$개의 숫자에서 중복을 허용하여 만들 수 있는 m자리의 자연수의 개수는

$$n \times {}_{n+1}\Pi_{m-1}$$

대표 문제

006 다섯 개의 숫자 0, 1, 2, 3, 4에서 중복을 허용하여 만들 수 있는 네 자리의 자연수 중에서 홀수의 개수는?

① 145   ② 160   ③ 185
④ 200   ⑤ 215

유형 07 | 중복순열 – 함수의 개수

두 집합 X, Y의 원소의 개수가 각각 m, n일 때, X에서 Y로의 함수의 개수는

$$_n\Pi_m = n^m$$

참고 (1) X에서 Y로의 일대일함수의 개수 ➡ $_n\mathrm{P}_m$ (단, $m \leq n$)
(2) X에서 Y로의 일대일대응의 개수 ➡ $_m\mathrm{P}_m = m!$

대표 문제

007 두 집합 $X = \{1, 2, 3\}$, $Y = \{1, 2, 3, 4, 5\}$에 대하여 X에서 Y로의 함수 f 중에서 $f(1) \neq 1$인 함수의 개수는?

① 25   ② 50   ③ 75
④ 100   ⑤ 125

★중요

유형 08 | 같은 것이 있는 순열 – 문자의 나열

n개 중에서 같은 것이 각각 p개, q개, $\cdots$, r개씩 있을 때, n개를 일렬로 나열하는 경우의 수는

$$\frac{n!}{p! \times q! \times \cdots \times r!} \ (단, \ p+q+\cdots+r=n)$$

대표 문제

008 pressure에 있는 8개의 문자를 일렬로 나열할 때, 양 끝에 p와 u가 오도록 나열하는 경우의 수를 구하시오.

 여러 가지 순열

유형 **09** | 같은 것이 있는 순열 – 자연수의 개수

주어진 자연수의 조건에 따라 기준이 되는 자리의 숫자를 먼저 정한 후 같은 것이 있는 순열을 이용하여 나머지 자리에 남은 숫자를 나열한다.

대표 문제

009 일곱 개의 숫자 1, 1, 2, 2, 2, 3, 4를 모두 사용하여 만들 수 있는 일곱 자리의 자연수 중에서 짝수의 개수는?

① 180   ② 200   ③ 220

④ 240   ⑤ 260

★ 중요

유형 **10** | 순서가 정해진 순열

서로 다른 n개를 일렬로 나열할 때, 특정한 $r\,(0 < r \le n)$개를 정해진 순서대로 나열하는 경우의 수

➡ 순서가 정해진 r개를 같은 것으로 생각하여 같은 것이 r개 포함된 n개를 일렬로 나열하는 경우의 수를 구한다.

➡ $\dfrac{n!}{r!}$

대표 문제

010 5개의 문자 a, b, c, d, e를 일렬로 나열할 때, b가 d보다 앞에 오도록 나열하는 경우의 수는?

① 60   ② 62   ③ 64

④ 66   ⑤ 68

★ 중요

유형 **11** | 최단 거리로 가는 경우의 수

오른쪽 그림과 같은 도로망의 A 지점에서 B 지점까지 최단 거리로 가려면 오른쪽으로 p칸, 위쪽으로 q칸 가야 하므로 최단 거리로 가는 경우의 수는

$$\dfrac{(p+q)!}{p! \times q!}$$

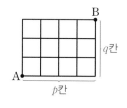

참고 A 지점에서 P 지점을 거쳐 B 지점까지 최단 거리로 가는 경우의 수
➡ (A 지점에서 P 지점까지 최단 거리로 가는 경우의 수)
    ×(P 지점에서 B 지점까지 최단 거리로 가는 경우의 수)

대표 문제

011 다음 그림과 같은 도로망이 있다. A 지점에서 P 지점을 거쳐 B 지점까지 최단 거리로 가는 경우의 수를 구하시오.

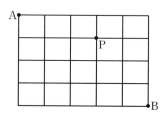

유형 **12** | 최단 거리로 가는 경우의 수 – 장애물이 있는 경우

A 지점에서 B 지점까지 최단 거리로 갈 때 장애물이 있는 경우는 반드시 거쳐야 하는 점을 P, Q, …로 잡아

    A → P → B, A → Q → B, …

와 같은 경로를 따라 최단 거리로 가는 경우의 수를 각각 구한 후 더한다.

대표 문제

012 다음 그림과 같은 도로망이 있다. A 지점에서 B 지점까지 최단 거리로 가는 경우의 수를 구하시오.

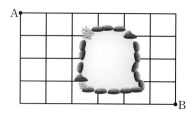

I. 경우의 수

유형 **01** 원순열 ★중요

013 대표 문제 다시 보기

부모를 포함한 6명의 가족이 원탁에 둘러앉을 때, 부모가 이웃하게 앉는 경우의 수를 구하시오.

014 하

8개의 서로 다른 색의 초 중에서 4개를 골라 원형으로 배열하는 경우의 수는?

① 280   ② 420   ③ 690
④ 840   ⑤ 1680

015 중

A, B, C, D, E, F, G, H의 8명이 원탁에 둘러앉을 때, A, B, C는 서로 이웃하지 않게 앉는 경우의 수를 구하시오.

016 중

2학년 학생 3명과 3학년 학생 3명이 원탁에 둘러앉아 토론을 할 때, 2학년 학생과 3학년 학생이 교대로 앉는 경우의 수는?

① 8   ② 10   ③ 12
④ 14   ⑤ 16

017 중

쌍둥이인 연우와 진우의 생일에 이웃에 사는 친구 6명을 초대하였다. 이들이 원탁에 둘러앉아 식사를 할 때, 연우와 진우가 마주 보고 앉는 경우의 수는?

① 90   ② 180   ③ 270
④ 540   ⑤ 720

018 중

어느 동아리의 회장, 총무, 서기를 포함한 7명의 회원이 원탁에 둘러앉을 때, 회장의 양옆에 총무와 서기가 앉는 경우의 수를 구하시오.

019 상

오른쪽 그림과 같이 9개의 자리가 있는 원탁에 남학생 3명과 여학생 3명이 둘러앉으려고 한다. 남학생 1명과 여학생 1명이 한 조씩 총 3개의 조를 이루어 다른 조원 사이에는 빈자리를 두고 같은 조원들끼리는 이웃하게 앉는 경우의 수는?

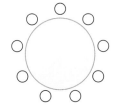

① 78   ② 84   ③ 90
④ 96   ⑤ 102

★중요

유형 02 원순열 - 도형에 색칠하는 경우의 수

020 **대표 문제** 다시 보기

오른쪽 그림과 같이 정사각형의 네 변에 각 변을 지름으로 하는 반원을 그려서 만든 도형이 있다. 이 도형의 5개의 영역을 서로 다른 5가지 색을 모두 사용하여 칠하는 경우의 수를 구하시오. (단, 각 영역에는 한 가지 색만 칠하고, 회전하여 일치하는 것은 같은 것으로 본다.)

021 하

오른쪽 그림과 같이 가운데 부분을 제외한 서로 같은 6개의 꽃잎 모양의 영역을 서로 다른 6가지 색을 모두 사용하여 칠하는 경우의 수는? (단, 각 영역에는 한 가지 색만 칠하고, 회전하여 일치하는 것은 같은 것으로 본다.)

① 120   ② 240   ③ 300
④ 480   ⑤ 720

022 중

오른쪽 그림과 같이 원 모양의 회전판을 6등분 한 영역을 빨강, 주황, 노랑, 초록, 파랑, 보라의 6가지 색을 모두 사용하여 칠할 때, 빨간색과 주황색이 이웃하도록 칠하는 경우의 수를 구하시오. (단, 각 영역에는 한 가지 색만 칠하고, 회전하여 일치하는 것은 같은 것으로 본다.)

023 중

오른쪽 그림과 같이 정오각형을 5등분 한 영역을 빨강, 주황, 노랑, 초록, 파랑의 5가지 색을 모두 사용하여 칠할 때, 빨간색과 노란색이 이웃하지 않도록 칠하는 경우의 수는? (단, 각 영역에는 한 가지 색만 칠하고, 회전하여 일치하는 것은 같은 것으로 본다.)

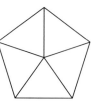

① 4   ② 6   ③ 8
④ 10   ⑤ 12

024 중

오른쪽 그림과 같은 정사각뿔대의 각 면을 서로 다른 6가지 색을 모두 사용하여 칠하는 경우의 수를 구하시오. (단, 각 면에는 한 가지 색만 칠하고, 회전하여 일치하는 것은 같은 것으로 본다.)

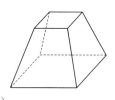

025 상 **신유형**

오른쪽 그림은 원에 내접하는 정삼각형을 4등분 하여 만든 도형이다. 7개의 영역을 서로 다른 7가지 색을 모두 사용하여 칠하는 경우의 수는? (단, 각 영역에는 한 가지 색만 칠하고, 회전하여 일치하는 것은 같은 것으로 본다.)

① 1560   ② 1600   ③ 1640
④ 1680   ⑤ 1720

유형 **03** 여러 가지 모양의 탁자에 둘러앉는 경우의 수

026 `대표 문제` 다시 보기

오른쪽 그림과 같은 정오각형 모양의
탁자에 10명이 둘러앉는 경우의 수는?
(단, 회전하여 일치하는 것은 같은 것
으로 본다.)

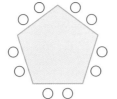

① 9! ② 9!$\times$2
③ 9!$\times$5 ④ 10!
⑤ 10!$\times$2

027 중

오른쪽 그림과 같은 부채꼴 모양의 탁자
에 7명이 둘러앉는 경우의 수를 구하시오.
(단, 회전하여 일치하는 것은 같은 것으로
본다.)

028 중

오른쪽 그림과 같은 직사각형 모양의
탁자에 6명이 둘러앉는 경우의 수는?
(단, 회전하여 일치하는 것은 같은 것
으로 본다.)

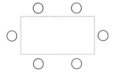

① 300 ② 320 ③ 340
④ 360 ⑤ 380

029 중

오른쪽 그림과 같은 정삼각형 모양의 탁자
에 9명이 둘러앉는 경우의 수를 9!$\times k$라
할 때, 상수 k의 값을 구하시오. (단, 회전
하여 일치하는 것은 같은 것으로 본다.)

030 상 `신유형`

오른쪽 그림과 같은 직사각형 모양의
탁자에 4쌍의 부부가 둘러앉으려고 할
때, 부부끼리 한 변에 앉는 경우의 수
는? (단, 회전하여 일치하는 것은 같
은 것으로 본다.)

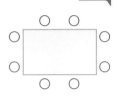

① 184 ② 188 ③ 192
④ 196 ⑤ 200

유형 **04** 중복순열

031 `대표 문제` 다시 보기

서로 다른 3개의 과일을 서로 다른 4개의 접시에 남김없이 나
누어 담는 경우의 수는? (단, 빈 접시가 있을 수 있다.)

① 8 ② 27 ③ 64
④ 81 ⑤ 125

032 중

세 사람 A, B, C가 각각 미국, 영국, 일본, 중국, 프랑스 중에서 한 나라를 택하여 여행할 때, A가 미국 또는 영국을 여행하는 경우의 수는?

① 25　　　　② 32　　　　③ 50

④ 64　　　　⑤ 75

033 중

6명의 학생을 두 개의 고등학교 A, B에 배정할 때, 각 고등학교에 1명 이상의 학생을 배정하는 경우의 수를 구하시오.

034 중

4개의 문자 L, O, V, E에서 중복을 허용하여 네 자리의 암호를 만들려고 한다. 이때 문자 V를 반드시 포함하는 암호의 개수는?

① 160　　　　② 165　　　　③ 170

④ 175　　　　⑤ 180

035 상

전체집합 $U = \{1, 2, 3, 4, 5\}$의 두 부분집합 A, B에 대하여 $A \cap B = \{2, 4\}$를 만족시키는 두 집합 A, B를 정하는 경우의 수를 구하시오.

유형 05　신호 만들기

036 대표 문제 다시 보기

두 부호 ·, −를 일렬로 나열하여 신호를 만들려고 한다. 두 부호를 합해서 3개 이상 5개 이하로 사용하여 만들 수 있는 서로 다른 신호의 개수는?

① 28　　　　② 56　　　　③ 128

④ 256　　　　⑤ 512

037 하

파란색, 흰색, 노란색의 깃발이 각각 하나씩 있다. 이 깃발 중에서 하나를 들었다 내리는 동작을 5번 하여 만들 수 있는 신호의 개수는?

① 234　　　　② 237　　　　③ 240

④ 243　　　　⑤ 246

038 상

파란색, 흰색, 노란색의 깃발이 각각 한 개씩 있다. 이 깃발들을 합해서 n번 이하로 들어 올려서 300개 이상의 서로 다른 신호를 만들려고 할 때, n의 최솟값을 구하시오. (단, 깃발은 1번 이상 들어 올려야 하고, 두 개 이상의 깃발을 동시에 들어 올리지 않는다.)

★중요
유형 06 중복순열 – 자연수의 개수

039 대표문제 다시 보기

다섯 개의 숫자 3, 4, 5, 6, 7에서 중복을 허용하여 만들 수 있는 네 자리의 자연수 중에서 짝수의 개수는?

① 48 ② 125 ③ 250
④ 480 ⑤ 625

040 하

네 개의 숫자 0, 1, 2, 3에서 중복을 허용하여 만들 수 있는 세 자리의 자연수의 개수는?

① 32 ② 40 ③ 48
④ 52 ⑤ 64

041 중

다섯 개의 숫자 0, 1, 2, 3, 4에서 중복을 허용하여 네 자리의 자연수를 만들 때, 3000보다 큰 수의 개수를 구하시오.

042 중

다섯 개의 숫자 0, 1, 2, 3, 4에서 중복을 허용하여 만들 수 있는 세 자리의 자연수 중에서 숫자 3을 적어도 한 개 포함하는 자연수의 개수는?

① 48 ② 52 ③ 56
④ 60 ⑤ 64

043 중

여섯 개의 숫자 0, 1, 2, 3, 4, 5에서 중복을 허용하여 만들 수 있는 자연수를 크기가 작은 것부터 순서대로 나열할 때, 1200은 몇 번째 수인가?

① 286번째 ② 287번째 ③ 288번째
④ 289번째 ⑤ 290번째

044 상

여섯 개의 숫자 1, 2, 3, 4, 5, 6에서 중복을 허용하여 4000 이상의 네 자리의 자연수를 만들 때, 숫자 1끼리 이웃하지 않는 것의 개수를 구하시오.

유형 07 중복순열 – 함수의 개수

045 대표 문제 다시 보기

두 집합 $X=\{1, 2, 3, 4\}$, $Y=\{5, 6, 7, 8\}$에 대하여 X에서 Y로의 함수 f 중에서 $f(3)\neq7$인 함수의 개수는?

① 186   ② 188   ③ 190

④ 192   ⑤ 194

046 하

두 집합 $X=\{-1, 1\}$, $Y=\{a, b, c, d\}$에 대하여 X에서 Y로의 함수의 개수를 m, 일대일함수의 개수를 n이라 할 때, $m-n$의 값은?

① 3   ② 4   ③ 5

④ 6   ⑤ 7

047 중

두 집합 $X=\{-3, -1, 1, 3\}$, $Y=\{2, 4, 6\}$에 대하여 X에서 Y로의 함수 f 중에서 $f(-1)=4$, $f(3)=6$인 함수의 개수를 구하시오.

048 중

두 집합 $X=\{a, b, c, d, e\}$, $Y=\{1, 2\}$에 대하여 X에서 Y로의 함수 중에서 공역과 치역이 일치하는 함수의 개수를 구하시오.

중요
유형 08 같은 것이 있는 순열 – 문자의 나열

049 대표 문제 다시 보기

passion에 있는 7개의 문자를 일렬로 나열할 때, 양 끝에 p와 n이 오도록 나열하는 경우의 수는?

① 60   ② 80   ③ 100

④ 120   ⑤ 150

050 하

grammar에 있는 7개의 문자를 일렬로 나열하는 경우의 수를 구하시오.

051 중

statistics에 있는 10개의 문자를 일렬로 나열할 때, 모음끼리 이웃하도록 나열하는 경우의 수는?

① 1120   ② 2240   ③ 3360

④ 4480   ⑤ 5600

052 중

6개의 문자 a, a, b, b, b, c를 일렬로 나열할 때, 양 끝에 서로 다른 문자가 오도록 나열하는 경우의 수를 구하시오.

053 ^중

8개의 문자 a, a, b, c, c, c, d, e를 일렬로 나열할 때, b와 d가 이웃하지 않도록 나열하는 경우의 수는?

① 60   ② 540   ③ 1860

④ 2520   ⑤ 3360

054 ^상

follow에 있는 6개의 문자를 일렬로 나열할 때, o끼리 이웃하거나 l끼리 이웃하도록 나열하는 경우의 수를 구하시오.

유형 **09**   **같은 것이 있는 순열 – 자연수의 개수**

055   대표 문제 다시 보기

다섯 개의 숫자 1, 1, 2, 3, 4를 모두 사용하여 만들 수 있는 다섯 자리의 자연수 중에서 홀수의 개수를 구하시오.

056 ^중

여섯 개의 숫자 0, 1, 1, 2, 3, 3을 모두 사용하여 만들 수 있는 여섯 자리의 자연수의 개수를 구하시오.

---

057 ^중

여덟 개의 숫자 1, 1, 2, 2, 2, 3, 4, 4를 모두 사용하여 만들 수 있는 여덟 자리의 자연수 중에서 일의 자리, 십의 자리, 백의 자리의 숫자가 모두 홀수인 자연수의 개수를 구하시오.

058 ^상

일곱 개의 숫자 1, 1, 2, 2, 3, 3, 3에서 4개를 택하여 만들 수 있는 네 자리의 자연수 중에서 3의 배수의 개수는?

① 6   ② 9   ③ 12

④ 18   ⑤ 21

★ 중요

유형 **10**   **순서가 정해진 순열**

059   대표 문제 다시 보기

teacher에 있는 7개의 문자를 일렬로 나열할 때, t가 c보다 앞에 오도록 나열하는 경우의 수를 구하시오.

060 ^중

education에 있는 9개의 문자를 일렬로 나열할 때, a, t, i, o, n은 이 순서대로 나열하는 경우의 수를 구하시오.

061 중

practical에 있는 9개의 문자를 일렬로 나열할 때, 모음이 자음보다 앞에 오도록 나열하는 경우의 수는?

① 1050   ② 1060   ③ 1070

④ 1080   ⑤ 1090

062 중

여섯 개의 숫자 1, 2, 3, 4, 5, 6을 일렬로 나열할 때, 1은 4보다 앞에 오고 3은 5보다 뒤에 오도록 나열하는 경우의 수는?

① 165   ② 180   ③ 195

④ 210   ⑤ 225

063 상   신유형

서로 다른 4개의 가방과 똑같은 4개의 리본, 똑같은 4개의 인형이 있다. 각 가방에 1개의 리본과 1개의 인형을 달려고 한다. 각 가방에서 리본을 인형보다 먼저 단다고 할 때, 4개의 가방에 리본과 인형을 다는 순서를 정하는 경우의 수를 구하시오.
(단, 각 가방에서 리본과 인형을 연속하여 달지 않아도 된다.)

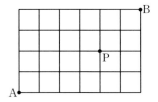
064 대표 문제 다시 보기

오른쪽 그림과 같은 도로망이 있다. A 지점에서 P 지점을 거쳐 B 지점까지 최단 거리로 가는 경우의 수를 구하시오.

065 하

오른쪽 그림과 같은 도로망이 있다. A 지점에서 B 지점까지 최단 거리로 가는 경우의 수는?

① 20   ② 25

③ 30   ④ 35

⑤ 40

066 중

오른쪽 그림과 같은 도로망이 있다. A 지점에서 B 지점까지 최단 거리로 갈 때, P 지점은 거치고 Q 지점은 거치지 않고 가는 경우의 수는?

① 98   ② 100

③ 102   ④ 104

⑤ 106

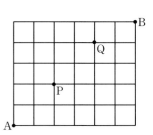

067 중

다음 그림과 같은 도로망이 있다. A 지점에서 B 지점까지 최단 거리로 갈 때, P 지점 또는 Q 지점을 거쳐 가는 경우의 수를 구하시오.

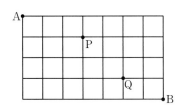

068 중

오른쪽 그림과 같은 도로망이 있다. 화살표 방향을 따라 대각선을 1번 이하로 이용하여 A 지점에서 B 지점까지 최단 거리로 가는 경우의 수를 구하시오.

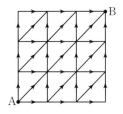

069 상

오른쪽 그림과 같이 크기가 같은 정육면체 24개를 쌓아 만든 직육면체가 있다. 정육면체의 모서리를 따라 꼭짓점 A에서 꼭짓점 B까지 최단 거리로 가는 경우의 수는?

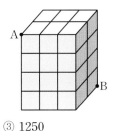

① 1230　　② 1240　　③ 1250
④ 1260　　⑤ 1270

유형 12　최단 거리로 가는 경우의 수 – 장애물이 있는 경우

070 대표 문제 다시 보기

오른쪽 그림과 같은 도로망이 있다. A 지점에서 B 지점까지 최단 거리로 가는 경우의 수를 구하시오.

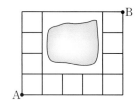

071 중

오른쪽 그림과 같은 도로망에서 P 지점에 사고가 생겨 지날 수 없을 때, A 지점에서 B 지점까지 최단 거리로 가는 경우의 수를 구하시오.

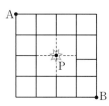

072 중

오른쪽 그림과 같은 도로망이 있다. A 지점에서 B 지점까지 최단 거리로 가는 경우의 수를 구하시오.

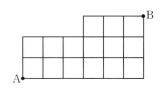

073 상

오른쪽 그림과 같은 도로망이 있다. A 지점에서 B 지점까지 최단 거리로 가는 경우의 수를 구하시오.

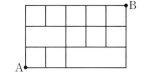

074

유형 01

남학생 4명과 여학생 4명이 원탁에 둘러앉으려고 한다. 남학생끼리 이웃하게 앉는 경우의 수를 a, 남학생과 여학생이 교대로 앉는 경우의 수를 b라 할 때, $a-b$의 값을 구하시오.

075

유형 01

1부터 6까지의 자연수가 각각 하나씩 적힌 6장의 카드를 원형으로 배열할 때, 6이 적힌 카드의 양옆에 짝수가 적힌 카드가 오는 경우의 수를 구하시오.

076

유형 02

오른쪽 그림과 같이 정육각형의 각 변을 한 변으로 하는 정삼각형 6개의 영역을 빨강, 주황, 노랑, 초록, 파랑, 보라의 6가지 색을 모두 사용하여 칠할 때, 빨간색과 파란색이 마주 보도록 칠하는 경우의 수를 구하시오. (단, 각 영역에는 한 가지 색만 칠하고, 회전하여 일치하는 것은 같은 것으로 본다.)

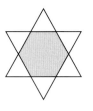

077

유형 02

오른쪽 그림과 같은 정사각뿔의 각 면을 서로 다른 5가지 색을 모두 사용하여 칠하는 경우의 수는? (단, 각 면에는 한 가지 색만 칠하고, 회전하여 일치하는 것은 같은 것으로 본다.)

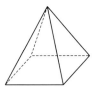

① 30   ② 60   ③ 90
④ 120   ⑤ 150

078

유형 03

다음 그림과 같은 정사각형 모양의 탁자 A에 8명이 둘러앉는 경우의 수를 a, 직사각형 모양의 탁자 B에 5명이 둘러앉는 경우의 수를 b라 할 때, $a+b$의 값을 구하시오.
(단, 회전하여 일치하는 것은 같은 것으로 본다.)

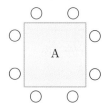 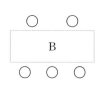

079

유형 04

두 숫자 1, 3과 두 문자 a, b에서 중복을 허용하여 다섯 자리의 암호를 만들려고 한다. 마지막 자리에는 반드시 문자가 오도록 할 때, 만들 수 있는 암호의 개수를 구하시오.

080

유형 05

일렬로 놓여 있는 6개의 전구를 각각 켜거나 꺼서 만들 수 있는 신호의 개수를 구하시오. (단, 모든 전구는 동시에 작동되고, 전구가 모두 꺼진 경우는 신호에서 제외한다.)

081

유형 06

다섯 개의 숫자 1, 2, 3, 4, 5에서 중복을 허용하여 네 자리의 자연수를 만들 때, 3400보다 큰 수의 개수는?

① 250   ② 275   ③ 300
④ 325   ⑤ 350

082
유형 07

두 집합 $X=\{0, 1, 2, 3\}$, $Y=\{1, 2, 3, 4\}$에 대하여 X에서 Y로의 함수 f 중에서 $f(1)+f(2)=5$를 만족시키는 함수의 개수를 구하시오.

083
유형 07

집합 $A=\{0, 1, 2, 3, 4\}$에 대하여 A에서 A로의 함수 f 중에서 $f(2)f(3)f(4)\neq0$을 만족시키는 함수의 개수는?

① 1500   ② 1550   ③ 1600

④ 1650   ⑤ 1700

084
유형 08

museum에 있는 6개의 문자를 일렬로 나열할 때, 양 끝에 m이 오도록 나열하는 경우의 수를 구하시오.

085
유형 08

7개의 문자 a, a, b, c, d, d, d를 일렬로 나열할 때, b와 c가 이웃하도록 나열하는 경우의 수는?

① 40   ② 60   ③ 80

④ 100   ⑤ 120

086
유형 09

일곱 개의 숫자 0, 0, 1, 2, 2, 3, 3을 모두 사용하여 만들 수 있는 일곱 자리의 자연수 중에서 홀수의 개수를 구하시오.

087
유형 10

여섯 개의 숫자 1, 2, 2, 3, 4, 5를 일렬로 나열할 때, 홀수는 크기가 작은 것이 앞에 오도록 나열하는 경우의 수를 구하시오.

088
유형 11

오른쪽 그림과 같은 도로망이 있다. A 지점에서 B 지점까지 최단 거리로 갈 때, 선분 PQ를 거쳐 가는 경우의 수는?

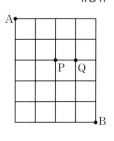

① 22   ② 23

③ 24   ④ 25

⑤ 26

089
유형 12

오른쪽 그림과 같은 도로망이 있다. A 지점에서 B 지점까지 최단 거리로 가는 경우의 수를 구하시오.

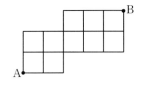

Ⅰ. 경우의 수

02

중복조합과
이항정리

I. 경우의 수

중복조합과 이항정리

★ 중요

유형 01 | 중복조합

서로 다른 n개에서 중복을 허용하여 r개를 택하는 중복조합의 수는

$$_n\mathrm{H}_r={}_{n+r-1}\mathrm{C}_r$$

참고 $_n\mathrm{C}_r$에서는 $n \ge r$이어야 하지만 $_n\mathrm{H}_r$에서는 중복을 허용하여 택하므로 $n < r$일 수도 있다.

대표 문제

001 같은 금액의 문화상품권 9장을 3명의 학생에게 나누어 주는 경우의 수는? (단, 받지 못하는 학생이 있을 수도 있다.)

① 55   ② 90   ③ 220
④ 504   ⑤ 729

유형 02 | 중복조합 – '적어도'의 조건이 있는 경우

서로 다른 n개에서 중복을 허용하여 $r\,(n \le r)$개를 택할 때, 서로 다른 n개가 적어도 한 개씩 포함되도록 택하는 중복조합의 수는

$$_n\mathrm{H}_{r-n}$$

대표 문제

002 깨 송편, 밤 송편, 콩 송편을 섞어서 20개를 상자에 넣어 포장하려고 한다. 세 종류의 송편이 적어도 한 개씩 포함되도록 하는 경우의 수를 구하시오.

(단, 같은 종류의 송편은 서로 구별하지 않는다.)

★ 중요

유형 03 | 중복조합 – 방정식, 부등식의 해의 개수

방정식 $x_1+x_2+x_3+\cdots+x_n=r$ (n, r는 자연수)에 대하여
(1) 음이 아닌 정수해의 개수
  ➡ 서로 다른 n개에서 r개를 택하는 중복조합의 수
  ➡ $_n\mathrm{H}_r$
(2) 양의 정수해의 개수 (단, $n \le r$)
  ➡ 서로 다른 n개에서 $(r-n)$개를 택하는 중복조합의 수
  ➡ $_n\mathrm{H}_{r-n}$

대표 문제

003 방정식 $x+y+z=8$을 만족시키는 음이 아닌 정수 x, y, z의 순서쌍 (x, y, z)의 개수를 a, 자연수 x, y, z의 순서쌍 (x, y, z)의 개수를 b라 할 때, $a+b$의 값은?

① 60   ② 63   ③ 66
④ 69   ⑤ 72

유형 04 | 중복조합 – 함수의 개수

두 집합 X, Y의 원소의 개수가 각각 m, n일 때, 함수 $f: X \longrightarrow Y$ 중에서 $a \in X$, $b \in X$에 대하여 $a < b$이면 $f(a) \le f(b)$를 만족시키는 함수의 개수는

$$_n\mathrm{H}_m$$

대표 문제

004 두 집합 $X=\{-1, 0, 1\}$, $Y=\{1, 2, 3, 4, 5, 6\}$에 대하여 X에서 Y로의 함수 f 중에서 $f(-1) \le f(0) \le f(1)$을 만족시키는 함수의 개수를 구하시오.

★중요
유형 05 | $(a+b)^n$의 전개식

자연수 n에 대하여

(1) $(a+b)^n$의 전개식의 일반항은
$$_nC_r a^{n-r} b^r$$

(2) $(ax+by)^n$의 전개식의 일반항은
$$_nC_r(ax)^{n-r}(by)^r =_nC_r a^{n-r}b^r x^{n-r}y^r$$

(3) $\left(ax+\dfrac{b}{x}\right)^n$의 전개식의 일반항은
$$_nC_r(ax)^{n-r}\left(\dfrac{b}{x}\right)^r =_nC_r a^{n-r}b^r \dfrac{x^{n-r}}{x^r}$$

대표 문제

005 $\left(ax^2+\dfrac{1}{x}\right)^4$의 전개식에서 x^2의 계수가 54일 때, 양수 a의 값을 구하시오.

유형 06 | $(a+b)^m(c+d)^n$의 전개식

자연수 m, n에 대하여

(1) $(a+b)(c+d)^n$의 전개식의 일반항
➡ $a(c+d)^n+b(c+d)^n$으로 변형하여 생각한다.

(2) $(a+b)^m(c+d)^n$의 전개식의 일반항
➡ $(a+b)^m$과 $(c+d)^n$의 전개식의 일반항을 각각 구하여 곱한다.
➡ $_mC_r \times_nC_s a^{m-r}b^r c^{n-s}d^s$

대표 문제

006 $(x+2)^3(x-2)^4$의 전개식에서 x^5의 계수를 구하시오.

유형 07 | 이항계수의 합

이항계수의 합은 다음을 이용하여 구한다.

(1) $_1C_0=_2C_0=_3C_0=\cdots=_nC_0=1$
   $_1C_1=_2C_2=_3C_3=\cdots=_nC_n=1$

(2) $_nC_r=_nC_{n-r}$

(3) 파스칼의 삼각형에서
$$_{n-1}C_{r-1}+_{n-1}C_r=_nC_r$$

$_{n-1}C_{r-1}$　$_{n-1}C_r$
$_nC_r$

대표 문제

007 다음 중 오른쪽의 색칠한 부분에 있는 수의 합과 같은 것은?

① $_5C_1$　　② $_5C_2$

③ $_5C_5$　　④ $_6C_2$

⑤ $_6C_5$

1
$_1C_0$　$_1C_1$
$_2C_0$　$_2C_1$　$_2C_2$
$_3C_0$　$_3C_1$　$_3C_2$　$_3C_3$
$_4C_0$　$_4C_1$　$_4C_2$　$_4C_3$　$_4C_4$

★중요
유형 08 | 이항계수의 성질

(1) $_nC_0+_nC_1+_nC_2+\cdots+_nC_n=2^n$

(2) $_nC_0-_nC_1+_nC_2-\cdots+(-1)^n {}_nC_n=0$

(3) $_nC_0+_nC_2+_nC_4+\cdots=_nC_1+_nC_3+_nC_5+\cdots=2^{n-1}$

대표 문제

008 $_{30}C_1-_{30}C_2+_{30}C_3-_{30}C_4+\cdots+_{30}C_{29}$의 값은?

① 0　　　　② 1　　　　③ 2

④ 2^{29}　　⑤ 2^{30}

유형 09 | $(1+x)^n$의 전개식의 활용

$(1+x)^n=_nC_0+_nC_1x+_nC_2x^2+\cdots+_nC_nx^n$에서 x 대신 상수 a를 대입
➡ $(1+a)^n=_nC_0+_nC_1a+_nC_2a^2+\cdots+_nC_na^n$

대표 문제

009 $_{30}C_1\times 2+_{30}C_2\times 2^2+_{30}C_3\times 2^3+\cdots+_{30}C_{30}\times 2^{30}$의 값은?

① $2^{30}-1$　　② 2^{30}　　③ $2^{30}+1$

④ $3^{30}-1$　　⑤ 3^{30}

★ 중요

유형 01   중복조합

010 대표 문제 다시 보기

같은 종류의 볼펜 7자루를 5명의 학생에게 나누어 주는 경우의 수를 구하시오. (단, 받지 못하는 학생이 있을 수도 있다.)

011 하

야구공, 농구공, 축구공, 테니스공 중에서 중복을 허용하여 9개의 공을 택하는 경우의 수는?

(단, 같은 종류의 공은 서로 구별하지 않는다.)

① 36 　　　　② 126 　　　　③ 220

④ 256 　　　　⑤ 495

012 중

$(a+b+c)^7$의 전개식에서 서로 다른 항의 개수는?

① 24 　　　　② 36 　　　　③ 48

④ 60 　　　　⑤ 72

013 중

2명의 후보가 출마한 선거에서 8명의 유권자가 한 명의 후보에게 각각 투표할 때, 무기명으로 투표하는 경우의 수를 a, 기명으로 투표하는 경우의 수를 b라 하자. 이때 $b-a$의 값을 구하시오. (단, 기권이나 무효표는 없다.)

014 상

빨간 구슬 6개, 파란 구슬 6개, 노란 구슬 3개 중에서 6개의 구슬을 택하는 경우의 수를 구하시오.

(단, 같은 색의 구슬은 서로 구별하지 않는다.)

유형 02   중복조합 – '적어도'의 조건이 있는 경우

015 대표 문제 다시 보기

사과, 귤, 오렌지, 복숭아, 참외 5종류의 과일만을 파는 가게에서 10개의 과일을 살 때, 각 과일이 적어도 한 개씩 포함되도록 사는 경우의 수를 구하시오.

(단, 같은 종류의 과일은 서로 구별하지 않는다.)

016 중

같은 종류의 펜 15개를 세 주머니 A, B, C에 나누어 넣으려고 한다. 이때 두 주머니 A, B에는 각각 3개 이상 넣고, 주머니 C에는 1개 이상 넣는 경우의 수는?

① 45 　　　　② 60 　　　　③ 90

④ 108 　　　　⑤ 120

017 중

같은 종류의 엽서 8장을 5명에게 나누어 줄 때, 엽서를 한 장도 받지 못하는 사람이 생기는 경우의 수를 구하시오.

018 <중>

고기 만두, 김치 만두, 새우 만두 중에서 중복을 허용하여 n개를 사는 경우의 수가 28일 때, 만두가 종류별로 적어도 한 개씩 포함되도록 n개를 사는 경우의 수를 구하시오.

(단, 같은 종류의 만두는 서로 구별하지 않는다.)

019 <상> 신유형

서로 다른 종류의 펜 4개와 같은 종류의 지우개 4개를 3명의 학생 A, B, C에게 남김없이 나누어 줄 때, 다음 조건을 모두 만족시키도록 나누어 주는 경우의 수를 구하시오.

⑺ 각 학생에게 적어도 1개의 펜을 나누어 준다.
⑻ 각 학생에게 펜과 지우개를 합하여 5개 이하로 나누어 준다.

★ 중요
유형 03   중복조합 – 방정식, 부등식의 해의 개수

020 대표 문제 다시 보기

방정식 $x+y+z=12$를 만족시키는 음이 아닌 정수 x, y, z의 순서쌍 (x, y, z)의 개수를 a, 자연수 x, y, z의 순서쌍 (x, y, z)의 개수를 b라 할 때, $a+b$의 값은?

① 134   ② 138   ③ 142
④ 146   ⑤ 150

021 <중>

부등식 $x+y+z+w<4$를 만족시키는 음이 아닌 정수 x, y, z, w의 순서쌍 (x, y, z, w)의 개수는?

① 31   ② 32   ③ 33
④ 34   ⑤ 35

022 <중>

방정식 $a+b+c=19$를 만족시키는 $a \geq 1$, $b \geq 2$, $c \geq 3$인 자연수 a, b, c의 순서쌍 (a, b, c)의 개수를 구하시오.

023 <중>

방정식 $x+y+z=n$을 만족시키는 음이 아닌 정수 x, y, z의 순서쌍 (x, y, z)의 개수가 36일 때, 자연수 n의 값은?

① 6   ② 7   ③ 8
④ 9   ⑤ 10

024 <중>

방정식 $x+y+z+5w=15$를 만족시키는 자연수 x, y, z, w의 순서쌍 (x, y, z, w)의 개수를 구하시오.

025 상 신유형

다음 조건을 모두 만족시키는 자연수 a, b, c, d의 순서쌍 (a, b, c, d)의 개수는?

> ㈎ a, b, c, d 중에서 홀수는 2개이다.
> ㈏ $a+b+c+d=12$

① 100   ② 110   ③ 120
④ 130   ⑤ 140

유형 **04** 중복조합 – 함수의 개수

026 대표 문제 다시 보기

두 집합 $X=\{-3, -1, 1, 3\}$, $Y=\{1, 2, 3, 4, 5\}$에 대하여 X에서 Y로의 함수 f 중에서

$$f(-3) \leq f(-1) \leq f(1) \leq f(3)$$

을 만족시키는 함수의 개수는?

① 64   ② 66   ③ 68
④ 70   ⑤ 72

027 중

두 집합 $X=\{1, 2, 3\}$, $Y=\{y \mid y$는 10 이하의 홀수$\}$에 대하여 함수 $f : X \longrightarrow Y$가 $f(1) \leq f(2)$를 만족시킬 때, 함수 f의 개수를 구하시오.

---

028 중

두 집합 $X=\{1, 2, 3, 4, 5\}$, $Y=\{1, 2, 3, 4, 5, 6\}$에 대하여 X에서 Y로의 함수 f 중에서 다음 조건을 모두 만족시키는 함수의 개수는?

> ㈎ $f(3)=4$, $f(5)=6$
> ㈏ $a \in X$, $b \in X$일 때, $a<b$이면 $f(a) \leq f(b)$이다.

① 20   ② 25   ③ 30
④ 35   ⑤ 40

029 상

두 집합 $X=\{1, 2, 3, 4\}$, $Y=\{1, 2, 3, 4, 5, 6, 7, 8\}$에 대하여 X에서 Y로의 함수 f 중에서 다음 조건을 모두 만족시키는 함수의 개수를 구하시오.

> ㈎ $f(2)$의 값은 짝수이다.
> ㈏ $a \in X$, $b \in X$일 때, $a<b$이면 $f(a) \geq f(b)$이다.

★ 중요
유형 **05** $(a+b)^n$의 전개식

030 대표 문제 다시 보기

$\left(x^2-\dfrac{a}{x}\right)^5$의 전개식에서 x^4의 계수가 40일 때, 양수 a의 값을 구하시오.

031 하

$(x^2-2x)^4$의 전개식에서 x^6의 계수는?

① 22   ② 24   ③ 26

④ 28   ⑤ 30

032 중

$(x+ay)^7$의 전개식에서 x^4y^3의 계수가 280일 때, 실수 a의 값을 구하시오.

033 중

$(x+a)^{10}$의 전개식에서 x^7의 계수가 x^8의 계수의 8배일 때, 양수 a의 값은?

① 2   ② 3   ③ 4

④ 5   ⑤ 6

034 중

$(x-1)^n$의 전개식에서 x^2의 계수가 -36일 때, x^3의 계수를 구하시오. (단, n은 자연수)

035 중

$\left(x^4+\dfrac{1}{x^3}\right)^n$의 전개식에서 상수항이 존재하도록 하는 자연수 n의 최솟값을 m이라 하고 그때의 상수항을 k라 할 때, $m+k$의 값을 구하시오.

036 상

$(1+\sqrt{2}x)^{15}$의 전개식에서 계수가 유리수인 항의 개수는?

① 0   ② 7   ③ 8

④ 14   ⑤ 15

유형 06 $(a+b)^m(c+d)^n$의 전개식

037   대표 문제 다시 보기

$(1+x)^4(2-x)^5$의 전개식에서 x^2의 계수는?

① -128 ② -48 ③ 80

④ 272   ⑤ 592

038 중

$(1+x)(1+2x)^5$의 전개식에서 x^4의 계수를 구하시오.

039 중

$(2x^3+3)\left(x+\dfrac{1}{x}\right)^5$의 전개식에서 상수항은?

① 3   ② 5   ③ 10

④ 20   ⑤ 27

040 중

$(x-a)^3(x+2)^4$의 전개식에서 x의 계수가 -64일 때, 실수 a의 값을 구하시오.

041 중

$(1+x)^5(1+x^2)^n$의 전개식에서 x^2의 계수가 17일 때, 자연수 n의 값을 구하시오.

042 중

$\dfrac{(x-2)^4(3x^2+2)^3}{x}$의 전개식에서 x^4의 계수를 구하시오.

유형 **07** 이항계수의 합

043 대표 문제 다시 보기

다음 중 오른쪽 그림의 색칠한 부분에 있는 수의 합과 같은 것은?

$$
\begin{array}{c}
1 \\
{}_1C_0 \quad {}_1C_1 \\
{}_2C_0 \quad {}_2C_1 \quad {}_2C_2 \\
{}_3C_0 \quad {}_3C_1 \quad {}_3C_2 \quad {}_3C_3 \\
{}_4C_0 \quad {}_4C_1 \quad {}_4C_2 \quad {}_4C_3 \quad {}_4C_4 \\
{}_5C_0 \quad {}_5C_1 \quad {}_5C_2 \quad {}_5C_3 \quad {}_5C_4 \quad {}_5C_5
\end{array}
$$

① ${}_5C_2$ ② ${}_6C_2$

③ ${}_6C_3$ ④ ${}_7C_2$

⑤ ${}_7C_3$

044 중

다음 중 ${}_1C_0+{}_2C_1+{}_3C_2+{}_4C_3+\cdots+{}_{10}C_9$의 값과 같은 것은?

① ${}_{10}C_2$ ② ${}_{10}C_3$ ③ ${}_{11}C_2$

④ ${}_{11}C_3$ ⑤ ${}_{11}C_4$

045 중

${}_5C_1+{}_6C_2+{}_7C_3+{}_8C_4+{}_9C_5$의 값을 구하시오.

046 상

$(1+x)+(1+x)^2+(1+x)^3+\cdots+(1+x)^{10}$의 전개식에서 x^4의 계수를 구하시오.

★중요
유형 08 이항계수의 성질

047 대표문제 다시 보기

$_{20}C_1 - _{20}C_2 + _{20}C_3 - _{20}C_4 + \cdots + _{20}C_{19}$의 값은?

① -2^{19} ② -2 ③ 2

④ 2^{19} ⑤ 2^{20}

048 중

$_nC_1 + _nC_2 + _nC_3 + \cdots + _nC_n = 255$를 만족시키는 자연수 n의 값을 구하시오.

049 중

$100 < _nC_1 + _nC_2 + _nC_3 + \cdots + _nC_n < 1000$을 만족시키는 자연수 n의 개수는?

① 1 ② 2 ③ 3

④ 4 ⑤ 5

050 중

$\dfrac{_{17}C_1 + _{17}C_3 + _{17}C_5 + \cdots + _{17}C_{17}}{_9C_0 + _9C_1 + _9C_2 + _9C_3 + _9C_4} = 2^n$을 만족시키는 자연수 n의 값을 구하시오.

051 중

집합 $A = \{x_1, x_2, x_3, \cdots, x_8\}$의 부분집합 중에서 원소의 개수가 홀수인 것의 개수를 구하시오.

유형 09 $(1+x)^n$의 전개식의 활용

052 대표문제 다시 보기

$_9C_1 \times 7 + _9C_2 \times 7^2 + _9C_3 \times 7^3 + \cdots + _9C_9 \times 7^9$의 값은?

① $2^{27} - 1$ ② 2^{27} ③ $2^{27} + 1$

④ $3^{27} - 1$ ⑤ 3^{27}

053 중

31^{50}을 900으로 나누었을 때의 나머지는?

① 591 ② 599 ③ 601

④ 603 ⑤ 609

054 상

11^{12}의 백의 자리의 숫자를 a, 십의 자리의 숫자를 b, 일의 자리의 숫자를 c라 할 때, $a+b+c$의 값을 구하시오.

055
유형 01

샌드위치, 식빵, 팥빵 중에서 7개를 고르는 경우의 수는?

(단, 같은 종류의 빵은 서로 구별하지 않는다.)

① 36　　　　　　② 54　　　　　　③ 63

④ 84　　　　　　⑤ 120

056
유형 01

$(x+y+z+w)^n$의 전개식에서 서로 다른 항의 개수가 120일 때, 자연수 n의 값은?

① 4　　　　　　② 7　　　　　　③ 10

④ 13　　　　　　⑤ 16

057
유형 01

$2 \le a \le b \le c \le 8$을 만족시키는 자연수 a, b, c의 순서쌍 (a, b, c)의 개수를 구하시오.

058
유형 02

같은 종류의 공책 12권을 3명의 학생에게 나누어 주려고 한다. 각 학생이 적어도 2권의 공책을 받도록 나누어 주는 경우의 수를 구하시오.

059
유형 03

부등식 $6 \le x+y+z+w \le 8$을 만족시키는 자연수 x, y, z, w의 순서쌍 (x, y, z, w)의 개수는?

① 35　　　　　　② 45　　　　　　③ 55

④ 65　　　　　　⑤ 75

060
유형 04

두 집합 $X=\{1, 2, 3, 4\}$, $Y=\{1, 3, 5, 7, 9\}$에 대하여 X에서 Y로의 함수 f 중에서 다음 조건을 모두 만족시키는 함수의 개수를 구하시오.

(가) $f(x)=x$인 x가 존재한다.

(나) $a \in X$, $b \in X$일 때, $a<b$이면 $f(a) \le f(b)$이다.

061
유형 05

$\left(xy+\dfrac{a}{y^2}\right)^6$의 전개식에서 $\dfrac{x^3}{y^3}$의 계수가 20일 때, x^4의 계수는? (단, a는 실수)

① 9　　　　　　② 12　　　　　　③ 15

④ 18　　　　　　⑤ 21

062

유형 05

$\left(\dfrac{x}{2}+a\right)^7$의 전개식에서 x^4의 계수가 x^3의 계수의 2배일 때, 양수 a의 값을 구하시오.

063

유형 06

$(ax-y)^3(x+y)^4$의 전개식에서 xy^6의 계수가 8일 때, 상수 a의 값은?

① $\dfrac{1}{4}$ ② $\dfrac{1}{2}$ ③ 1

④ 2 ⑤ 4

064

유형 06

$(x^2+x+1)\left(x+\dfrac{1}{x}\right)^4$의 전개식에서 x^2의 계수를 구하시오.

065

유형 07

다음 중 $_3C_3+_4C_3+_5C_3+_6C_3+\cdots+_{10}C_3$의 값과 같은 것은?

① $_{10}C_4$ ② $_{11}C_3$ ③ $_{11}C_4$

④ $_{12}C_3$ ⑤ $_{12}C_4$

066

유형 08

다음 보기 중 옳은 것만을 있는 대로 고른 것은?

> **보기**
> ㄱ. $_{100}C_0+_{100}C_1+_{100}C_2+\cdots+_{100}C_{99}=2^{100}-1$
> ㄴ. $_6C_0-_6C_1+_6C_2-_6C_3+\cdots+_6C_6=1$
> ㄷ. $_{11}C_6+_{11}C_7+_{11}C_8+\cdots+_{11}C_{11}=2^{10}$

① ㄱ ② ㄴ ③ ㄷ

④ ㄱ, ㄷ ⑤ ㄱ, ㄴ, ㄷ

067

유형 08

n이 홀수일 때, 부등식

$$_{2n+1}C_0+_{2n+1}C_1+_{2n+1}C_2+\cdots+_{2n+1}C_n<1500$$

을 만족시키는 n의 최댓값을 구하시오.

068

유형 09

자연수 N에 대하여

$$N=_8C_0+_8C_1\times5+_8C_2\times5^2+\cdots+_8C_8\times5^8$$

일 때, N의 양의 약수의 개수는?

① 27 ② 28 ③ 58

④ 81 ⑤ 82

Ⅱ. 확률

03

확률의 뜻과 활용

03 확률의 뜻과 활용

유형 01 | 시행과 사건

표본공간 S의 두 사건 A, B에 대하여

(1) 합사건: A 또는 B가 일어나는 사건 ➡ $A \cup B$

(2) 곱사건: A와 B가 동시에 일어나는 사건 ➡ $A \cap B$

(3) 여사건: A가 일어나지 않는 사건 ➡ A^C

(4) 배반사건: A와 B가 동시에 일어나지 않을 때, 즉 $A \cap B = \varnothing$인 두 사건 A, B를 서로 배반사건이라 한다.

대표 문제

001 한 개의 주사위를 던지는 시행에서 3 이하의 눈이 나오는 사건을 A라 할 때, 다음 보기 중 사건 A와 서로 배반사건인 것만을 있는 대로 고르시오.

보기
ㄱ. B: 5의 배수의 눈이 나오는 사건
ㄴ. C: 짝수의 눈이 나오는 사건
ㄷ. D: 6의 약수가 아닌 눈이 나오는 사건

유형 02 | 수학적 확률

어떤 시행에서 표본공간 S의 각 근원사건이 일어날 가능성이 모두 같은 정도로 기대될 때, 사건 A가 일어날 수학적 확률은

$$P(A) = \frac{n(A)}{n(S)}$$

대표 문제

002 서로 다른 두 개의 주사위를 동시에 던질 때, 나오는 두 눈의 수의 곱이 홀수일 확률은?

① $\frac{1}{6}$　　　② $\frac{1}{4}$　　　③ $\frac{1}{3}$

④ $\frac{5}{12}$　　　⑤ $\frac{1}{2}$

★중요

유형 03 | 순열을 이용하는 확률

일렬로 나열하는 경우의 확률을 구할 때에는 먼저 순열을 이용하여 경우의 수를 구한다.

참고 서로 다른 n개에서 r개를 택하는 순열의 수는

$$_nP_r = \underbrace{n(n-1)(n-2)\cdots\{n-(r-1)\}}_{r개} \text{ (단, } 0 < r \leq n)$$
$$= \frac{n!}{(n-r)!} \text{ (단, } 0 \leq r \leq n)$$

대표 문제

003 answer에 있는 6개의 문자를 일렬로 나열할 때, 양 끝에 a와 r가 올 확률은?

① $\frac{1}{30}$　　　② $\frac{1}{15}$　　　③ $\frac{1}{10}$

④ $\frac{2}{15}$　　　⑤ $\frac{1}{6}$

유형 04 | 원순열을 이용하는 확률

원형으로 배열하는 경우의 확률을 구할 때에는 먼저 원순열을 이용하여 경우의 수를 구한다.

참고 서로 다른 n개를 원형으로 배열하는 원순열의 수는

$$\frac{n!}{n} = (n-1)!$$

대표 문제

004 남자 4명과 여자 3명이 원탁에 둘러앉을 때, 여자끼리 이웃하게 앉을 확률을 구하시오.

유형 **05** | 중복순열을 이용하는 확률

중복을 허용하여 일렬로 나열하는 경우의 확률을 구할 때에는 먼저 중복순열을 이용하여 경우의 수를 구한다.

참고 서로 다른 n개에서 r개를 택하는 중복순열의 수는

$$_n\Pi_r=n^r$$

대표 문제

005 네 개의 숫자 0, 2, 3, 5에서 중복을 허용하여 5개를 택하여 다섯 자리의 자연수를 만들 때, 그 수가 홀수일 확률을 구하시오.

유형 **06** | 같은 것이 있는 순열을 이용하는 확률

같은 것이 있는 것을 포함하여 일렬로 나열하는 경우의 확률을 구할 때에는 먼저 같은 것이 있는 순열을 이용하여 경우의 수를 구한다.

참고 n개 중에서 같은 것이 각각 p개, q개, $\cdots$, r개 있을 때, n개를 일렬로 나열하는 순열의 수는

$$\frac{n!}{p!\times q!\times\cdots\times r!}\ (단, p+q+\cdots+r=n)$$

대표 문제

006 website에 있는 7개의 문자를 일렬로 나열할 때, s와 t가 적힌 카드가 양 끝에 올 확률은?

① $\dfrac{1}{21}$　　　② $\dfrac{1}{20}$　　　③ $\dfrac{1}{19}$

④ $\dfrac{1}{18}$　　　⑤ $\dfrac{1}{17}$

중요

유형 **07** | 조합을 이용하는 확률

순서를 생각하지 않고 택하는 경우의 확률을 구할 때에는 먼저 조합을 이용하여 경우의 수를 구한다.

참고 서로 다른 n개에서 r개를 택하는 조합의 수는

$$_n\mathrm{C}_r=\frac{_n\mathrm{P}_r}{r!}=\frac{n!}{r!(n-r)!}\ (단, 0\leq r\leq n)$$

대표 문제

007 흰 공 3개, 검은 공 2개가 들어 있는 주머니에서 임의로 3개의 공을 동시에 꺼낼 때, 흰 공 2개와 검은 공 1개가 나올 확률은?

① $\dfrac{3}{10}$　　　② $\dfrac{2}{5}$　　　③ $\dfrac{1}{2}$

④ $\dfrac{3}{5}$　　　⑤ $\dfrac{7}{10}$

유형 **08** | 중복조합을 이용하는 확률

중복을 허용하여 순서를 생각하지 않고 택하는 경우의 확률을 구할 때에는 먼저 중복조합을 이용하여 경우의 수를 구한다.

참고 서로 다른 n개에서 r개를 택하는 중복조합의 수는

$$_n\mathrm{H}_r=_{n+r-1}\mathrm{C}_r$$

대표 문제

008 방정식 $x+y+z=8$을 만족시키는 음이 아닌 정수 x, y, z의 순서쌍 (x, y, z) 중에서 임의로 하나를 택할 때, $y=3$일 확률을 구하시오.

유형 01 시행과 사건

009 대표 문제 다시 보기

12의 양의 약수가 각 면에 하나씩 적힌 정육면체 한 개를 던지는 시행에서 홀수의 눈이 나오는 사건을 A, 5의 약수의 눈이 나오는 사건을 B, 소수의 눈이 나오는 사건을 C라 할 때, 다음 보기 중 서로 배반사건인 것만을 있는 대로 고르시오.

> 보기
> ㄱ. A와 B ㄴ. A와 C ㄷ. B와 C

010 하

1부터 8까지의 자연수가 각각 하나씩 적힌 8장의 카드가 들어 있는 상자에서 임의로 한 장의 카드를 꺼낼 때, 홀수가 적힌 카드를 꺼내는 사건을 A, 3의 배수가 적힌 카드를 꺼내는 사건을 B라 하자. 다음 중 옳지 <u>않은</u> 것은?

① $B = \{3, 6\}$
② $A \cup B = \{1, 3, 5, 6, 7\}$
③ $A \cap B = \{3\}$
④ $n(A \cap B^c) = 2$
⑤ $n(A^c \cup B^c) = 7$

011 중

표본공간 $S = \{-3, -2, -1, 0, 1, 2, 3\}$에 대하여 두 사건 A, B가 $A = \{-1, 0, 1\}$, $B = \{-3, 0, 2\}$일 때, 표본공간 S의 사건 중에서 두 사건 A, B와 모두 배반사건인 것의 개수를 구하시오.

유형 02 수학적 확률

012 대표 문제 다시 보기

서로 다른 두 개의 주사위를 동시에 던질 때, 나오는 두 눈의 수의 합을 4로 나누었을 때의 나머지가 3일 확률은?

① $\dfrac{1}{9}$
② $\dfrac{1}{6}$
③ $\dfrac{2}{9}$
④ $\dfrac{5}{18}$
⑤ $\dfrac{1}{3}$

013 중

집합 $A = \{1, 3, 5, 7, 9, 11\}$의 부분집합 중에서 임의로 하나를 택할 때, 택한 부분집합이 원소 5, 7을 모두 포함할 확률을 구하시오.

014 중

360의 양의 약수 중에서 임의로 하나를 택할 때, 그 수가 짝수일 확률을 구하시오.

015 중

다섯 개의 숫자 1, 3, 5, 7, 9가 각각 하나씩 적힌 5개의 공이 들어 있는 주머니에서 임의로 한 개의 공을 꺼내어 숫자를 확인한 후 주머니에 넣고, 다시 한 개의 공을 꺼내어 숫자를 확인할 때, 첫 번째 나온 공에 적힌 수를 a, 두 번째 나온 공에 적힌 수를 b라 하자. 이때 이차방정식 $ax^2 + bx + 1 = 0$이 실근을 가질 확률을 구하시오.

★ 중요
유형 03   순열을 이용하는 확률

016   대표 문제 다시 보기
남학생 3명과 여학생 4명이 일렬로 설 때, 양 끝에 남학생이 설 확률을 구하시오.

017   중
다섯 개의 숫자 1, 2, 3, 5, 6을 모두 사용하여 다섯 자리의 자연수를 만들 때, 그 수가 5의 배수일 확률을 구하시오.

018   중
어느 부부와 자녀 3명이 한 명씩 비행기에 탑승할 때, 부부가 연이어 탑승할 확률은?

① $\dfrac{2}{5}$ ② $\dfrac{7}{15}$ ③ $\dfrac{8}{15}$

④ $\dfrac{3}{5}$ ⑤ $\dfrac{2}{3}$

019   중
1부터 5까지의 자연수가 각각 하나씩 적힌 5장의 카드가 있다. 이 중에서 서로 다른 4장을 택한 후 카드에 적힌 숫자를 모두 사용하여 네 자리의 자연수를 만들 때, 그 수가 3200보다 클 확률을 구하시오.

020   상
키가 서로 다른 4명의 학생이 있다. 이 학생들이 일렬로 설 때, 앞에서 두 번째 학생이 이웃한 두 학생보다 키가 클 확률은?

① $\dfrac{1}{6}$ ② $\dfrac{1}{5}$ ③ $\dfrac{1}{4}$

④ $\dfrac{1}{3}$ ⑤ $\dfrac{1}{2}$

유형 04   원순열을 이용하는 확률

021   대표 문제 다시 보기
3쌍의 부부가 원탁에 둘러앉을 때, 부부끼리 이웃하게 앉을 확률은?

① $\dfrac{1}{15}$ ② $\dfrac{2}{15}$ ③ $\dfrac{1}{5}$

④ $\dfrac{4}{15}$ ⑤ $\dfrac{1}{3}$

022   중
일곱 개의 숫자 1, 2, 3, 4, 5, 6, 7을 원형으로 배열할 때, 짝수끼리 이웃하지 않게 배열할 확률을 구하시오.

023 중

여자 3명과 남자 3명이 원탁에 둘러앉을 때, 여자와 남자가 교대로 앉을 확률은?

① $\dfrac{1}{10}$ ② $\dfrac{1}{5}$ ③ $\dfrac{3}{10}$

④ $\dfrac{2}{5}$ ⑤ $\dfrac{1}{2}$

024 중

오른쪽 그림과 같이 원을 6등분 한 6개의 영역을 노란색과 보라색을 포함한 서로 다른 6가지 색을 모두 사용하여 칠할 때, 노란색을 칠한 맞은편에 보라색을 칠할 확률을 구하시오. (단, 각 영역에는 한 가지 색만 칠하고, 회전하여 일치하는 것은 같은 것으로 본다.)

유형 05 중복순열을 이용하는 확률

025 대표 문제 다시 보기

다섯 개의 숫자 0, 1, 2, 3, 4에서 중복을 허용하여 6개를 택하여 여섯 자리의 자연수를 만들 때, 그 수가 짝수일 확률은?

① $\dfrac{2}{5}$ ② $\dfrac{1}{2}$ ③ $\dfrac{3}{5}$

④ $\dfrac{7}{10}$ ⑤ $\dfrac{4}{5}$

026 중

두 집합 $X=\{1, 2, 3\}$, $Y=\{a, b, c, d\}$에 대하여 함수 $f : X \longrightarrow Y$ 중에서 임의로 하나를 택할 때, 이 함수가 일대일함수일 확률을 구하시오.

027 중

세 개의 숫자 1, 2, 3에서 중복을 허용하여 4개를 택하여 네 자리의 자연수를 만들 때, 그 수가 2200보다 클 확률이 $\dfrac{q}{p}$이다. 이때 $p+q$의 값은? (단, p, q는 서로소인 자연수)

① 10 ② 12 ③ 14

④ 16 ⑤ 18

028 중

서로 다른 종류의 연필 5자루를 4명의 학생 A, B, C, D에게 남김없이 나누어 줄 때, A와 B가 각각 연필 1자루만 받을 확률을 구하시오. (단, 연필을 받지 못하는 학생이 있을 수도 있다.)

유형 06 같은 것이 있는 순열을 이용하는 확률

029 대표 문제 다시 보기

brother에 있는 7개의 문자를 일렬로 나열할 때, 자음끼리 이웃할 확률을 구하시오.

030 하

여섯 개의 숫자 1, 1, 1, 2, 2, 3을 일렬로 나열할 때, 맨 앞에 2가 올 확률을 구하시오.

031 중

오른쪽 그림과 같은 도로망이 있다. A 지점에서 출발하여 B 지점까지 최단 거리로 갈 때, P 지점을 거쳐 갈 확률을 구하시오.

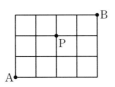

032 상

집합 $X = \{1, 2, 3\}$에 대하여 함수 $f : X \longrightarrow X$ 중에서 임의로 하나를 택할 때, 이 함수가 $f(1) + f(2) + f(3) = 8$을 만족시킬 확률을 구하시오.

033 상

두 개의 숫자 1, 2에서 중복을 허용하여 6개를 택하여 여섯 자리의 자연수를 만들 때, 그 수가 3의 배수일 확률은?

① $\dfrac{1}{4}$ ② $\dfrac{9}{32}$ ③ $\dfrac{5}{16}$

④ $\dfrac{11}{32}$ ⑤ $\dfrac{3}{8}$

★중요

유형 07 조합을 이용하는 확률

034 대표 문제 다시 보기

흰 공 4개, 검은 공 3개가 들어 있는 주머니에서 임의로 2개의 공을 동시에 꺼낼 때, 서로 다른 색의 공이 나올 확률은?

① $\dfrac{1}{7}$ ② $\dfrac{2}{7}$ ③ $\dfrac{3}{7}$

④ $\dfrac{4}{7}$ ⑤ $\dfrac{5}{7}$

035 하

A, B를 포함한 6명 중에서 새로운 급식 메뉴를 시식할 대표 4명을 임의로 뽑을 때, A는 포함되고 B는 포함되지 않을 확률을 구하시오.

036 중

집합 $A = \{a, b, c\}$의 부분집합 중에서 임의로 두 집합을 택할 때, 두 집합이 모두 집합 $\{b, c\}$의 부분집합일 확률을 구하시오.

037 중

남학생과 여학생을 합하여 10명으로 구성된 어느 동아리에서 임의로 대표 2명을 뽑을 때, 남학생 1명과 여학생 1명이 뽑힐 확률이 $\dfrac{8}{15}$이다. 이 동아리의 남학생 수와 여학생 수의 차는?

① 2 ② 3 ③ 4

④ 5 ⑤ 6

038 중

1부터 8까지의 자연수가 각각 하나씩 적힌 8개의 공이 들어 있는 주머니에서 임의로 3개의 공을 동시에 꺼낼 때, 꺼낸 공에 적힌 수 중에서 가장 작은 수가 3일 확률은?

① $\dfrac{1}{14}$ ② $\dfrac{3}{28}$ ③ $\dfrac{1}{7}$

④ $\dfrac{5}{28}$ ⑤ $\dfrac{3}{14}$

039 상

오른쪽 그림과 같이 원의 둘레에 같은 간격으로 놓인 8개의 점 A, B, C, D, E, F, G, H가 있다. 이 중에서 임의로 3개의 점을 택하여 삼각형을 만들 때, 이 삼각형이 이등변삼각형일 확률을 구하시오.

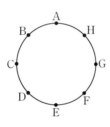

유형 08   **중복조합을 이용하는 확률**

040 대표 문제 다시 보기

방정식 $x+y+z=7$을 만족시키는 음이 아닌 정수 x, y, z의 순서쌍 (x, y, z) 중에서 임의로 하나를 택할 때, $x \geq 2$일 확률을 구하시오.

041 중

4명의 학생에게 같은 종류의 음료수 12병을 나누어 줄 때, 모든 학생이 2병 이상 받도록 나누어 줄 확률을 구하시오.

042 중

세 개의 숫자 2, 3, 5에서 중복을 허용하여 5개를 택하여 곱할 때, 곱한 결과가 10의 배수일 확률을 구하시오.

043 중

두 집합 $A=\{1, 2, 3\}$, $B=\{1, 2, 3, 4\}$에 대하여 A에서 B로의 함수 f 중에서 임의로 하나를 택할 때, $i<j$이면 $f(i) \leq f(j)$를 만족시킬 확률은? (단, $i \in A$, $j \in A$)

① $\dfrac{3}{16}$ ② $\dfrac{1}{4}$ ③ $\dfrac{5}{16}$

④ $\dfrac{3}{8}$ ⑤ $\dfrac{7}{16}$

044 상

한 개의 주사위를 3번 던져서 나오는 눈의 수를 차례대로 a_1, a_2, a_3이라 할 때, $a_1 \leq a_2 < a_3$일 확률을 구하시오.

핵심유형 **03** 확률의 뜻과 활용

유형 **09** | 통계적 확률

같은 시행을 n번 반복하여 사건 A가 일어난 횟수를 r_n이라 할 때, n을 한없이 크게 함에 따라 상대도수 $\dfrac{r_n}{n}$이 일정한 값 p에 가까워지면 이 값 p를 사건 A가 일어날 통계적 확률이라 한다.

참고 시행 횟수를 충분히 크게 하면 통계적 확률은 수학적 확률에 가까워진다.

대표 문제

045 빨간 공과 파란 공을 합하여 7개의 공이 들어 있는 주머니에서 임의로 2개의 공을 동시에 꺼내어 색을 확인하고 다시 넣는 시행을 여러 번 반복하였더니 7번에 1번꼴로 2개의 공이 모두 빨간 공이었다. 이때 주머니 속에 들어 있는 빨간 공의 개수를 구하시오.

유형 **10** | 기하적 확률

길이, 넓이, 부피, 시간 등 연속적으로 변하여 그 개수를 구할 수 없을 때의 확률은 길이, 넓이, 부피, 시간 등의 비율을 이용하여 구한다.

➡ $\mathrm{P}(A)=\dfrac{(\text{사건 } A\text{가 일어나는 영역의 크기})}{(\text{일어날 수 있는 전체 영역의 크기})}$

대표 문제

046 오른쪽 그림과 같이 $\overline{AB}=2$, $\overline{AD}=1$인 직사각형 ABCD의 내부에 임의로 점 P를 잡을 때, 삼각형 PAB가 예각삼각형일 확률은 $p+q\pi$이다. 이때 $p+q$의 값을 구하시오. (단, p, q는 유리수)

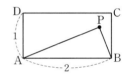

유형 **11** | 확률의 기본 성질

표본공간이 S인 어떤 시행에서

(1) 임의의 사건 A에 대하여 $0\le\mathrm{P}(A)\le1$

(2) 반드시 일어나는 사건 S에 대하여 $\mathrm{P}(S)=1$

(3) 절대로 일어나지 않는 사건 $\varnothing$에 대하여 $\mathrm{P}(\varnothing)=0$

🔑 한 개의 주사위를 던지는 시행에서 6 이하의 눈이 나오는 사건을 A, 7의 눈이 나오는 사건을 B라 하면
$$\mathrm{P}(A)=1,\ \mathrm{P}(B)=0$$

대표 문제

047 표본공간 S의 임의의 두 사건 A, B에 대하여 다음 보기 중 옳은 것만을 있는 대로 고르시오.

> **보기**
> ㄱ. $0\le\mathrm{P}(A)+\mathrm{P}(B)\le1$
> ㄴ. $0\le\mathrm{P}(A)\mathrm{P}(B)\le1$
> ㄷ. $0\le\mathrm{P}(A\cup B)\le1$

유형 **12** | 확률의 덧셈정리와 여사건의 확률의 계산

표본공간 S의 두 사건 A, B에 대하여

(1) $\mathrm{P}(A\cup B)=\mathrm{P}(A)+\mathrm{P}(B)-\mathrm{P}(A\cap B)$

참고 두 사건 A, B가 서로 배반사건이면 $A\cap B=\varnothing$이므로
$$\mathrm{P}(A\cup B)=\mathrm{P}(A)+\mathrm{P}(B)$$

(2) $\mathrm{P}(A^C)=1-\mathrm{P}(A)$

대표 문제

048 표본공간 S의 두 사건 A, B에 대하여
$$\mathrm{P}(A)=\frac{1}{5},\ \mathrm{P}(B)=\frac{2}{5},\ \mathrm{P}(A^C\cap B^C)=\frac{1}{2}$$
일 때, $\mathrm{P}(A\cap B)$는?

① $\dfrac{1}{10}$ ② $\dfrac{1}{5}$ ③ $\dfrac{3}{10}$

④ $\dfrac{2}{5}$ ⑤ $\dfrac{1}{2}$

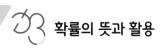 **03 확률의 뜻과 활용**

⭐중요

유형 13 | 확률의 덧셈정리 – 배반사건이 아닌 경우

'~이거나', '~ 또는' 등의 표현이 있는 경우의 확률은 확률의 덧셈정리를 이용하여 구한다.
→ 표본공간 S의 두 사건 A, B에 대하여
$$P(A \cup B) = P(A) + P(B) - P(A \cap B)$$

대표 문제

049 1부터 100까지의 자연수가 각각 하나씩 적힌 100장의 카드 중에서 임의로 한 장의 카드를 뽑을 때, 4의 배수이거나 6의 배수가 적힌 카드가 뽑힐 확률은?

① $\dfrac{8}{25}$　　② $\dfrac{33}{100}$　　③ $\dfrac{17}{50}$

④ $\dfrac{7}{20}$　　⑤ $\dfrac{9}{25}$

유형 14 | 확률의 덧셈정리 – 배반사건인 경우

동시에 일어날 수 없는 사건은 서로 배반사건이므로 배반사건에 대한 확률의 덧셈정리를 이용하여 구한다.
→ 표본공간 S의 두 사건 A, B가 서로 배반사건이면
$$P(A \cup B) = P(A) + P(B)$$
└ $A \cap B = \varnothing$이므로 $P(A \cap B) = 0$

대표 문제

050 파란 공 3개, 빨간 공 4개가 들어 있는 주머니에서 임의로 3개의 공을 동시에 꺼낼 때, 파란 공이 1개만 나오거나 하나도 나오지 않을 확률을 구하시오.

⭐중요

유형 15 | 여사건의 확률 – '적어도'의 조건이 있는 경우

'적어도 한 개가 ~인 사건'은 '모두 ~가 아닌 사건'의 여사건이므로
(적어도 한 개가 ~일 확률) = 1 − (모두 ~가 아닐 확률)

대표 문제

051 4개의 당첨 제비를 포함한 16개의 제비 중에서 임의로 2개의 제비를 동시에 뽑을 때, 적어도 1개는 당첨 제비가 뽑힐 확률을 구하시오.

⭐중요

유형 16 | 여사건의 확률 – '아닌', '이상', '이하'의 조건이 있는 경우

(1) '~가 아닌 사건'은 '~인 사건'의 여사건이므로
　　(~가 아닐 확률) = 1 − (~일 확률)
(2) '~ 이상인 사건'은 '~ 미만인 사건'의 여사건이므로
　　(~ 이상일 확률) = 1 − (~ 미만일 확률)
(3) '~ 이하인 사건'은 '~ 초과인 사건'의 여사건이므로
　　(~ 이하일 확률) = 1 − (~ 초과일 확률)

대표 문제

052 서로 다른 5개의 동전을 동시에 던질 때, 뒷면이 2개 이상 나올 확률은?

① $\dfrac{25}{32}$　　② $\dfrac{13}{16}$　　③ $\dfrac{27}{32}$

④ $\dfrac{7}{8}$　　⑤ $\dfrac{29}{32}$

핵심 유형 완성하기

유형 09 통계적 확률

053 대표 문제 다시 보기

노란 구슬과 흰 구슬을 합하여 15개의 구슬이 들어 있는 주머니에서 임의로 2개의 구슬을 동시에 꺼내어 색을 확인하고 다시 넣는 시행을 여러 번 반복하였더니 10번에 2번꼴로 2개의 구슬이 모두 노란 구슬이었다. 이때 주머니 속에 들어 있는 노란 구슬의 개수는?

① 6   ② 7   ③ 8
④ 9   ⑤ 10

054 하

A 공장에서 생산한 장난감은 2000개에 5개꼴로 불량품이고, B 공장에서 생산한 장난감은 5000개에 2개꼴로 불량품이라고 한다. 두 공장 A, B에서 생산한 장난감을 임의로 각각 한 개씩 택할 때, 불량품일 확률을 각각 a, b라 하자. 이때 $\dfrac{b}{a}$의 값을 구하시오.

055 중

다음 표는 어느 고등학교 학생들의 혈액형을 조사하여 나타낸 것이다. 이 고등학교에서 임의로 한 명의 학생을 택할 때, 혈액형이 A형일 확률을 구하시오.

혈액형	A	B	O	AB
인원(명)	300	150	180	90

유형 10 기하적 확률

056 대표 문제 다시 보기

오른쪽 그림과 같이 한 변의 길이가 10인 정사각형 ABCD의 내부에 임의로 점 P를 잡을 때, 삼각형 PAB가 둔각삼각형일 확률을 구하시오.

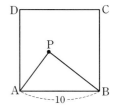

057 하

오른쪽 그림과 같이 반지름의 길이가 각각 1, 2, 3, 4이고 중심이 같은 네 원으로 이루어진 과녁에 활을 쏠 때, 색칠한 부분을 맞힐 확률을 구하시오. (단, 화살은 과녁을 벗어나지 않고, 경계선에 맞지 않는다.)

058 중

$-2 \leq a \leq 3$인 실수 a에 대하여 이차방정식 $x^2 - 6ax + 6a = 0$이 실근을 가질 확률은?

① $\dfrac{1}{15}$ ② $\dfrac{4}{15}$ ③ $\dfrac{7}{15}$
④ $\dfrac{2}{3}$ ⑤ $\dfrac{13}{15}$

유형 11 확률의 기본 성질

059 대표문제 다시 보기

표본공간 S의 임의의 두 사건 A, B에 대하여 다음 보기 중 옳은 것만을 있는 대로 고르시오.

보기
ㄱ. $-1 \leq \mathrm{P}(A) - \mathrm{P}(B) \leq 1$
ㄴ. $\mathrm{P}(A) \leq \mathrm{P}(A \cup B)$
ㄷ. $\mathrm{P}(A)\mathrm{P}(B) \leq \mathrm{P}(S)$

060 중

표본공간을 S, 절대로 일어나지 않는 사건을 $\varnothing$이라 할 때, 임의의 두 사건 A, B에 대하여 다음 보기 중 옳은 것만을 있는 대로 고른 것은?

보기
ㄱ. $\mathrm{P}(S) - \mathrm{P}(\varnothing) = 1$
ㄴ. $A \cup B = S$이면 $\mathrm{P}(A) + \mathrm{P}(B) = 1$
ㄷ. $\mathrm{P}(A) + \mathrm{P}(B) = 1$이면 두 사건 A, B는 서로 배반사건이다.

① ㄱ   ② ㄷ   ③ ㄱ, ㄴ
④ ㄴ, ㄷ   ⑤ ㄱ, ㄴ, ㄷ

유형 12 확률의 덧셈정리와 여사건의 확률의 계산

061 대표문제 다시 보기

표본공간 S의 두 사건 A, B에 대하여
$$\mathrm{P}(A) = \frac{1}{2}, \ \mathrm{P}(B) = \frac{7}{10}, \ \mathrm{P}(A^c \cup B^c) = \frac{3}{5}$$
일 때, $\mathrm{P}(A \cup B)$를 구하시오.

062 하

두 사건 A, B가 서로 배반사건이고
$$\mathrm{P}(A \cup B) = \frac{2}{3}, \ \mathrm{P}(A) = 3\mathrm{P}(B)$$
일 때, $\mathrm{P}(A)$를 구하시오.

063 중

표본공간 S의 두 사건 A, B가 서로 배반사건이고
$$\mathrm{P}(A \cap B^c) = \frac{1}{3}, \ \mathrm{P}(A^c \cap B) = \frac{1}{4}$$
일 때, $\mathrm{P}(A^c \cap B^c)$은?

① $\dfrac{5}{12}$ ② $\dfrac{1}{2}$ ③ $\dfrac{7}{12}$
④ $\dfrac{2}{3}$ ⑤ $\dfrac{3}{4}$

064 중

공사건이 아닌 두 사건 A, B에 대하여
$$\mathrm{P}(A \cap B) = \frac{2}{5}\mathrm{P}(A) = \frac{1}{3}\mathrm{P}(B)$$
일 때, $\dfrac{\mathrm{P}(A \cap B)}{\mathrm{P}(A \cup B)}$의 값은?

① $\dfrac{1}{9}$ ② $\dfrac{2}{9}$ ③ $\dfrac{1}{3}$
④ $\dfrac{4}{9}$ ⑤ $\dfrac{5}{9}$

065 상

두 사건 A, B에 대하여 $\mathrm{P}(A) = \dfrac{3}{4}$, $\mathrm{P}(B) = \dfrac{4}{5}$일 때, $\mathrm{P}(A \cap B)$의 최댓값을 M, 최솟값을 m이라 하자. 이때 $M + m$의 값을 구하시오.

유형 13 ★중요 확률의 덧셈정리 – 배반사건이 아닌 경우

066 대표 문제 다시 보기

1부터 30까지의 자연수가 각각 하나씩 적힌 30장의 카드가 들어 있는 상자에서 임의로 한 장의 카드를 꺼낼 때, 2의 배수이거나 5의 배수가 적힌 카드가 나올 확률을 구하시오.

067 하

어느 반 학생 120명 중에서 미술을 좋아하는 학생은 전체의 55 %이고 음악을 좋아하는 학생은 전체의 30 %이다. 또 미술과 음악을 모두 좋아하는 학생은 24명이다. 이 반에서 임의로 한 명의 학생을 택할 때, 그 학생이 미술 또는 음악을 좋아할 확률은?

① 0.1 　　　② 0.2 　　　③ 0.35
④ 0.6 　　　⑤ 0.65

068 중

1부터 8까지의 자연수가 각각 하나씩 적힌 8개의 공이 들어 있는 주머니에서 임의로 2개의 공을 동시에 꺼낼 때, 3 또는 4가 적힌 공이 나올 확률을 구하시오.

069 중

A 주머니에는 1부터 6까지의 자연수가 각각 하나씩 적힌 6개의 공이 들어 있고, B 주머니에는 1부터 8까지의 자연수가 각각 하나씩 적힌 8개의 공이 들어 있다. 두 주머니 A, B에서 임의로 각각 한 개씩 공을 꺼낼 때, 두 공에 적힌 수의 합이 12 이상이거나 6의 배수일 확률을 구하시오.

유형 14 확률의 덧셈정리 – 배반사건인 경우

070 대표 문제 다시 보기

흰 공 4개, 검은 공 5개가 들어 있는 주머니에서 임의로 2개의 공을 동시에 꺼낼 때, 꺼낸 2개의 공이 같은 색일 확률은?

① $\dfrac{1}{9}$ 　　　② $\dfrac{2}{9}$ 　　　③ $\dfrac{1}{3}$
④ $\dfrac{4}{9}$ 　　　⑤ $\dfrac{5}{9}$

071 하

선생님 1명과 학생 7명이 일렬로 설 때, 선생님이 맨 앞에 서거나 맨 뒤에 설 확률을 구하시오.

072 중

서로 다른 두 개의 주사위를 동시에 던질 때, 나오는 두 눈의 수의 합이 5 또는 8일 확률을 구하시오.

073 중

남학생 4명, 여학생 5명으로 구성된 영화 동아리에서 어떤 영화의 시사회에 참석할 학생 5명을 임의로 뽑을 때, 남학생이 여학생보다 많이 뽑힐 확률을 구하시오.

★중요
유형 15 여사건의 확률 – '적어도'의 조건이 있는 경우

074 대표 문제 다시 보기

1부터 15까지의 자연수가 각각 하나씩 적힌 15개의 공이 들어 있는 상자에서 임의로 2개의 공을 동시에 꺼낼 때, 적어도 1개는 3의 배수가 적힌 공이 나올 확률은?

① $\dfrac{3}{7}$ ② $\dfrac{10}{21}$ ③ $\dfrac{11}{21}$

④ $\dfrac{4}{7}$ ⑤ $\dfrac{13}{21}$

075 중

어른 4명과 어린이 2명이 원탁에 둘러앉을 때, 어린이 사이에 적어도 1명의 어른이 앉을 확률을 구하시오.

076 중

두 집합 $X=\{a,\ b,\ c\}$, $Y=\{1,\ 2,\ 3,\ 4,\ 5\}$에 대하여 X에서 Y로의 함수 중에서 임의로 하나를 택할 때, 함숫값이 2인 원소가 집합 X에 적어도 1개 있을 확률을 구하시오.

077 중

흰 공 n개, 검은 공 3개가 들어 있는 주머니에서 임의로 2개의 공을 동시에 꺼낼 때, 적어도 1개는 흰 공이 나올 확률이 $\dfrac{14}{15}$이다. 이때 n의 값을 구하시오.

★중요
유형 16 여사건의 확률
– '아닌', '이상', '이하'의 조건이 있는 경우

078 대표 문제 다시 보기

서로 다른 6개의 동전을 동시에 던질 때, 앞면이 나온 동전의 개수와 뒷면이 나온 동전의 개수의 차가 4 이하일 확률을 구하시오.

079 중

서로 다른 두 개의 주사위를 동시에 던질 때, 나오는 두 눈의 수의 곱이 4의 배수가 아닐 확률은?

① $\dfrac{7}{18}$ ② $\dfrac{5}{12}$ ③ $\dfrac{1}{2}$

④ $\dfrac{7}{12}$ ⑤ $\dfrac{11}{18}$

080 중

100원짜리 동전 2개, 50원짜리 동전 4개, 10원짜리 동전 3개가 들어 있는 주머니에서 임의로 3개의 동전을 동시에 꺼낼 때, 꺼낸 동전의 금액의 합이 200원 미만일 확률을 구하시오.

081 상   신유형

한 개의 주사위를 3번 던져서 나온 눈의 수를 차례대로 x, y, z라 할 때, $(x-y)(y-z)(z-x)=0$일 확률을 구하시오.

정답과 해설 **30쪽**

082
유형01

표본공간 $S=\{2, 3, 5, 7, 8, 9, 10\}$에 대하여 짝수인 사건을 A, 소수인 사건을 B, 3의 배수인 사건을 C라 할 때, 다음 중 옳은 것은?

① $n(A)=4$
② A와 B는 서로 배반사건이다.
③ A와 C는 서로 배반사건이 아니다.
④ B와 C는 서로 배반사건이다.
⑤ A는 C의 여사건에 포함된다.

083
유형02

한 개의 주사위를 2번 던져서 나온 눈의 수를 차례대로 a, b라 할 때, 두 직선 $ax+2y=2$, $x-by=5$가 서로 수직일 확률을 구하시오.

084
유형03

다섯 개의 숫자 0, 1, 2, 3, 4를 모두 사용하여 다섯 자리의 자연수를 만들 때, 그 수가 짝수일 확률을 구하시오.

085
유형04

남학생 4명과 여학생 2명이 원탁에 둘러앉을 때, 여학생끼리 이웃하지 않게 앉을 확률을 구하시오.

086
유형05

다섯 개의 숫자 1, 2, 3, 4, 5에서 중복을 허용하여 4개를 택하여 네 자리의 자연수를 만들 때, 각 자리의 숫자가 모두 다를 확률을 구하시오.

087
유형05

집합 $X=\{2, 3, 4, 5\}$에 대하여 X에서 X로의 함수 중에서 임의로 하나를 택할 때, 치역의 모든 원소의 곱이 홀수일 확률은?

① $\dfrac{1}{64}$ ② $\dfrac{1}{32}$ ③ $\dfrac{1}{16}$
④ $\dfrac{1}{8}$ ⑤ $\dfrac{1}{4}$

088
유형06

destiny에 있는 7개의 문자를 일렬로 나열할 때, t가 s보다는 앞에 오고 y보다는 뒤에 올 확률은?

① $\dfrac{1}{6}$ ② $\dfrac{1}{3}$ ③ $\dfrac{1}{2}$
④ $\dfrac{2}{3}$ ⑤ $\dfrac{5}{6}$

089
유형07

1, 2, 3, 4, 5의 숫자가 각각 하나씩 적힌 5장의 카드 중에서 임의로 3장의 카드를 동시에 뽑을 때, 뽑은 카드에 적힌 수의 곱이 홀수일 확률을 구하시오.

090 유형 07

1부터 9까지의 자연수가 각각 하나씩 적힌 9장의 카드가 들어 있는 상자에서 임의로 4장의 카드를 동시에 꺼낼 때, 꺼낸 카드에 적힌 수 중에서 가장 큰 수와 가장 작은 수의 합이 9일 확률을 구하시오.

091 유형 08

한 개의 주사위를 4번 던져서 나온 눈의 수를 차례대로 a, b, c, d라 하자. 네 점 $O(0, 0)$, $A(a, 0)$, $B(a-c, b)$, $C(a-c, b-d)$에 대하여 선분 OA와 선분 BC가 서로 만날 확률은?

① $\dfrac{25}{324}$ ② $\dfrac{17}{72}$ ③ $\dfrac{35}{144}$

④ $\dfrac{59}{216}$ ⑤ $\dfrac{49}{144}$

092 유형 09

흰 바둑돌과 검은 바둑돌을 합하여 10개가 들어 있는 주머니에서 임의로 2개의 바둑돌을 동시에 꺼내어 확인하고 다시 넣는 시행을 여러 번 반복하였더니 15번에 7번꼴로 서로 다른 색의 바둑돌이 나왔다고 한다. 이 주머니 안에 들어 있는 흰 바둑돌의 개수를 구하시오.

(단, 흰 바둑돌이 검은 바둑돌보다 많이 들어 있다.)

093 유형 10

오른쪽 그림과 같이 길이가 6인 선분 AB를 지름으로 하는 반원의 내부에 임의로 점 P를 잡을 때, 삼각형 PAO가 예각삼각형일 확률은? (단, O는 선분 AB의 중점)

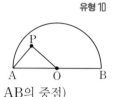

① $\dfrac{1}{4}$ ② $\dfrac{3}{8}$ ③ $\dfrac{1}{2}$

④ $\dfrac{5}{8}$ ⑤ $\dfrac{3}{4}$

094 유형 11

표본공간 S의 임의의 두 사건 A, B에 대하여 다음 보기 중 옳은 것만을 있는 대로 고른 것은?

> 보기
> ㄱ. 두 사건 A, B가 서로 배반사건이면
> $P(A \cup B) = P(A) + P(B)$이다.
> ㄴ. $0 \leq P(A \cap B) \leq 1$
> ㄷ. $P(A-B) \leq P(A) - P(B)$

① ㄱ   ② ㄷ   ③ ㄱ, ㄴ

④ ㄴ, ㄷ   ⑤ ㄱ, ㄴ, ㄷ

095 유형 12

표본공간 S의 두 사건 A, B에 대하여

$$P(A \cap B) = \dfrac{1}{4}, \quad P(A \cap B^c) = \dfrac{3}{8}$$

일 때, $P(A^c)$을 구하시오.

096
유형 12

표본공간 S의 두 사건 A, B에 대하여 A와 B^c은 서로 배반 사건이고, $P(A)=\dfrac{3}{10}$, $P(B)=2P(A)$일 때, $P(B\cap A^c)$ 을 구하시오.

097
유형 13

20 이하의 자연수 n에 대하여 이차방정식 $12x^2-7nx+n^2=0$ 이 정수해를 가질 확률은?

① $\dfrac{1}{2}$　　　② $\dfrac{1}{3}$　　　③ $\dfrac{1}{4}$

④ $\dfrac{1}{5}$　　　⑤ $\dfrac{1}{6}$

098
유형 13

6개의 문자 a, b, b, c, c, c를 일렬로 나열할 때, 2개의 b가 이웃하거나 3개의 c가 모두 이웃할 확률은?

① $\dfrac{1}{3}$　　　② $\dfrac{11}{30}$　　　③ $\dfrac{2}{5}$

④ $\dfrac{13}{30}$　　　⑤ $\dfrac{7}{15}$

099
유형 14

어느 학교 봉사 동아리에 1학년 학생 2명, 2학년 학생 3명, 3학년 학생 3명이 있다. 이 중에서 봉사를 갈 학생 2명을 임의로 뽑을 때, 뽑힌 2명 모두 1학년 학생이거나 2학년 학생일 확률을 구하시오.

100
유형 15

원소가 모두 유리수이고 원소의 개수가 10인 집합 X에서 임의로 3개의 원소를 동시에 택할 때, 적어도 1개는 정수일 확률이 $\dfrac{29}{30}$이다. 이때 집합 X의 원소 중에서 정수의 개수를 구하시오.

101
유형 16

원소의 개수가 6인 집합 X의 부분집합 중에서 임의로 하나를 택할 때, 그 부분집합의 원소의 개수가 3 이상일 확률을 구하시오.

102
유형 16

1부터 20까지의 자연수가 각각 하나씩 적힌 20개의 공 중에서 임의로 한 개의 공을 뽑을 때, 뽑은 공에 적힌 수가 3의 배수도 아니고 5의 배수도 아닐 확률은?

① $\dfrac{1}{2}$　　　② $\dfrac{11}{20}$　　　③ $\dfrac{3}{5}$

④ $\dfrac{13}{20}$　　　⑤ $\dfrac{7}{10}$

Ⅱ. 확률

04

조건부확률

04 조건부확률

유형 01 | 조건부확률의 계산

사건 A가 일어났을 때의 사건 B의 조건부확률은 다음과 같은 순서로 구한다.

(1) 확률의 덧셈정리, 여사건의 확률 등을 이용하여 $P(A)$, $P(A \cap B)$를 구한다.

(2) $P(B|A) = \dfrac{P(A \cap B)}{P(A)}$를 구한다. (단, $P(A) \neq 0$)

참고 일반적으로 $P(B|A) \neq P(A|B)$이다.

대표 문제

001 두 사건 A, B에 대하여
$$P(A) = \frac{1}{5}, \ P(B) = \frac{1}{2}, \ P(A^c \cap B^c) = \frac{2}{5}$$
일 때, $P(B|A)$는?

① $\dfrac{1}{2}$ ② $\dfrac{2}{5}$ ③ $\dfrac{3}{10}$

④ $\dfrac{1}{5}$ ⑤ $\dfrac{1}{10}$

★중요
유형 02 | 조건부확률

'A일 때, 그것이 B일 확률'을 구할 때에는 조건부확률인지 확인하고
$$P(B|A) = \frac{P(A \cap B)}{P(A)} \ (P(A) \neq 0)$$
임을 이용한다.

참고 표본공간 S의 사건 A에 대하여 $P(A) = \dfrac{n(A)}{n(S)}$

대표 문제

002 오른쪽 표는 어느 고등학교에서 학생 60명을 대상으로 강릉과 담양 중 여행지로 선호하는 지역을 조사하여 나타낸 것이다. 이 학생 중에서 임의로 택한 한 명이 여학생일 때, 그 학생이 담양을 선호하는 학생일 확률을 구하시오.

(단위: 명)

	강릉	담양	합계
남학생	19	15	34
여학생	11	15	26
합계	30	30	60

유형 03 | 확률의 곱셈정리

두 사건 A, B가 동시에 일어날 확률은
$$P(A \cap B) = P(A)P(B|A) = P(B)P(A|B)$$
$$(\text{단}, P(A) \neq 0, \ P(B) \neq 0)$$

대표 문제

003 흰 공 5개, 검은 공 3개가 들어 있는 주머니에서 공을 임의로 한 개씩 2번 꺼낼 때, 2번 모두 흰 공이 나올 확률을 구하시오. (단, 꺼낸 공은 다시 넣지 않는다.)

★중요
유형 04 | 확률의 곱셈정리 – $P(B) = P(A \cap B) + P(A^c \cap B)$

두 사건 A, B에 대하여
$$\begin{aligned} P(B) &= P(A \cap B) + P(A^c \cap B) \\ &= P(A)P(B|A) + P(A^c)P(B|A^c) \end{aligned}$$

참고 오른쪽 그림에서 $(A \cap B) \cap (A^c \cap B) = \varnothing$이므로 두 사건 $A \cap B$, $A^c \cap B$는 서로 배반사건이다.
$$\therefore P(B) = P(A \cap B) + P(A^c \cap B)$$

$A \cap B \quad A^c \cap B$

대표 문제

004 어느 프로 야구팀은 낮에 열리는 경기의 승률이 0.5이고, 밤에 열리는 경기의 승률이 0.6이다. 이 야구팀이 하는 경기 중에서 낮과 밤에 열리는 경기 수의 비가 1 : 4일 때, 어느 날 이 야구팀이 경기를 하여 이길 확률은?

① 0.52 ② 0.55 ③ 0.58

④ 0.61 ⑤ 0.64

유형 05 │ 확률의 곱셈정리와 조건부확률

사건 B가 일어났을 때의 사건 A의 조건부확률은

$$\mathrm{P}(A|B)=\frac{\mathrm{P}(A\cap B)}{\mathrm{P}(B)}$$

$$=\frac{\mathrm{P}(A\cap B)}{\mathrm{P}(A\cap B)+\mathrm{P}(A^c\cap B)}$$

대표 문제

005 어느 고등학교는 3학년 학생의 60%가 남학생이다. 이 학교의 3학년 학생을 대상으로 수시 모집 응시 여부를 조사한 결과 남학생의 $\frac{1}{12}$, 여학생의 $\frac{1}{10}$이 수시 모집에 응시하지 않았다. 이 학교의 3학년 학생 중에서 임의로 택한 한 명이 수시 모집에 응시하지 않은 학생일 때, 이 학생이 남학생일 확률을 구하시오.

04

유형 06 │ 사건의 독립과 종속의 판정

(1) 사건의 독립과 종속

사건 A가 일어나는 것이 사건 B가 일어날 확률에 영향을 주지 않을 때, 즉 $\mathrm{P}(B|A)=\mathrm{P}(B)$일 때, 두 사건 A, B는 서로 독립이라 한다.

한편 두 사건 A, B가 독립이 아닐 때, 두 사건 A, B는 서로 종속이라 한다.

(2) 두 사건 A, B가 서로 독립일 필요충분조건은

$$\mathrm{P}(A\cap B)=\mathrm{P}(A)\mathrm{P}(B)\ (단,\ \mathrm{P}(A)\neq0,\ \mathrm{P}(B)\neq0)$$

참고 $\mathrm{P}(A\cap B)=\mathrm{P}(A)\mathrm{P}(B)$ ➡ A, B는 서로 독립
$\mathrm{P}(A\cap B)\neq\mathrm{P}(A)\mathrm{P}(B)$ ➡ A, B는 서로 종속

대표 문제

006 한 개의 주사위를 던져서 소수의 눈이 나오는 사건을 A, 짝수의 눈이 나오는 사건을 B, 3의 배수의 눈이 나오는 사건을 C라 할 때, 다음 보기 중 서로 독립인 사건만을 있는 대로 고른 것은?

보기
ㄱ. A와 B ㄴ. A와 C ㄷ. B와 C

① ㄱ   ② ㄷ   ③ ㄱ, ㄴ
④ ㄴ, ㄷ   ⑤ ㄱ, ㄴ, ㄷ

유형 07 │ 사건의 독립과 종속의 성질

두 사건 A, B가 서로 독립이면

(1) $\mathrm{P}(B|A)=\mathrm{P}(B|A^c)=\mathrm{P}(B)$
$\mathrm{P}(A|B)=\mathrm{P}(A|B^c)=\mathrm{P}(A)$

(2) 두 사건 A와 B^c, 두 사건 A^c과 B, 두 사건 A^c과 B^c도 각각 서로 독립이다.

참고 두 사건 A, B가 서로 종속이면
$\mathrm{P}(B|A)\neq\mathrm{P}(B|A^c)$, $\mathrm{P}(A|B)\neq\mathrm{P}(A|B^c)$

대표 문제

007 두 사건 A, B에 대하여 다음 보기 중 옳은 것만을 있는 대로 고르시오. (단, $0<\mathrm{P}(A)<1$, $0<\mathrm{P}(B)<1$)

보기
ㄱ. 두 사건 A, A^c은 서로 독립이다.
ㄴ. 두 사건 A, B가 서로 배반사건이면 A, B는 서로 독립이다.
ㄷ. 두 사건 A, B가 서로 독립이면 두 사건 A, B^c도 서로 독립이다.

유형 08 │ **독립인 사건의 확률의 계산**

두 사건 A, B가 서로 독립이면
$$P(A \cap B) = P(A)P(B)$$
임을 이용하여 확률을 구한다.

대표 문제

008 두 사건 A, B가 서로 독립이고
$$P(A) = \frac{1}{3}, \quad P(A \cup B) = \frac{4}{9}$$
일 때, $P(B)$를 구하시오.

★중요
유형 09 │ **독립인 사건의 확률**

두 사건 A, B를 각각 정한 후 두 사건 A, B가 서로 독립이면
$$P(A \cap B) = P(A)P(B)$$
임을 이용한다.

참고 세 사건 A, B, C가 서로 독립이면
$$P(A \cap B \cap C) = P(A)P(B)P(C)$$

대표 문제

009 투호에서 화살을 던져 병 속에 넣을 때, 갑은 4번에 3번 꼴로, 을은 3번에 2번꼴로 성공한다고 한다. 갑과 을이 화살을 하나씩 던질 때, 갑 또는 을이 성공할 확률은?

① $\frac{7}{12}$ ② $\frac{2}{3}$ ③ $\frac{3}{4}$

④ $\frac{5}{6}$ ⑤ $\frac{11}{12}$

★중요
유형 10 │ **독립시행의 확률** (1)

어느 시행에서 사건 A가 일어날 확률이 $p \, (0 < p < 1)$일 때, 이 시행을 n번 반복하는 독립시행에서 사건 A가 r번 일어날 확률은
$${}_n C_r \, p^r (1-p)^{n-r} \quad (\text{단}, \ r = 0, 1, 2, \cdots, n)$$

예 한 개의 주사위를 4번 던질 때, 3의 배수의 눈이 3번 나올 확률은
$$\underbrace{{}_4 C_3}_{\substack{4번 중 \\ 3번}} \times \underbrace{\left(\frac{1}{3}\right)^3}_{\substack{3의 \ 배수의 \\ 눈이 \ 3번}} \times \underbrace{\left(\frac{2}{3}\right)^{4-3}}_{\substack{3의 \ 배수가 \ 아닌 \\ 눈이 \ (4-3)번}}$$

대표 문제

010 어느 양궁 선수가 10점 과녁을 맞힐 확률은 $\frac{3}{4}$이라 한다. 이 선수가 3발을 쏠 때, 한 발 이상 10점 과녁에 맞힐 확률은?

① $\frac{55}{64}$ ② $\frac{57}{64}$ ③ $\frac{59}{64}$

④ $\frac{61}{64}$ ⑤ $\frac{63}{64}$

유형 11 │ **독립시행의 확률** (2)

점수 또는 위치에 대한 독립시행의 확률은 다음과 같은 순서로 구한다.
(1) 방정식을 이용하여 주어진 사건이 일어나는 횟수를 구한다.
(2) 독립시행의 확률을 이용한다.

대표 문제

011 수직선 위의 점 P는 동전을 던져서 앞면이 나오면 양의 방향으로 1만큼, 뒷면이 나오면 음의 방향으로 1만큼 이동한다. 한 개의 동전을 6번 던질 때, 원점에서 출발한 점 P가 다시 원점으로 돌아올 확률을 구하시오.

유형 01 조건부확률의 계산

012 대표 문제 다시 보기

두 사건 A, B에 대하여
$$P(A)=\frac{2}{5}, \ P(A \cap B)=\frac{3}{10}, \ P(A \cup B)=\frac{3}{5}$$
일 때, $P(A^c|B^c)$을 구하시오.

013 하

두 사건 A, B에 대하여
$$P(A)=0.3, \ P(B)=0.4, \ P(A \cup B)=0.5$$
일 때, $P(A|B)$는?

① 0.2   ② 0.3   ③ 0.4
④ 0.5   ⑤ 0.6

014 중

두 사건 A, B가 서로 배반사건이고 $P(A)=\frac{1}{3}$, $P(B)=\frac{1}{5}$
일 때, $P(B|A^c)$을 구하시오.

015 중

두 사건 A, B에 대하여 $P(B)=\frac{3}{4}$, $P(A^c|B)=\frac{1}{3}$일 때,
$P(A \cap B)$를 구하시오.

016 상 신유형

두 사건 A, B에 대하여 $P(A)=\frac{8}{9}$, $P(B)=\frac{1}{3}$일 때,
$P(A|B)$의 최댓값을 M, 최솟값을 m이라 하자. 이때
$M+m$의 값을 구하시오.

04

★중요 유형 02 조건부확률

017 대표 문제 다시 보기

다음 표는 어느 고등학교의 1학년과 2학년 학생으로 구성된 배드민턴 동아리 회원 40명의 남학생과 여학생의 수를 나타낸 것이다. 이 회원 중에서 임의로 택한 한 명이 2학년 학생일 때, 그 학생이 남학생일 확률을 구하시오.

(단위: 명)

	남학생	여학생	합계
1학년	12	4	16
2학년	20	4	24
합계	32	8	40

018 중

어느 고등학교 학생의 등교 방법을 조사한 결과 버스로 등교하는 학생이 전체의 60 %이었고, 버스로 등교하는 여학생이 전체의 25 %이었다. 이 학교 학생 중에서 임의로 택한 한 명이 버스로 등교하는 학생일 때, 그 학생이 여학생일 확률은?

① $\frac{1}{12}$ ② $\frac{1}{4}$ ③ $\frac{5}{12}$
④ $\frac{7}{12}$ ⑤ $\frac{3}{4}$

019 중

1등 당첨 제비 2개와 2등 당첨 제비 3개를 포함한 10개의 제비가 있다. 이 중에서 임의로 3개의 제비를 동시에 뽑았더니 당첨 제비가 한 개 나왔을 때, 이 당첨 제비가 1등 당첨 제비일 확률은?

① $\dfrac{1}{10}$　　　② $\dfrac{1}{5}$　　　③ $\dfrac{3}{10}$

④ $\dfrac{2}{5}$　　　⑤ $\dfrac{1}{2}$

020 중

오른쪽 표는 두 영화 A, B를 모두 관람한 사람을 대상으로 영화 선호도를 조사하여 나타낸 것이다. 조사 대상자 중에서 임의로 택한 한 명이 남자일 때, 그 사람이 B 영화를 선호할 확률이 $\dfrac{1}{8}$ 이다. 이때 자연수 x의 값을 구하시오.

(단위: 명)

	A 영화	B 영화
남자	14	x
여자	18	6

021 상

혜민이가 화이트 초콜릿과 다크 초콜릿을 만드는데, 모든 초콜릿 속에 땅콩을 넣거나 아몬드를 넣었다. 화이트 초콜릿이 전체의 $\dfrac{2}{3}$이고 땅콩을 넣은 초콜릿이 전체의 $\dfrac{3}{4}$이며 아몬드를 넣은 다크 초콜릿이 전체의 $\dfrac{1}{6}$이다. 만든 초콜릿 중에서 임의로 택한 한 개가 화이트 초콜릿일 때, 그 속에 땅콩이 들어 있을 확률을 구하시오.

(단, 땅콩과 아몬드를 동시에 넣지 않는다.)

유형 03 **확률의 곱셈정리**

022 대표 문제 다시 보기

5개의 당첨권을 포함한 15개의 추첨권이 들어 있는 상자에서 추첨권을 임의로 한 개씩 2번 뽑을 때, 2번 모두 당첨권을 뽑지 못할 확률은? (단, 뽑은 추첨권은 다시 넣지 않는다.)

① $\dfrac{2}{7}$　　　② $\dfrac{5}{14}$　　　③ $\dfrac{3}{7}$

④ $\dfrac{1}{2}$　　　⑤ $\dfrac{4}{7}$

023 하

어느 골프용품 판매점의 고객 중에서 80 %는 남자이고, 남자 고객의 60 %는 40대이다. 이 판매점의 고객 중에서 임의로 한 명을 택할 때, 그 고객이 40대 남자일 확률은?

① 0.4　　　② 0.44　　　③ 0.48

④ 0.52　　　⑤ 0.56

024 중

노란색 필통에는 빨간색 볼펜 4자루, 검은색 볼펜 8자루가 들어 있고, 파란색 필통에는 빨간색 볼펜 2자루, 검은색 볼펜 6자루가 들어 있다. 임의로 필통 한 개를 택하여 볼펜 1자루를 꺼낼 때, 그 볼펜이 노란색 필통에 들어 있던 빨간색 볼펜일 확률을 구하시오.

025 _중

100원짜리 동전 4개, 500원짜리 동전 n개가 들어 있는 주머니에서 동전을 임의로 한 개씩 2번 꺼낼 때, 첫 번째는 100원짜리 동전을, 두 번째는 500원짜리 동전을 꺼낼 확률이 $\dfrac{2}{7}$이다. 이때 모든 n의 값의 합을 구하시오.

(단, 꺼낸 동전은 다시 넣지 않는다.)

× 중요

유형 04 확률의 곱셈정리
$-\,\mathrm{P}(B)=\mathrm{P}(A\cap B)+\mathrm{P}(A^c\cap B)$

026 <대표 문제> 다시 보기

망고 푸딩 5개, 딸기 푸딩 3개가 들어 있는 상자가 있다. 이 상자에서 진아가 먼저 푸딩 한 개를 꺼내 먹었을 때, 그 다음 지원이가 망고 푸딩을 꺼낼 확률을 구하시오.

027 _중

어떤 의사가 암에 걸린 사람을 암에 걸렸다고 진단할 확률은 80 %이고, 암에 걸리지 않은 사람을 암에 걸렸다고 오진할 확률은 5 %이다. 암에 걸린 사람의 비율이 10 %인 집단에서 임의로 택한 한 명을 이 의사가 진단하였을 때, 그 사람이 암에 걸렸다고 진단 받을 확률은?

① 0.11 ② 0.115 ③ 0.12
④ 0.125 ⑤ 0.13

028 _중

어느 지역에서 장마철 날씨를 조사한 결과 비가 온 날의 다음 날에 비가 올 확률은 $\dfrac{1}{2}$이고, 비가 오지 않은 날의 다음 날에 비가 올 확률은 $\dfrac{1}{5}$이었다. 이 지역에서 장마철의 어느 월요일에 비가 왔을 때, 그 주 수요일에 비가 올 확률을 구하시오.

04

029 _중

A 주머니에는 흰 공 2개와 검은 공 2개가 들어 있고, B 주머니에는 흰 공 3개와 검은 공 2개가 들어 있다. 임의로 주머니 한 개를 택하여 2개의 공을 동시에 꺼낼 때, 나온 공이 서로 다른 색일 확률을 구하시오.

030 _상

색을 잘못 판별할 확률이 p인 인공 지능 로봇이 있다. 흰 옷 4벌, 검은 옷 6벌 중에서 임의로 한 벌을 택하여 이 로봇에게 보여 주었을 때, 그 옷을 흰 옷이라고 판별할 확률이 $\dfrac{11}{25}$이다. 이때 p의 값은?

① $\dfrac{3}{25}$ ② $\dfrac{4}{25}$ ③ $\dfrac{1}{5}$
④ $\dfrac{6}{25}$ ⑤ $\dfrac{7}{25}$

★ 중요
유형 **05** 확률의 곱셈정리와 조건부확률

031 대표 문제 다시 보기

어느 학교의 2학년 학생은 일본어와 중국어 중에서 한 과목을 반드시 이수해야 한다. 일본어를 선택한 학생은 2학년 전체 학생의 40 %이고, 이 중에서 40 %가 안경을 쓴다. 또 중국어를 선택한 학생의 70 %가 안경을 쓴다. 2학년 학생 중에서 임의로 택한 한 명이 안경을 쓴 학생일 때, 이 학생이 중국어를 선택한 학생일 확률을 구하시오.

032 중

2개의 당첨 제비를 포함한 9개의 제비가 들어 있는 상자에서 제비를 임의로 한 개씩 갑, 을의 순서로 뽑는다. 을이 당첨 제비를 뽑았을 때, 갑은 당첨 제비를 뽑지 못하였을 확률을 구하시오. (단, 뽑은 제비는 다시 넣지 않는다.)

033 중

어느 자동차 보험 회사는 보험에 가입한 고객을 우대 고객과 일반 고객으로 나누는데, 우대 고객과 일반 고객 수의 비는 3 : 7이고 만기 후 보험 재가입률은 각각 80 %, 40 %이다. 이 보험 회사의 보험에 가입한 고객 중에서 임의로 택한 한 명이 만기 후 보험에 재가입하지 않았을 때, 이 고객이 우대 고객이었을 확률은?

① $\frac{1}{8}$ ② $\frac{1}{4}$ ③ $\frac{3}{8}$

④ $\frac{1}{2}$ ⑤ $\frac{5}{8}$

034 중

A 상자에는 흰 구슬 3개, 검은 구슬 3개가 들어 있고, B 상자에는 흰 구슬 4개, 검은 구슬 3개가 들어 있다. 임의로 상자 한 개를 택하여 2개의 구슬을 동시에 꺼냈더니 나온 구슬이 모두 흰 구슬일 때, 이 구슬 2개가 모두 A 상자에서 나왔을 확률을 구하시오.

035 상

검은색 볼펜과 파란색 볼펜을 합하여 100개의 볼펜이 각각 들어 있는 두 상자 A, B가 있다. 검은색 볼펜이 n개 들어 있는 A 상자와 파란색 볼펜이 $2n$개 들어 있는 B 상자에서 임의로 한 개씩 꺼낸 볼펜의 색이 서로 같을 때, 그 색이 검은색일 확률은 $\frac{2}{9}$이다. 이때 자연수 n의 값을 구하시오.

유형 **06** 사건의 독립과 종속의 판정

036 대표 문제 다시 보기

한 개의 동전을 2번 던져서 첫 번째에 뒷면이 나오는 사건을 A, 두 번째에 뒷면이 나오는 사건을 B, 앞면과 뒷면이 한 번씩 나오는 사건을 C라 할 때, 다음 보기 중 서로 독립인 사건만을 있는 대로 고른 것은?

보기
ㄱ. A와 B ㄴ. A와 C ㄷ. B와 C

① ㄱ ② ㄴ ③ ㄱ, ㄷ
④ ㄴ, ㄷ ⑤ ㄱ, ㄴ, ㄷ

037 하

표본공간 $S=\{1, 2, 3, 4\}$에 대하여 다음 보기 중 사건 $A=\{1, 3\}$과 서로 독립인 사건만을 있는 대로 고르시오.

┌ 보기 ─────────────────────────────
│ ㄱ. $B=\{1, 2\}$　　　　ㄴ. $C=\{2, 4\}$
│ ㄷ. $D=\{3, 4\}$　　　　ㄹ. $E=\{2, 3, 4\}$
└──────────────────────────────────

038 중

1부터 50까지의 자연수가 각각 하나씩 적힌 50장의 카드에서 임의로 한 장의 카드를 택할 때, 2의 배수가 적힌 카드가 나오는 사건을 A, 5의 배수가 적힌 카드가 나오는 사건을 B라 하자. 다음 보기 중 옳은 것만을 있는 대로 고른 것은?

┌ 보기 ─────────────────────────────
│ ㄱ. $P(A \cap B) = \dfrac{1}{10}$
│
│ ㄴ. $P(A \cup B) = \dfrac{7}{10}$
│
│ ㄷ. 두 사건 A, B는 서로 독립이다.
└──────────────────────────────────

① ㄱ　　　　　② ㄴ　　　　　③ ㄷ
④ ㄱ, ㄷ　　　　⑤ ㄴ, ㄷ

039 중

표본공간 $S=\{x\,|\,x$는 12의 양의 약수$\}$에 대하여 두 사건 A, B는 서로 독립이다. 이때 $A=\{2, 3, 4\}$, $A \cap B=\{3, 4\}$를 만족시키는 사건 B의 개수를 구하시오.

040 중

어느 테니스 동호회 회원 40명 중에서 남자는 24명, 여자는 16명이고, 이 중에서 A 회사에서 출시한 테니스 라켓을 구매한 회원은 남자가 15명, 여자가 k명이다. 이 동호회 회원 중에서 임의로 택한 한 명이 A 회사에서 출시한 테니스 라켓을 구매한 회원인 사건을 A, 여자인 사건을 B라 할 때, 두 사건 A, B가 서로 독립이 되도록 하는 k의 값을 구하시오.

04

유형 **07** 　사건의 독립과 종속의 성질

041 대표 문제 다시 보기

두 사건 A, B에 대하여 다음 보기 중 옳은 것만을 있는 대로 고르시오. (단, $0 < P(A) < 1$, $0 < P(B) < 1$)

┌ 보기 ─────────────────────────────
│ ㄱ. 두 사건 A, B가 서로 독립이면
│ 　　$P(A\,|\,B^c) = P(A)$이다.
│ ㄴ. 두 사건 A, B가 서로 배반사건이면
│ 　　$P(A \cup B) = P(A) + P(B)$이다.
│ ㄷ. 두 사건 A, B가 서로 독립이면
│ 　　$P(B) = P(A)P(B) + P(A^c)P(B)$이다.
└──────────────────────────────────

042 중

두 사건 A, B가 서로 독립일 때, 다음 보기 중 옳은 것만을 있는 대로 고르시오. (단, $0 < P(A) < 1$, $0 < P(B) < 1$)

┌ 보기 ─────────────────────────────
│ ㄱ. $P(A\,|\,B) = P(A\,|\,B^c)$
│ ㄴ. $P(A^c\,|\,B) = 1 - P(B)$
│ ㄷ. $P(B^c\,|\,A^c) = 1 - P(B\,|\,A)$
└──────────────────────────────────

043 중

다음은 두 사건 A, B가 서로 독립일 때, 두 사건 A^C, B^C도 서로 독립임을 증명하는 과정이다. (가), (나), (다)에 알맞은 것은? (단, $0<\mathrm{P}(A)<1$, $0<\mathrm{P}(B)<1$)

두 사건 A, B가 서로 독립이면

$\mathrm{P}(A\cap B)=$ \boxed{(가)}

$A^C\cap B^C=(\boxed{\text{(나)}})^C$이므로

$\mathrm{P}(A^C\cap B^C)=\mathrm{P}((\boxed{\text{(나)}})^C)$

$\qquad\qquad\quad =1-\mathrm{P}(A\cup B)$

$\qquad\qquad\quad =1-\{\boxed{\text{(다)}}+\mathrm{P}(B)-\mathrm{P}(A\cap B)\}$

$\qquad\qquad\quad =1-\{\boxed{\text{(다)}}+\mathrm{P}(B)-\boxed{\text{(가)}}\}$

$\qquad\qquad\quad =\{1-\boxed{\text{(다)}}\}\{1-\mathrm{P}(B)\}$

$\qquad\qquad\quad =\mathrm{P}(A^C)\mathrm{P}(B^C)$

따라서 두 사건 A, B가 서로 독립이면 두 사건 A^C, B^C도 서로 독립이다.

① (가) $\mathrm{P}(A)\mathrm{P}(B)$ (나) $A\cap B$ (다) $\mathrm{P}(A)$

② (가) $\mathrm{P}(A)\mathrm{P}(B)$ (나) $A\cup B$ (다) $\mathrm{P}(A)$

③ (가) $\mathrm{P}(A)\mathrm{P}(B)$ (나) $A\cup B$ (다) $\mathrm{P}(A^C)$

④ (가) $\mathrm{P}(A)+\mathrm{P}(B)$ (나) $A\cup B$ (다) $\mathrm{P}(A^C)$

⑤ (가) $\mathrm{P}(A)+\mathrm{P}(B)$ (나) $A-B$ (다) $\mathrm{P}(A)$

044 상

두 사건 A, B에 대하여 다음 보기 중 옳은 것만을 있는 대로 고른 것은? (단, $0<\mathrm{P}(A)<1$, $0<\mathrm{P}(B)<1$)

보기

ㄱ. $\mathrm{P}(A|B)=\mathrm{P}(B|A)$이면 $A=B$이다.

ㄴ. $\mathrm{P}(A|B)=\mathrm{P}(A|B^C)$이면 두 사건 A, B는 서로 독립이다.

ㄷ. $\mathrm{P}(A^C\cap B)=\mathrm{P}(B)-\mathrm{P}(A)\mathrm{P}(B)$이면 두 사건 A, B는 서로 독립이다.

① ㄱ   ② ㄷ   ③ ㄱ, ㄴ

④ ㄴ, ㄷ   ⑤ ㄱ, ㄴ, ㄷ

유형 08 독립인 사건의 확률의 계산

045 대표 문제 다시 보기

두 사건 A, B가 서로 독립이고 $\mathrm{P}(A)=\dfrac{1}{2}$, $\mathrm{P}(A\cap B)=\dfrac{1}{6}$ 일 때, $\mathrm{P}(A\cup B)$를 구하시오.

046 중

두 사건 A, B가 서로 독립이고

$$\mathrm{P}(A)=\frac{2}{3},\ \mathrm{P}(A\cap B)=\mathrm{P}(A)-\frac{1}{2}\mathrm{P}(B)$$

일 때, $\mathrm{P}(B)$는?

① $\dfrac{1}{7}$ ② $\dfrac{2}{7}$ ③ $\dfrac{3}{7}$

④ $\dfrac{4}{7}$ ⑤ $\dfrac{5}{7}$

047 중

두 사건 A, B가 서로 독립이고

$$\mathrm{P}(A)=\frac{1}{3},\ \mathrm{P}(A\cup B)=\frac{5}{6}$$

일 때, $\mathrm{P}(A\cap B^C)$을 구하시오.

048 중

두 사건 A, B가 서로 독립이고

$$\mathrm{P}(B|A^C)=\frac{1}{6},\ \mathrm{P}(A\cap B^C)+\mathrm{P}(A^C\cap B)=\frac{1}{3}$$

일 때, $\mathrm{P}(A)$를 구하시오.

049 상

세 사건 A, B, C에 대하여 두 사건 A, B는 서로 독립, 두 사건 B, C는 서로 배반사건이고

$$P(A)=\frac{1}{4}, \ P(A \cap B^c)=\frac{1}{12}, \ P(B^c \cap C^c)=\frac{2}{9}$$

일 때, $P(C)$는?

① $\frac{1}{9}$ ② $\frac{2}{9}$ ③ $\frac{1}{3}$

④ $\frac{4}{9}$ ⑤ $\frac{5}{9}$

050 상

두 사건 A, B가 서로 독립이고

$$P(A \cup B^c)=\frac{1}{2}, \ P(A \cup B)=\frac{5}{6}$$

일 때, $P(B)$를 구하시오.

⭐중요
유형 09 **독립인 사건의 확률**

051 대표 문제 다시 보기

미술 동아리 회원 A, B가 그림을 그릴 때, 그림을 완성할 확률은 각각 $\frac{3}{5}$, $\frac{1}{3}$이다. A, B가 각각 그림을 하나씩 그리기 시작했을 때, A 또는 B가 그림을 완성할 확률을 구하시오.

052 중

두 학생 A, B가 피아노 경연의 예선에 나갔을 때, A가 예선을 통과할 확률은 $\frac{1}{3}$, A는 예선을 통과하지 못하고 B만 통과할 확률은 $\frac{1}{2}$이다. 이때 B가 예선을 통과할 확률을 구하시오.

04

053 중

숫자 1, 1, 2, 2, 3, 4가 각 면에 하나씩 적힌 정육면체 A와 숫자 1, 2, 3, 3, 4, 5가 각 면에 하나씩 적힌 정육면체 B를 동시에 던질 때, 바닥에 놓인 면에 적힌 두 수의 합이 홀수일 확률은?

① $\frac{5}{12}$ ② $\frac{1}{2}$ ③ $\frac{7}{12}$

④ $\frac{2}{3}$ ⑤ $\frac{3}{4}$

054 중

어느 게임에서 세 사람 A, B, C의 승률이 각각 $\frac{2}{3}$, $\frac{3}{5}$, p이다. 세 사람이 각각 따로 게임을 하여 A만 이길 확률이 $\frac{1}{5}$일 때, 세 사람 모두 이길 확률은?

① $\frac{1}{10}$ ② $\frac{1}{8}$ ③ $\frac{1}{6}$

④ $\frac{1}{4}$ ⑤ $\frac{1}{2}$

055 상

동규와 승규가 100 m 달리기를 할 때, 동규가 이길 확률이 $\frac{1}{3}$ 이다. 두 사람이 100 m 달리기를 여러 번 하여 2번 연속으로 이기는 사람이 승자가 되기로 할 때, 5번째에서 승자가 결정 될 확률을 구하시오. (단, 비기는 경우는 없다.)

★ 중요

유형 10   독립시행의 확률 (1)

056 대표 문제 다시 보기

서로 다른 4개의 주사위를 동시에 던질 때, 6의 약수의 눈이 1개 이상 나올 확률을 구하시오.

057 중

한 개의 동전과 한 개의 주사위를 동시에 던지는 시행을 3회 반복할 때, 동전의 뒷면과 주사위의 4 이하의 눈이 동시에 나 오는 횟수가 2일 확률은?

① $\frac{2}{9}$ ② $\frac{1}{3}$ ③ $\frac{4}{9}$

④ $\frac{5}{9}$ ⑤ $\frac{2}{3}$

058 중

어느 질병의 완치율은 80 %라 한다. 이 병에 걸린 4명 중에서 3명 이상이 완치될 확률은?

① $\frac{476}{625}$ ② $\frac{486}{625}$ ③ $\frac{4}{5}$

④ $\frac{512}{625}$ ⑤ $\frac{524}{625}$

059 중

두 야구팀 A, B가 경기를 할 때, A팀이 이길 확률이 $\frac{2}{3}$ 이다. 두 팀이 7전 4선승제의 한국 시리즈 경기를 할 때, 5차전까지 는 A팀이 3승 2패로 앞서고 7차전에서 B팀이 최종 우승할 확률을 구하시오. (단, 비기는 경우는 없다.)

060 중

민규네 학교에서 실시한 수학 골든벨의 예선에 통과하려면 예선 3문제를 모두 맞혀야 한다. 그런데 3문제 중에서 2문제 를 맞힌 학생들을 대상으로 패자 부활전을 진행하여 추가 문 제를 맞힌 학생을 본선에 진출시킨다. 민규가 각각의 예선 문 제를 맞힐 확률은 $\frac{1}{2}$ 이고, 패자 부활전 추가 문제를 맞힐 확률 은 $\frac{1}{3}$ 일 때, 민규가 본선에 진출할 확률을 구하시오.

061   상

한지 부채를 만드는 세 명의 기술자 A, B, C가 만든 부채의 불량률은 각각 10%, 10%, 20%이다. 세 명의 기술자 중에서 임의로 한 명을 택하여 그 기술자가 만든 부채 중에서 임의로 5개를 동시에 뽑아 조사할 때, 불량품이 4개 이상일 확률이 $\dfrac{0.1^4}{30} \times A$이다. 이때 A의 값을 구하시오.

062   상

숫자 1이 적힌 카드 4장, 숫자 2가 적힌 카드 3장이 들어 있는 상자에서 임의로 2장의 카드를 동시에 꺼낼 때, 카드에 적힌 수가 서로 같으면 주사위를 2번 던지고, 다르면 주사위를 3번 던진다. 이때 짝수의 눈이 2번 나올 확률을 구하시오.

유형 **11**   독립시행의 확률 (2)

063   대표 문제 다시 보기

20칸짜리 계단에서 두 사람 A, B가 가위바위보를 하여 이기면 위로 1칸, 지면 아래로 1칸을 가기로 하였다. 두 사람이 밑에서 10번째 계단에서 출발하여 가위바위보를 5번 하였을 때, A가 밑에서 9번째 계단에 있을 확률을 구하시오. (단, 두 사람의 가위바위보 실력은 서로 같고, 비기는 경우는 없다.)

064   중

오른쪽 그림과 같은 도로망 위에 점 A가 있다. 한 개의 동전을 던져서 앞면이 나오면 점 A를 오른쪽으로 한 칸 이동하고, 뒷면이 나오면 위쪽으로 한 칸 이동한다. 동전을 6번 던질 때, 점 A가 점 P에 도착할 확률을 구하시오.

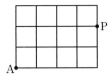

065   상

좌표평면 위의 점 P가 원점을 출발하여 주사위를 던질 때마다 다음과 같은 규칙으로 움직인다. 한 개의 주사위를 5번 던질 때, 점 P가 도형 $|x-3|+|y-1|=1$ 위에 있을 확률을 구하시오.

> 주사위를 던져서 5의 약수의 눈이 나오면 x축의 양의 방향으로 1만큼, 5의 약수가 아닌 눈이 나오면 y축의 양의 방향으로 1만큼 움직인다.

066   상   신유형

숫자 1, 2, 3, 4가 각 면에 하나씩 적힌 정사면체 모양의 상자를 3번 던질 때, 바닥에 놓인 면에 적힌 숫자가 2인 횟수를 m, 2가 아닌 횟수를 n이라 하자. 이때 $i^{|m-n|}=i$일 확률은?
(단, $i=\sqrt{-1}$)

① $\dfrac{3}{8}$ ② $\dfrac{7}{16}$ ③ $\dfrac{1}{2}$

④ $\dfrac{9}{16}$ ⑤ $\dfrac{5}{8}$

067
유형01

두 사건 A, B에 대하여

$$P(A) = \frac{1}{4}, \quad P(B) = \frac{1}{3}, \quad P(B|A) = \frac{1}{3}$$

일 때, $P(A^c \cap B^c)$을 구하시오.

068
유형02

오른쪽 표는 음악부 학생 50명을 대상으로 피아노와 바이올린 중에서 선호하는 악기를 조사하여 나타낸 것이다. 음악부

(단위: 명)

	피아노	바이올린
남학생	9	6
여학생	27	8

학생 중에서 임의로 택한 한 명이 남학생일 때 그 학생이 피아노를 선호할 확률을 P_1이라 하고, 음악부 학생 중에서 임의로 택한 한 명이 피아노를 선호할 때 그 학생이 남학생일 확률을 P_2라 하자. 이때 $P_1 - P_2$의 값을 구하시오.

069
유형02

10장의 카드 중에서 4장은 숫자 1이, 2장은 숫자 2가 적혀 있고, 나머지는 아무것도 적혀 있지 않다. 이 중에서 임의로 2장의 카드를 동시에 택하였더니 2장 모두 숫자가 적힌 카드일 때, 2장 모두 1이 적힌 카드일 확률을 구하시오.

070
유형03

어느 고등학교 학생의 30 %는 1학년 학생이고, 1학년의 남학생과 여학생 수의 비는 4 : 5라 한다. 이 고등학교 학생 중에서 임의로 택한 한 명이 1학년 여학생일 확률을 구하시오.

071
유형04

3개의 파란 공을 포함한 10개의 공이 들어 있는 상자에서 공을 임의로 한 개씩 2번 꺼낼 때, 두 번째에 꺼낸 공이 파란 공일 확률은? (단, 꺼낸 공은 다시 넣지 않는다.)

① $\frac{1}{10}$ ② $\frac{1}{5}$ ③ $\frac{3}{10}$

④ $\frac{2}{5}$ ⑤ $\frac{1}{2}$

072
유형04

어느 회사에서 판매하는 제품은 모두 두 공장 A, B에서 생산하고 있다. 두 공장에서 생산하는 제품의 개수의 비는 3 : 2이고 두 공장 A, B의 불량률은 각각 p%, 2 %라 한다. 이 회사에서 판매하는 제품 중에서 임의로 한 개를 택할 때, 불량품일 확률이 $\frac{4}{125}$이다. 이때 p의 값을 구하시오.

073
유형05

어느 축구팀이 치르는 경기의 40 %가 홈 경기이다. 이 팀의 홈 경기에서의 승률은 80 %이고, 원정 경기에서의 승률은 60 %라 한다. 어떤 경기에서 이 팀이 승리하였을 때, 그 경기가 홈 경기이었을 확률은?

① $\frac{6}{17}$ ② $\frac{7}{17}$ ③ $\frac{8}{17}$

④ $\frac{9}{17}$ ⑤ $\frac{10}{17}$

074
유형 06

서로 다른 3개의 동전을 동시에 던져서 모두 같은 면이 나오는 사건을 A, 뒷면이 2개 이상 나오는 사건을 B라 하자. 다음 보기 중 옳은 것만을 있는 대로 고른 것은?

보기
ㄱ. $P(A) = \dfrac{1}{4}$
ㄴ. $P(A \cap B) = \dfrac{1}{8}$
ㄷ. 두 사건 A, B는 서로 독립이다.

① ㄱ
② ㄴ
③ ㄱ, ㄷ
④ ㄴ, ㄷ
⑤ ㄱ, ㄴ, ㄷ

075
유형 07

두 사건 A, B에 대하여 다음 보기 중 옳은 것만을 있는 대로 고르시오. (단, $P(A) \neq 0$, $P(B) \neq 0$)

보기
ㄱ. $B \subset A$이면 $P(A|B) = 1$이다.
ㄴ. 두 사건 A, B가 서로 배반사건이면
$P(A|B) = 0$이다.
ㄷ. 두 사건 A, B가 서로 독립이면
$\{1 - P(A)\}\{1 - P(B)\} = 1 - P(A \cup B)$이다.

076
유형 08

두 사건 A, B가 서로 독립이고
$$P(B|A) = P(A), \quad P(A \cup B) = \dfrac{5}{9}$$
일 때, $P(A \cap B)$는?

① $\dfrac{1}{9}$
② $\dfrac{1}{6}$
③ $\dfrac{2}{9}$
④ $\dfrac{5}{18}$
⑤ $\dfrac{1}{3}$

077
유형 09

다음 그림과 같이 두 주머니 A, B에 숫자가 적힌 카드가 각각 6장씩 들어 있다. 두 주머니 A, B에서 각각 임의로 한 장의 카드를 꺼낼 때, 카드에 적힌 두 수의 합이 짝수일 확률을 구하시오.

078
유형 10

어느 배구 대회 결승전에 진출한 두 팀 A, B는 5번의 경기에서 먼저 3번을 이기면 우승을 한다. 한 경기에서 A팀이 이길 확률이 $\dfrac{1}{2}$일 때, 4번째 경기에서 우승팀이 결정될 확률을 구하시오. (단, 비기는 경우는 없다.)

079
유형 11

오른쪽 그림과 같이 한 변의 길이가 1인 정삼각형 ABC의 꼭짓점 A에서 출발하여 변을 따라 다음과 같은 규칙으로 움직이는 점 P가 있다. 한 개의 주사위를 5번 던질 때, 점 P가 다시 꼭짓점 A로 돌아올 확률을 구하시오.

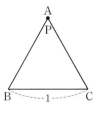

㈎ 주사위를 던져서 3의 배수의 눈이 나오면 시곗바늘이 도는 방향과 반대인 방향으로 2만큼 움직인다.
㈏ 주사위를 던져서 3의 배수 이외의 눈이 나오면 시곗바늘이 도는 방향과 반대인 방향으로 1만큼 움직인다.

05

이산확률변수와
이항분포

핵심유형

Ⅲ. 통계

이산확률변수와 이항분포

유형 01 | 확률질량함수의 성질 − $p_1+p_2+p_3+\cdots+p_n=1$

확률변수 X의 확률질량함수가
$\mathrm{P}(X=x_i)=p_i(i=1, 2, 3, \cdots, n)$일 때,
$\quad p_1+p_2+p_3+\cdots+p_n=1$

대표 문제

001 확률변수 X의 확률질량함수가
$$\mathrm{P}(X=x)=\frac{2x-1}{a}\ (x=1, 2, 3)$$
일 때, 상수 a의 값을 구하시오.

★중요
유형 02 | 확률질량함수의 성질 − $\mathrm{P}(X=x_i$ 또는 $X=x_j)$

확률변수 X의 확률질량함수가
$\mathrm{P}(X=x_i)=p_i(i=1, 2, 3, \cdots, n)$일 때
(1) $\mathrm{P}(X=x_i$ 또는 $X=x_j)=p_i+p_j$ (단, $i\neq j$)
(2) $\mathrm{P}(x_i\leq X\leq x_j)=p_i+p_{i+1}+p_{i+2}+\cdots+p_j$
$\qquad\qquad\qquad$ (단, $i\leq j,\ j=1, 2, 3, \cdots, n$)

대표 문제

002 확률변수 X의 확률분포를 표로 나타내면 다음과 같을 때, $\mathrm{P}(X\leq0)$을 구하시오. (단, k는 상수)

X	-2	-1	0	1	2	합계
$\mathrm{P}(X=x)$	$2k$	k	$3k$	$12k$	$6k$	1

★중요
유형 03 | 이산확률변수의 확률

확률변수 X가 가질 수 있는 값을 모두 찾은 후 확률변수 X가 그 값을 가질 확률을 구한다.

대표 문제

003 빨간 공 3개, 파란 공 5개가 들어 있는 주머니에서 임의로 2개의 공을 동시에 꺼낼 때, 나오는 빨간 공의 개수를 확률변수 X라 하자. 이때 $\mathrm{P}(X\leq1)$을 구하시오.

유형 04 | 이산확률변수의 평균, 분산, 표준편차 − 확률분포가 주어진 경우

확률변수 X의 확률질량함수가
$\mathrm{P}(X=x_i)=p_i(i=1, 2, 3, \cdots, n)$일 때
(1) 평균: $\mathrm{E}(X)=x_1p_1+x_2p_2+x_3p_3+\cdots+x_np_n$
(2) 분산: $\mathrm{V}(X)=\mathrm{E}(X^2)-\{\mathrm{E}(X)\}^2$
(3) 표준편차: $\sigma(X)=\sqrt{\mathrm{V}(X)}$

대표 문제

004 확률변수 X의 확률분포를 표로 나타내면 다음과 같을 때, X의 분산을 구하시오. (단, a는 상수)

X	0	1	2	3	합계
$\mathrm{P}(X=x)$	$\dfrac{1}{6}$	$\dfrac{1}{12}$	$\dfrac{1}{3}$	a	1

★중요
유형 05 | 이산확률변수의 평균, 분산, 표준편차 − 확률분포가 주어지지 않은 경우

확률변수 X의 확률분포가 주어지지 않은 경우 X의 평균, 분산, 표준편차는 다음과 같은 순서로 구한다.
(1) 확률변수 X가 가질 수 있는 모든 값에 대하여 그 값을 가질 확률을 구한다.
(2) 확률변수 X의 확률분포를 표로 나타낸다.
(3) 확률변수 X의 평균, 분산, 표준편차를 구한다.

대표 문제

005 2개의 당첨 제비를 포함한 10개의 제비 중에서 임의로 2개의 제비를 동시에 뽑을 때, 뽑힌 당첨 제비의 개수를 확률변수 X라 하자. 이때 $\sigma(X)$를 구하시오.

05

유형 **06** | 상금의 기댓값

확률변수 X의 확률질량함수가
$P(X=x_i)=p_i(i=1, 2, 3, \cdots, n)$일 때, X의 기댓값은
$$E(X)=x_1p_1+x_2p_2+x_3p_3+\cdots+x_np_n$$
임을 이용하여 구한다.

대표 문제

006 어느 복권의 당첨금별 당첨 복권의 매수가 오른쪽 표와 같다. 이 복권 한 장을 살 때, 받을 수 있는 당첨금의 기댓값은?

당첨금(만 원)	매수
100	5
50	10
20	20
0	65
합계	100

① 8만 원 ② 14만 원

③ 26만 원 ④ 42만 원

⑤ 100만 원

★중요

유형 **07** | 이산확률변수 $aX+b$의 평균, 분산, 표준편차 — X의 평균, 분산이 주어진 경우

확률변수 X와 두 상수 a, $b(a\neq0)$에 대하여
(1) $E(aX+b)=aE(X)+b$
(2) $V(aX+b)=a^2V(X)$
(3) $\sigma(aX+b)=|a|\sigma(X)$

대표 문제

007 평균이 1, 분산이 9인 확률변수 X에 대하여 확률변수 $Y=aX+b$의 평균이 -1, 분산이 36이다. 이때 상수 a, b에 대하여 $a-b$의 값을 구하시오. (단, $a>0$)

유형 **08** | 이산확률변수 $aX+b$의 평균, 분산, 표준편차 — 확률분포가 주어진 경우

확률변수 X의 확률분포를 이용하여 X의 평균, 분산, 표준편차를 구한 후 확률변수 $aX+b(a, b$는 상수, $a\neq0)$의 평균, 분산, 표준편차를 구한다.

대표 문제

008 확률변수 X의 확률분포를 표로 나타내면 다음과 같을 때, $\sigma(5X-1)$을 구하시오. (단, a는 상수)

X	0	1	2	합계
$P(X=x)$	$\dfrac{3}{10}$	a	$\dfrac{3}{10}$	1

★중요

유형 **09** | 이산확률변수 $aX+b$의 평균, 분산, 표준편차 — 확률분포가 주어지지 않은 경우

확률변수 X의 확률분포가 주어지지 않은 경우, 확률변수 $aX+b(a, b$는 상수, $a\neq0)$의 평균, 분산, 표준편차는 다음과 같은 순서로 구한다.
(1) 확률변수 X의 확률분포를 표로 나타낸다.
(2) 확률변수 X의 평균, 분산, 표준편차를 구한다.
(3) 확률변수 $aX+b$의 평균, 분산, 표준편차를 구한다.

대표 문제

009 튤립 3송이, 장미 4송이 중에서 임의로 2송이를 동시에 택할 때, 나오는 튤립의 개수를 확률변수 X라 하자. 이때 확률변수 $Y=7X+3$의 분산은?

① 10 ② 15 ③ 20

④ 25 ⑤ 30

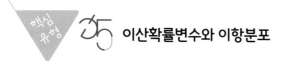

유형 10 | 이항분포에서의 확률

한 번의 시행에서 사건 A가 일어날 확률이 p일 때, n번의 독립시행에서 사건 A가 일어나는 횟수를 X라 하면 확률변수 X는 이항분포 $\mathrm{B}(n,\ p)$를 따른다. 이때 X의 확률질량함수는
$$\mathrm{P}(X=x)={}_n\mathrm{C}_x p^x (1-p)^{n-x}\ (x=0,\ 1,\ 2,\ \cdots,\ n)$$

🔑 한 개의 주사위를 세 번 던질 때 3의 눈이 나오는 횟수를 확률변수 X라 하면 확률변수 X는 이항분포 $\mathrm{B}\left(3,\ \dfrac{1}{6}\right)$을 따른다. 이때 X의 확률질량함수는
$$\mathrm{P}(X=x)={}_3\mathrm{C}_x\left(\frac{1}{6}\right)^x\left(\frac{5}{6}\right)^{3-x}\ (x=0,\ 1,\ 2,\ 3)$$

대표 문제

010 자유투를 던지면 4번에 3번꼴로 성공하는 농구 선수가 있다. 이 선수가 자유투를 3번 던질 때, 성공하는 횟수를 확률변수 X라 하자. 이때 $\mathrm{P}(X\geq1)$은?

① $\dfrac{61}{64}$ ② $\dfrac{123}{128}$ ③ $\dfrac{31}{32}$

④ $\dfrac{125}{128}$ ⑤ $\dfrac{63}{64}$

유형 11 | 이항분포의 평균, 분산, 표준편차 – 이항분포가 주어진 경우

확률변수 X가 이항분포 $\mathrm{B}(n,\ p)$를 따를 때,
$$\mathrm{E}(X)=np,\ \mathrm{V}(X)=np(1-p),\ \sigma(X)=\sqrt{np(1-p)}$$

대표 문제

011 이항분포 $\mathrm{B}(n,\ p)$를 따르는 확률변수 X의 평균이 90, 표준편차가 $5\sqrt{3}$일 때, $n+6p$의 값을 구하시오.

★중요
유형 12 | 이항분포의 평균, 분산, 표준편차 – 이항분포가 주어지지 않은 경우

확률변수 X의 확률이 독립시행의 확률로 나타나면 시행 횟수 n과 한 번의 시행에서 어떤 사건이 일어날 확률 p를 구하여 이항분포 $\mathrm{B}(n,\ p)$로 나타낸 후 확률변수 X의 평균, 분산, 표준편차를 구한다.

대표 문제

012 한 개의 주사위를 9번 던져서 5의 약수의 눈이 나오는 횟수를 확률변수 X라 할 때, X^2의 평균은?

① 9 ② $\dfrac{19}{2}$ ③ 10

④ $\dfrac{21}{2}$ ⑤ 11

유형 13 | 이항분포의 평균, 분산, 표준편차 – 확률변수가 $aX+b$인 경우

이항분포를 따르는 확률변수 X에 대하여 확률변수 $aX+b$ (a, b는 상수, $a\neq0$)의 평균, 분산, 표준편차는 다음과 같은 순서로 구한다.
(1) 확률변수 X가 따르는 이항분포를 구한다.
(2) 확률변수 X의 평균, 분산, 표준편차를 구한다.
(3) 확률변수 $aX+b$의 평균, 분산, 표준편차를 구한다.

대표 문제

013 어느 전구 회사에서 생산하는 전구의 2 %는 불량품이라 한다. 이 회사에서 생산한 전구 중에서 임의로 50개를 택하여 검사할 때, 나오는 불량품의 개수를 확률변수 X라 하자. 이때 $\mathrm{V}(10X+1)$을 구하시오.

유형**01** 확률질량함수의 성질
$- p_1 + p_2 + p_3 + \cdots + p_n = 1$

014 대표 문제 다시 보기

확률변수 X의 확률질량함수가
$$P(X=x) = k(x+3) \ (x=1, 2, 3, 4)$$
일 때, 상수 k의 값은?

① $\dfrac{1}{16}$ ② $\dfrac{1}{18}$ ③ $\dfrac{1}{20}$

④ $\dfrac{1}{22}$ ⑤ $\dfrac{1}{24}$

015 하

확률변수 X의 확률분포를 표로 나타내면 다음과 같을 때, 상수 a의 값을 구하시오.

X	0	1	2	3	4	합계
$P(X=x)$	$\dfrac{1}{2}a^2$	$\dfrac{3}{4}a$	$\dfrac{1}{4}a$	$\dfrac{1}{2}a^2$	$\dfrac{1}{2}a$	1

016 중

확률변수 X의 확률질량함수가
$$P(X=x) = \dfrac{k}{(x+2)(x+3)} \ (x=0, 1, 2, \cdots, 99)$$
일 때, 상수 k에 대하여 $25k$의 값은?

① 51   ② 52   ③ 53

④ 54   ⑤ 55

유형**02** 확률질량함수의 성질
$- P(X=x_i \text{ 또는 } X=x_j)$

017 대표 문제 다시 보기

확률변수 X의 확률분포를 표로 나타내면 다음과 같을 때, $P(0 \le X < 2)$는? (단, a는 상수)

X	-1	0	1	2	합계
$P(X=x)$	a	$\dfrac{1}{4}$	$2a$	$\dfrac{1}{4}$	1

① $\dfrac{1}{4}$ ② $\dfrac{1}{3}$ ③ $\dfrac{5}{12}$

④ $\dfrac{1}{2}$ ⑤ $\dfrac{7}{12}$

018 하

확률변수 X의 확률분포를 표로 나타내면 다음과 같을 때, 상수 a에 대하여 $P(X \ge 5a)$를 구하시오.

X	1	2	3	합계
$P(X=x)$	$\dfrac{1}{9}$	a	$\dfrac{2}{3}$	1

019 중

확률변수 X의 확률질량함수가
$$P(X=x) = \begin{cases} \dfrac{1}{5}x + k & (x=1, 2) \\ k & (x=3) \end{cases}$$
일 때, $P(X=1 \text{ 또는 } X=3)$은? (단, k는 상수)

① $\dfrac{1}{3}$ ② $\dfrac{2}{5}$ ③ $\dfrac{7}{15}$

④ $\dfrac{8}{15}$ ⑤ $\dfrac{3}{5}$

020 중

확률변수 X의 확률질량함수가

$$P(X=x)=\frac{k}{\sqrt{x}+\sqrt{x+1}} \ (x=1, 2, 3, \cdots, 15)$$

일 때, $P(X^2-9X+8=0)$을 구하시오. (단, k는 상수)

021 상 신유형

확률변수 X가 가질 수 있는 값이 1, 2, 3, 4이고

$$\frac{3}{P(X=k)}=\frac{k}{P(X=k+1)} \ (k=1, 2, 3)$$

일 때, $P(X \geq 3)$은?

① $\frac{1}{4}$　　　　② $\frac{3}{8}$　　　　③ $\frac{1}{2}$

④ $\frac{5}{8}$　　　　⑤ $\frac{3}{4}$

★중요

유형 **03**　이산확률변수의 확률

022 대표 문제 다시 보기

남학생 4명, 여학생 3명 중에서 임의로 3명의 대표를 뽑을 때, 뽑힌 남학생의 수를 확률변수 X라 하자. 이때 $P(X \geq 2)$는?

① $\frac{2}{5}$　　　　② $\frac{16}{35}$　　　　③ $\frac{18}{35}$

④ $\frac{4}{7}$　　　　⑤ $\frac{22}{35}$

023 중

1부터 4까지의 자연수가 각 면에 하나씩 적힌 정사면체 한 개를 2번 던질 때, 바닥에 놓인 면에 적힌 두 수의 합을 확률변수 X라 하자. 이때 $P(X=5 \text{ 또는 } X=6)$은?

① $\frac{3}{8}$　　　　② $\frac{7}{16}$　　　　③ $\frac{1}{2}$

④ $\frac{9}{16}$　　　　⑤ $\frac{5}{8}$

024 중

네 개의 숫자 2, 4, 6, 8이 각각 하나씩 적힌 4장의 카드 중에서 임의로 2장의 카드를 동시에 뽑을 때, 뽑힌 카드에 적힌 두 수의 차를 확률변수 X라 하자. 이때 $P(X>3)$을 구하시오.

025 중

서로 다른 2개의 주사위를 동시에 던져서 나오는 두 눈의 수 중에서 크지 않은 수를 확률변수 X라 할 때, $P(X^2-8X+15 \leq 0)$은?

① $\frac{11}{36}$　　　　② $\frac{1}{3}$　　　　③ $\frac{13}{36}$

④ $\frac{7}{18}$　　　　⑤ $\frac{5}{12}$

026 상

우유 7개, 주스 3개가 들어 있는 냉장고에서 임의로 4개를 동시에 꺼낼 때, 나오는 우유의 개수를 확률변수 X라 하자. $P(X \leq k)=\frac{1}{3}$일 때, 자연수 k의 값을 구하시오.

유형 04 이산확률변수의 평균, 분산, 표준편차
– 확률분포가 주어진 경우

027 대표 문제 다시 보기

확률변수 X의 확률분포를 표로 나타내면 다음과 같을 때, X의 분산을 구하시오. (단, a는 상수)

X	1	2	3	4	합계
$P(X=x)$	$\frac{3}{7}$	$\frac{2}{7}$	a	$\frac{1}{7}$	1

028 하

확률변수 X의 확률분포를 표로 나타내면 다음과 같을 때, X의 평균은? (단, a는 상수)

X	0	1	2	합계
$P(X=x)$	$2a^2$	$2a$	a^2	1

① $\frac{23}{27}$ ② $\frac{8}{9}$ ③ $\frac{25}{27}$

④ $\frac{80}{81}$ ⑤ 1

029 중

확률변수 X의 확률질량함수가
$$P(X=x)=kx^2 \quad (x=1,\ 2,\ 3,\ 4)$$
일 때, $V(X)$는? (단, k는 상수)

① $\frac{31}{45}$ ② $\frac{11}{15}$ ③ $\frac{7}{9}$

④ $\frac{37}{45}$ ⑤ $\frac{13}{15}$

030 중

확률변수 X의 확률분포를 표로 나타내면 다음과 같다. $E(X)=1$일 때, $\sigma(X)$는? (단, a, b는 상수)

X	$-a$	0	a	합계
$P(X=x)$	b	$\frac{1}{4}$	$\frac{1}{2}$	1

① $2\sqrt{2}$ ② 3 ③ $\sqrt{10}$

④ $\sqrt{11}$ ⑤ $2\sqrt{3}$

중요
유형 05 이산확률변수의 평균, 분산, 표준편차
– 확률분포가 주어지지 않은 경우

031 대표 문제 다시 보기

4개의 불량품을 포함한 10개의 제품 중에서 임의로 2개의 제품을 동시에 꺼낼 때, 나오는 불량품의 개수를 확률변수 X라 하자. 이때 $\sigma(X)$를 구하시오.

032 중

한 개의 주사위를 던져서 나오는 눈의 수를 4로 나누었을 때의 나머지를 확률변수 X라 하자. 이때 확률변수 X의 분산은?

① $\frac{5}{6}$ ② $\frac{11}{12}$ ③ 1

④ $\frac{13}{12}$ ⑤ $\frac{7}{6}$

033 중

1부터 4까지의 자연수가 각각 하나씩 적힌 4장의 카드 중에서 임의로 2장의 카드를 동시에 뽑을 때, 뽑힌 카드에 적힌 두 수 중에서 작은 수를 확률변수 X라 하자. 이때 $\sigma(X)$는?

① $\dfrac{\sqrt{3}}{3}$ ② $\dfrac{2}{3}$ ③ $\dfrac{\sqrt{5}}{3}$

④ $\dfrac{\sqrt{6}}{3}$ ⑤ $\dfrac{\sqrt{7}}{3}$

034 중

숫자 2, 2, 2, 4가 각 면에 하나씩 적힌 정사면체 A와 숫자 2, 4, 4, 6이 각 면에 하나씩 적힌 정사면체 B를 동시에 던질 때, 바닥에 놓인 면에 적힌 두 수의 합을 확률변수 X라 하자. 이때 $\mathrm{E}(X)$를 구하시오.

035 상

0, 1, 2 중에서 어느 한 숫자가 각각 적힌 6개의 공이 들어 있는 주머니에서 임의로 한 개의 공을 꺼낼 때, 나온 공에 적힌 수를 확률변수 X라 하자. 확률변수 X의 평균이 $\dfrac{3}{2}$, 분산이 $\dfrac{7}{12}$일 때, 처음 주머니에 들어 있던 공 중에서 숫자 0이 적힌 공의 개수는?

① 1   ② 2   ③ 3

④ 4   ⑤ 5

유형 06   상금의 기댓값

036 대표 문제 다시 보기

어느 축제의 주최자가 준비한 행운권 500장의 상금별 당첨 행운권 장수가 오른쪽 표와 같을 때, 이 행운권 한 장으로 받을 수 있는 상금의 기댓값은?

상금(원)	장수
100000	1
10000	10
500	100
0	389
합계	500

① 500원   ② 1400원

③ 2800원   ④ 3600원

⑤ 5000원

037 중

500원짜리 동전 1개, 100원짜리 동전 2개를 동시에 던져서 뒷면이 나오면 그 동전을 모두 받는 게임이 있다. 이 게임을 한 번 하여 받을 수 있는 금액의 기댓값을 구하시오.

038 중

빨간 쪽지 4개, 흰 쪽지 a개가 들어 있는 상자에서 임의로 한 개의 쪽지를 꺼낼 때, 빨간 쪽지를 꺼내면 4900원을 받고 흰 쪽지를 꺼내면 2800원을 내는 게임이 있다. 이 게임을 한 번 하여 받을 수 있는 금액의 기댓값이 1600원일 때, 자연수 a의 값은?

① 1   ② 2   ③ 3

④ 4   ⑤ 5

★중요

유형 07 **이산확률변수 $aX+b$의 평균, 분산, 표준편차**
– X의 평균, 분산이 주어진 경우

039 대표 문제 다시 보기

평균이 2, 분산이 5인 확률변수 X에 대하여 확률변수
$Y=aX+b$의 평균이 8, 분산이 45이다. 이때 상수 a, b에 대
하여 ab의 값을 구하시오. (단, $a>0$)

040 하

확률변수 X에 대하여 $E(X)=5$, $E(X^2)=27$일 때, 확률변
수 $Y=-3X+1$의 표준편차는?

① $2\sqrt{3}$ ② $\sqrt{14}$ ③ 4

④ $3\sqrt{2}$ ⑤ $2\sqrt{5}$

041 중

확률변수 X에 대하여 $E(2X+3)=13$, $V(2X+3)=24$일
때, $E(X^2)$을 구하시오.

042 중

어느 반 학생들의 과학 시험 점수를 X점이라 하면 확률변수
X의 평균은 m, 표준편차는 σ이다. 이때 확률변수
$T=10\times\dfrac{X-m}{\sigma}+50$의 평균과 표준편차의 합을 구하시오.

043 중

확률변수 X에 대하여 $E(X)=a$, $E(X^2)=2a+3$일 때, 확
률변수 $Y=2X-1$에 대하여 $\sigma(Y)$의 최댓값은?

① 2   ② $2\sqrt{3}$ ③ 4

④ $2\sqrt{6}$ ⑤ 6

044 상

확률변수 X에 대하여 $V(X)=\dfrac{4}{9}$일 때, 확률변수
$Y=3X+9$에 대하여 $E(Y^2)=4E(Y)$이다. 이때 $E(X)$를
구하시오.

유형 08 **이산확률변수 $aX+b$의 평균, 분산, 표준편차**
– 확률분포가 주어진 경우

045 대표 문제 다시 보기

확률변수 X의 확률분포를 표로 나타내면 다음과 같을 때,
$\sigma(4X-3)$은? (단, a는 상수)

X	0	1	2	합계
$P(X=x)$	a	$2a$	a	1

① $2\sqrt{2}$ ② 3   ③ $\sqrt{10}$

④ $\sqrt{11}$ ⑤ $2\sqrt{3}$

046 중

확률변수 X의 확률분포를 표로 나타내면 다음과 같을 때, $V(5X+3)$을 구하시오.

X	1	2	3	합계
$P(X=x)$	$\dfrac{2}{5}$	$\dfrac{1}{5}$	$\dfrac{2}{5}$	1

047 중

확률변수 X의 확률질량함수가
$$P(X=x)=\frac{x+1}{20} \ (x=1, 2, 3, 4, 5)$$
일 때, 확률변수 $2X+5$의 평균은?

① 11   ② 12   ③ 13
④ 14   ⑤ 15

048 중

확률변수 X의 확률분포를 표로 나타내면 다음과 같다.
$P(X<3)=\dfrac{9}{10}$일 때, $\sigma\left(\dfrac{1}{a}X+10b\right)$는? (단, a, b는 상수)

X	1	2	3	합계
$P(X=x)$	$\dfrac{3}{10}$	a	b	1

① $\dfrac{\sqrt{2}}{3}$ ② $\dfrac{\sqrt{3}}{2}$ ③ 1
④ $\sqrt{2}$ ⑤ 2

049 중

확률변수 X의 확률분포를 표로 나타내면 다음과 같을 때, 확률변수 $Y=aX+b$에 대하여 $E(Y)=-1$, $V(Y)=16$이다. 이때 상수 a, b에 대하여 $b-a$의 값을 구하시오. (단, $a<0$)

X	0	1	2	3	합계
$P(X=x)$	$\dfrac{5}{12}$	$\dfrac{1}{4}$	$\dfrac{1}{4}$	$\dfrac{1}{12}$	1

중요

유형09 이산확률변수 $aX+b$의 평균, 분산, 표준편차 – 확률분포가 주어지지 않은 경우

050 대표 문제 다시 보기

여학생 4명, 남학생 5명으로 구성된 수학 동아리에서 멘토링에 참여할 학생 2명을 임의로 뽑을 때, 뽑힌 여학생의 수를 확률변수 X라 하자. 이때 확률변수 $Y=9X-28$의 분산은?

① 7   ② 14   ③ 21
④ 28   ⑤ 35

051 하

한 개의 주사위를 던져서 나오는 눈의 수를 확률변수 X라 할 때, $E(2X-5)$는?

① 2   ② 3   ③ 4
④ 5   ⑤ 6

052 중

한 자리의 자연수 a에 대하여 다섯 개의 숫자 1, 2, 2, 4, a가 각각 하나씩 적힌 5장의 카드 중에서 임의로 한 장의 카드를 뽑을 때, 뽑힌 카드에 적힌 수를 확률변수 X라 하자. $E(5X-3)=9$일 때, $\sigma(5X-3)$을 구하시오.

053 상   신유형

오른쪽 그림과 같이 한 모서리의 길이가 1인 정육면체에서 세 꼭짓점을 택하여 삼각형을 만들려고 한다. 만들어지는 삼각형의 넓이의 제곱을 확률변수 X라 할 때, $E(7X)$를 구하시오.

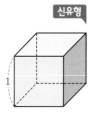

유형 10 이항분포에서의 확률

054 대표 문제 다시 보기

화살을 쏘면 5발에 4발꼴로 명중시키는 양궁 선수가 있다. 이 선수가 20발의 화살을 쏘아 명중시키는 횟수를 확률변수 X라 할 때, $P(X \geq 1)$은?

① $1-\left(\frac{4}{5}\right)^{20}$ ② $1-\left(\frac{1}{5}\right)^{20}$ ③ $\left(\frac{1}{5}\right)^{20}$

④ $\left(\frac{3}{5}\right)^{20}$ ⑤ $\left(\frac{4}{5}\right)^{20}$

055 중

확률변수 X가 이항분포 $B\left(5, \frac{1}{3}\right)$을 따를 때, $P(X=1)=kP(X=3)$을 만족시키는 상수 k의 값을 구하시오.

056 중

한 개의 동전을 10번 던져서 앞면이 나오는 횟수를 확률변수 X라 할 때, $P(X=3)$을 구하시오.

057 중

생산하는 제품의 10 %가 불량품인 기계가 있다. 이 기계에서 생산된 제품 중에서 임의로 6개를 택할 때, 나오는 불량품의 개수를 확률변수 X라 하자. $P(4<X\leq 6)=\dfrac{b}{a\times 10^5}$일 때, $a+b$의 값은? (단, a, b는 서로소인 자연수)

① 9   ② 10   ③ 11
④ 12   ⑤ 13

058 상

어느 회사에서 항공권을 구입한 사람이 항공기에 탑승하지 않을 확률은 0.1이라 한다. 항공기의 좌석이 25개이고 항공권을 구입한 사람이 27명일 때, 좌석이 부족할 확률은?
(단, $0.9^{27}=0.0581$로 계산한다.)

① 0.1227   ② 0.1292   ③ 0.1743
④ 0.2034   ⑤ 0.2324

유형 11 이항분포의 평균, 분산, 표준편차 – 이항분포가 주어진 경우

059 대표 문제 다시 보기

이항분포 $B(n, p)$를 따르는 확률변수 X에 대하여
$E(X)=20$, $V(X)=\dfrac{50}{3}$일 때, n의 값은?

① 120   ② 240   ③ 360
④ 480   ⑤ 600

060 중

이항분포 $B(100, p)$를 따르는 확률변수 X에 대하여
$V(X)=24$일 때, p의 값을 구하시오. $\left(\text{단, } p>\dfrac{1}{2}\right)$

061 중

확률변수 X의 확률질량함수가
$$P(X=x)={}_{30}C_x\left(\dfrac{1}{5}\right)^x\left(\dfrac{4}{5}\right)^{30-x} \quad (x=0,\ 1,\ 2,\ \cdots,\ 30)$$
일 때, X의 평균과 분산을 구하시오.

062 중

이항분포 $B(n, p)$를 따르는 확률변수 X에 대하여
$E(X)=3$, $E(X^2)=11$일 때, $\dfrac{P(X=6)}{P(X=5)}$의 값을 구하시오.

063 중

이항분포 $B(10, p)$를 따르는 확률변수 X의 분산이 최대일 때,
X의 평균을 구하시오.

★ 중요

유형 12 이항분포의 평균, 분산, 표준편차 – 이항분포가 주어지지 않은 경우

064 대표 문제 다시 보기

한 개의 주사위를 90번 던져서 3의 배수의 눈이 나오는 횟수를 확률변수 X라 할 때, $E(X^2)$을 구하시오.

065 하

어느 공장에서 생산하는 성냥의 10 %는 불이 붙지 않는다고 한다. 이 공장에서 생산된 성냥 200개를 켤 때, 불이 붙지 않는 성냥의 개수를 확률변수 X라 하자. 이때 확률변수 X의 표준편차는?

① 4   ② $3\sqrt{2}$ ③ $2\sqrt{5}$
④ $\sqrt{22}$ ⑤ $2\sqrt{6}$

066 중

썩은 사과 1개를 포함하여 사과 4개가 들어 있는 바구니에서 임의로 한 개의 사과를 꺼내어 확인한 후 다시 넣는 시행을 n회 반복할 때, 썩은 사과가 나오는 횟수를 확률변수 X라 하자. 확률변수 X의 평균이 16일 때, X의 분산은?

① 10   ② 11   ③ 12
④ 13   ⑤ 14

067 중

한 개의 주사위를 30번 던져서 3의 눈이 나오는 횟수를 확률변수 X라 하고, 한 개의 동전을 n번 던져서 앞면이 나오는 횟수를 확률변수 Y라 하자. Y의 분산이 X의 분산보다 크게 되도록 하는 n의 최솟값은?

① 15   ② 16   ③ 17

④ 18   ⑤ 19

068 상

빨간 공 a개, 파란 공 4개가 들어 있는 주머니에서 임의로 한 개의 공을 꺼내어 확인한 후 다시 넣는 시행을 n회 반복할 때, 빨간 공이 나오는 횟수를 확률변수 X라 하자. 확률변수 X의 평균이 12, 분산이 3일 때, $a+n$의 값을 구하시오.

유형 **13** 이항분포의 평균, 분산, 표준편차
            – 확률변수가 $aX+b$인 경우

069 대표 문제 다시 보기

승률이 80 %인 권투 선수가 50번의 경기를 할 때, 승리하는 횟수를 확률변수 X라 하자. 이때 $E(2X-4)$는?

① 28   ② 36   ③ 38

④ 54   ⑤ 76

070 중

확률변수 X가 이항분포 $B\left(n, \dfrac{1}{6}\right)$을 따르고 $E(3X-2)=5$일 때, n의 값은?

① 11   ② 12   ③ 13

④ 14   ⑤ 15

071 중

2개의 당첨 제비를 포함한 6개의 제비가 들어 있는 주머니에서 임의로 한 개의 제비를 뽑아 확인한 후 다시 넣는 시행을 45회 반복할 때, 당첨 제비가 나오는 횟수를 확률변수 X라 하자. 이때 $E(2X+3)+V(2X+3)$의 값을 구하시오.

072 중

이항분포 $B(10, p)$를 따르는 확률변수 X에 대하여
$$4P(X=4)=5P(X=5)$$
일 때, $E(3X-5)$를 구하시오. (단, $0<p<1$)

073 상

한 개의 동전을 던져서 앞면이 나오면 4점을 얻고, 뒷면이 나오면 2점을 잃는 게임이 있다. 이 게임을 24번 하여 받는 최종 점수를 확률변수 X라 할 때, $E(X)$는?

① 4   ② 8   ③ 16

④ 24   ⑤ 28

074

확률변수 X의 확률질량함수가

$$P(X=x)=\begin{cases} k-\dfrac{1}{11}x \ (x=-2,\ -1,\ 0) \\ k+\dfrac{1}{11}x \ (x=1,\ 2) \end{cases}$$

일 때, 상수 k의 값은?

① $\dfrac{1}{15}$ ② $\dfrac{1}{14}$ ③ $\dfrac{1}{13}$

④ $\dfrac{1}{12}$ ⑤ $\dfrac{1}{11}$

075

확률변수 X의 확률분포를 표로 나타내면 다음과 같다.
$P(X=1)=\dfrac{3}{2}P(X=2)$일 때, $P(X=1$ 또는 $X=3)$을 구하시오. (단, a, b는 상수)

X	1	2	3	합계
$P(X=x)$	a	$2b$	$3b$	1

076

3개의 당첨 제비를 포함한 10개의 제비 중에서 임의로 3개의 제비를 동시에 뽑을 때, 뽑힌 당첨 제비의 개수를 확률변수 X라 하자. 이때 $P(X^2-2X=0)$은?

① $\dfrac{2}{5}$ ② $\dfrac{7}{15}$ ③ $\dfrac{8}{15}$

④ $\dfrac{3}{5}$ ⑤ $\dfrac{2}{3}$

077

확률변수 X의 확률분포를 표로 나타내면 다음과 같다.
$E(X)=3$일 때, 상수 a, b에 대하여 $b-a$의 값은?

X	1	3	4	합계
$P(X=x)$	a	$\dfrac{1}{3}$	b	1

① $\dfrac{1}{9}$ ② $\dfrac{2}{9}$ ③ $\dfrac{1}{3}$

④ $\dfrac{4}{9}$ ⑤ $\dfrac{5}{9}$

078

1부터 5까지의 자연수가 각각 하나씩 적힌 5개의 공이 들어 있는 주머니에서 임의로 3개의 공을 동시에 꺼낼 때, 짝수가 적힌 공의 개수를 확률변수 X라 하자. 이때 $V(X)$를 구하시오.

079

어느 복권 회사가 10 이하의 자연수 중에서 서로 다른 3개를 적어 내는 복권을 만들어 판매하려고 한다. 이 회사가 발표한 3개의 수 중에서 3개를 모두 맞힌 사람에게는 300000원, 2개를 맞힌 사람에게는 20000원, 1개를 맞힌 사람에게는 5000원의 당첨금을 지급한다고 할 때, 이 회사가 손해를 보지 않기 위해서 받아야 하는 복권 한 장의 최소 판매 금액을 구하시오. (단, 3개의 수의 순서는 생각하지 않는다.)

080
유형 07

어느 의류 회사에서 생산하는 바지 한 벌의 국내 가격을 X원이라 하면 확률변수 X의 평균은 30000, 표준편차는 8000이다. 이 회사에서 생산한 바지 한 벌의 수출 가격을 Y원이라 하면 $Y=\dfrac{6}{5}X+3200$일 때, $\mathrm{E}(Y)+\sigma(Y)$의 값을 구하시오.

081
유형 08

확률변수 X의 확률분포를 표로 나타내면 다음과 같을 때, $\mathrm{V}(aX+2)$는? (단, a는 상수)

X	1	2	3	4	합계
$\mathrm{P}(X=x)$	$\dfrac{1}{10}$	a	$\dfrac{3}{10}$	$\dfrac{1}{5}a$	1

① $\dfrac{2}{25}$ ② $\dfrac{3}{25}$ ③ $\dfrac{4}{25}$

④ $\dfrac{1}{5}$ ⑤ $\dfrac{6}{25}$

082
유형 09

1부터 5까지의 자연수 중에서 임의로 2개를 동시에 택할 때, 택한 두 수의 차를 확률변수 X라 하자. 이때 $\sigma(6X-1)$은?

① 1 ② 2 ③ 3

④ 6 ⑤ 9

083
유형 09

사탕 3개, 젤리 2개가 들어 있는 간식 상자에서 임의로 2개를 동시에 꺼낼 때, 나오는 사탕의 개수를 확률변수 X라 하자. 확률변수 $Y=aX+b$에 대하여 $\mathrm{E}(Y)=5$, $\mathrm{V}(Y)=9$일 때, 상수 a, b에 대하여 $a+b$의 값을 구하시오. (단, $a>0$)

084
유형 10

완치율이 60 %인 약을 4명의 환자에게 투약하여 완치되는 환자의 수를 확률변수 X라 할 때, $\mathrm{P}(X\geq3)$은?

① $\dfrac{59}{125}$ ② $\dfrac{296}{625}$ ③ $\dfrac{297}{625}$

④ $\dfrac{298}{625}$ ⑤ $\dfrac{299}{625}$

085
유형 11

이항분포 $\mathrm{B}(30,\ p)$를 따르는 확률변수 X에 대하여 $\mathrm{E}(X)=\dfrac{15}{2}$일 때, $\mathrm{E}(X^2)$을 구하시오.

086
유형 12+13

검은 구슬과 흰 구슬이 합하여 12개가 들어 있는 주머니에서 임의로 한 개의 구슬을 꺼내어 확인한 후 다시 넣는 시행을 36회 반복할 때, 검은 구슬이 나오는 횟수를 확률변수 X라 하자. $\mathrm{E}(X)=6$일 때, $\mathrm{V}(4X+1)$을 구하시오.

Ⅲ. 통계

연속확률변수와 정규분포

Ⅲ. 통계

연속확률변수와 정규분포

36

유형 01 | 확률밀도함수의 성질

연속확률변수 X의 확률밀도함수 $f(x)$ $(\alpha \leq x \leq \beta)$에 대하여
(1) $f(x) \geq 0$
(2) $y=f(x)$의 그래프와 x축 및 두 직선 $x=\alpha$, $x=\beta$로 둘러싸인 도형의 넓이는 1이다.

대표 문제

001 연속확률변수 X의 확률밀도함수가
$$f(x)=a(2x-3) \ (-1 \leq x \leq 1)$$
일 때, 상수 a의 값은?

① -1 ② $-\dfrac{1}{2}$ ③ $-\dfrac{1}{3}$

④ $-\dfrac{1}{4}$ ⑤ $-\dfrac{1}{6}$

★ 중요

유형 02 | 연속확률변수의 확률

확률변수 X의 확률밀도함수 $f(x)$ $(\alpha \leq x \leq \beta)$에 대하여 $P(a \leq X \leq b)$는 $y=f(x)$의 그래프와 x축 및 두 직선 $x=a$, $x=b$로 둘러싸인 도형의 넓이와 같다.

(단, $\alpha \leq a \leq b \leq \beta$)

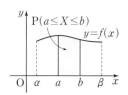

참고 확률변수 X가 특정한 값을 가질 확률은 0이므로
$$P(a \leq X \leq b)=P(a \leq X < b)=P(a < X \leq b)=P(a < X < b)$$

대표 문제

002 연속확률변수 X의 확률밀도함수가
$$f(x)=a(6-x) \ (0 \leq x \leq 6)$$
일 때, $P(2 \leq X \leq 5)$는? (단, a는 상수)

① $\dfrac{1}{12}$ ② $\dfrac{1}{6}$ ③ $\dfrac{1}{4}$

④ $\dfrac{1}{3}$ ⑤ $\dfrac{5}{12}$

유형 03 | 정규분포 곡선의 성질

평균이 m, 표준편차가 σ인 정규분포를 기호 $N(m, \sigma^2)$으로 나타내고, 확률변수 X는 정규분포 $N(m, \sigma^2)$을 따른다고 한다. 이때 정규분포 $N(m, \sigma^2)$을 따르는 확률변수 X의 정규분포 곡선은 다음과 같은 성질을 갖는다.

(1) 직선 $x=m$에 대하여 대칭인 종 모양의 곡선이고, 점근선은 x축이다.
(2) 곡선과 x축 사이의 넓이는 1이다.
(3) σ의 값이 일정할 때, m의 값이 달라지면 대칭축의 위치는 바뀌지만 곡선의 모양은 변하지 않는다.

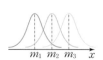

(4) m의 값이 일정할 때, σ의 값이 클수록 가운데 부분의 높이는 낮아지고 양쪽으로 넓게 퍼진 모양이 된다.

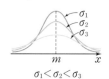
$\sigma_1 < \sigma_2 < \sigma_3$

대표 문제

003 정규분포를 따르는 두 확률변수 X_1, X_2의 확률밀도함수를 각각 $f(x)$, $g(x)$라 하자. 두 함수 $y=f(x)$, $y=g(x)$의 그래프가 오른쪽 그림과 같을 때, 다음 보기 중 옳은 것만을 있는 대로 고르시오.

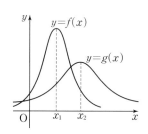

보기
ㄱ. $E(X_1) < E(X_2)$
ㄴ. $V(X_1) > V(X_2)$
ㄷ. $f(E(X_1)) > g(E(X_2))$

유형 04 | 정규분포에서 확률 구하기

확률변수 X가 정규분포 $N(m, \sigma^2)$을
따를 때, 정규분포 곡선은 직선 $x=m$
에 대하여 대칭이므로

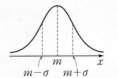

(1) $P(X \le m) = P(X \ge m) = 0.5$
(2) $P(m-\sigma \le X \le m) = P(m \le X \le m+\sigma)$
(3) $P(X \ge m-\sigma) = P(X \le m+\sigma)$

대표 문제

004 확률변수 X가 정규분포
$N(m, \sigma^2)$을 따를 때,
$P(m \le X \le x)$는 오른쪽 표와
같다. 확률변수 X가 정규분포

x	$P(m \le X \le x)$
$m+\sigma$	0.3413
$m+2\sigma$	0.4772
$m+3\sigma$	0.4987

$N(60, 4^2)$을 따를 때, $P(48 \le X \le 64)$를 위의 표를 이용하여
구하면?

① 0.6826   ② 0.8185   ③ 0.84

④ 0.9544   ⑤ 0.9759

유형 05 | 정규분포에서 확률을 만족시키는 미지수의 값 구하기

정규분포 $N(m, \sigma^2)$을 따르는 확률변수 X에 대하여
$P(X \le a) = p$를 만족시키는 a의 값을 구할 때에는 주어진 확
률을 변형하여 $P(m \le X \le a)$ 또는 $P(a \le X \le m)$을 구한 후
$P(m \le X \le m+k\sigma)$와 비교하여 a의 값을 구한다.

> **참고** 확률변수 X가 정규분포 $N(m, \sigma^2)$을 따르고 $P(X \le a) = p$일 때
> (1) $p < 0.5$이면
> $\quad P(X \le a) = P(X \le m) - P(a \le X \le m)$
> $\qquad\qquad\quad = 0.5 - P(a \le X \le m)$
>
>
>
> (2) $p > 0.5$이면
> $\quad P(X \le a) = P(X \le m) + P(m \le X \le a)$
> $\qquad\qquad\quad = 0.5 + P(m \le X \le a)$
>
>

대표 문제

005 확률변수 X가 정규분포 $N(m, \sigma^2)$을 따르면
$\qquad P(m \le X \le m+2\sigma) = 0.4772$
일 때, 평균이 40, 표준편차가 6인 확률변수 X에 대하여
$P(X \le a) = 0.9772$를 만족시키는 상수 a의 값은?

① 28   ② 34   ③ 40

④ 46   ⑤ 52

중요 유형 06 | 정규분포의 표준화

확률변수 X가 정규분포 $N(m, \sigma^2)$을 따를 때

(1) 확률변수 $Z = \dfrac{X-m}{\sigma}$은 표준정규분포 $N(0, 1)$을 따른다.

(2) $P(a \le X \le b) = P\left(\dfrac{a-m}{\sigma} \le Z \le \dfrac{b-m}{\sigma}\right)$

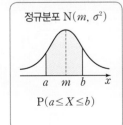 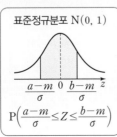

대표 문제

006 두 확률변수 X, Y가 각각 정규분포 $N(20, 4^2)$,
$N(30, 5^2)$을 따르고 $P(24 \le X \le 32) = P(35 \le Y \le k)$일 때,
상수 k의 값은?

① 40   ② 42   ③ 45

④ 47   ⑤ 50

★중요

유형 07 | 표준화하여 확률 구하기

정규분포 $N(m, \sigma^2)$을 따르는 확률변수 X의 확률은 확률변수 X를 $Z=\dfrac{X-m}{\sigma}$으로 표준화한 후 표준정규분포표를 이용하여 구한다.

참고 확률변수 Z가 표준정규분포 $N(0, 1)$을 따를 때, $0<a<b$인 상수 a, b에 대하여

(1) $P(-a \leq Z \leq 0)=P(0 \leq Z \leq a)$

(2) $P(a \leq Z \leq b)=P(0 \leq Z \leq b)-P(0 \leq Z \leq a)$

(3) $P(Z \geq a)=0.5-P(0 \leq Z \leq a)$

(4) $P(Z \leq a)=0.5+P(0 \leq Z \leq a)$

(5) $P(-a \leq Z \leq b)=P(-a \leq Z \leq 0)+P(0 \leq Z \leq b)$
$=P(0 \leq Z \leq a)+P(0 \leq Z \leq b)$

대표 문제

007 확률변수 X가 정규분포 $N(40, 5^2)$을 따를 때, $P(34 \leq X \leq 43)$을 오른쪽 표준정규분포표를 이용하여 구하면?

z	$P(0 \leq Z \leq z)$
0.6	0.2257
1.2	0.3849
1.8	0.4641

① 0.1592　　② 0.2257　　③ 0.3849

④ 0.6106　　⑤ 0.6898

유형 08 | 표준화하여 확률을 만족시키는 미지수의 값 구하기

정규분포 $N(m, \sigma^2)$을 따르는 확률변수 X에 대하여 $P(\blacksquare \leq X \leq a)=p$를 만족시키는 a의 값을 구할 때에는 다음과 같은 순서로 한다.

(1) 확률변수 X를 $Z=\dfrac{X-m}{\sigma}$으로 표준화한다.

(2) 주어진 확률을 변형하여 $P\left(0 \leq Z \leq \dfrac{a-m}{\sigma}\right)$을 구한다.

(3) 표준정규분포표에서 (2)를 만족시키는 $\dfrac{a-m}{\sigma}$의 값을 찾은 후 a의 값을 구한다.

대표 문제

008 확률변수 X가 정규분포 $N(21, 3^2)$을 따를 때, $P(15 \leq X \leq a)=0.9104$를 만족시키는 상수 a의 값을 오른쪽 표준정규분포표를 이용하여 구하면?

z	$P(0 \leq Z \leq z)$
0.5	0.1915
1.0	0.3413
1.5	0.4332
2.0	0.4772
2.5	0.4938

① 25　　② 25.5

③ 26　　④ 26.5

⑤ 27

유형 09 | 표준화하여 확률 비교하기

두 확률변수 X, Y가 각각 정규분포 $N(m_X, \sigma_X^2)$, $N(m_Y, \sigma_Y^2)$을 따를 때, X, Y를 각각

$$Z_X=\frac{X-m_X}{\sigma_X}, \quad Z_Y=\frac{Y-m_Y}{\sigma_Y}$$

로 표준화하여 확률을 비교한다.

참고 $0<a<b$이면
$P(Z \geq a)>P(Z \geq b)$

대표 문제

009 지형이네 반 전체 학생의 국어, 영어, 수학 시험 성적은 과목별로 정규분포를 따르고, 각 과목의 평균, 표준편차와 지형이의 성적은 다음 표와 같다. 각 과목별로 지형이의 성적과 반 전체 학생의 성적을 비교할 때, 지형이의 성적이 상대적으로 좋은 과목부터 순서대로 나열하시오.

(단위: 점)

과목	국어	영어	수학
반 평균	56	58	64
반 표준편차	8	10	14
지형이의 성적	72	75	78

핵심유형 완성하기

유형 01 확률밀도함수의 성질

010 [대표 문제] 다시 보기

연속확률변수 X의 확률밀도함수가

$$f(x)=ax \ (0 \le x \le 4)$$

일 때, 상수 a의 값을 구하시오.

011 하

$0 \le x \le 5$에서 정의된 연속확률변수 X의 확률밀도함수 $y=f(x)$의 그래프가 오른쪽 그림과 같을 때, 상수 k의 값을 구하시오.

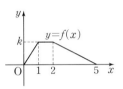

012 중

다음 중 $0 \le x \le 2$에서 정의된 연속확률변수 X의 확률밀도함수 $y=f(x)$의 그래프가 될 수 있는 것은?

① 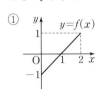 ②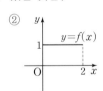

③ 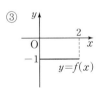 ④

⑤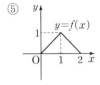

013 중

연속확률변수 X의 확률밀도함수가

$$f(x)=\begin{cases} ax & (0 \le x \le 2) \\ \dfrac{2}{3}a(5-x) & (2 \le x \le 5) \end{cases}$$

일 때, 상수 a의 값을 구하시오.

[★중요]

유형 02 연속확률변수의 확률

014 [대표 문제] 다시 보기

연속확률변수 X의 확률밀도함수가

$$f(x)=a(x+2) \ (-1 \le x \le 1)$$

일 때, $\mathrm{P}(X \le 0)$은? (단, a는 상수)

① $\dfrac{1}{8}$　　　② $\dfrac{1}{4}$　　　③ $\dfrac{3}{10}$

④ $\dfrac{5}{16}$　　　⑤ $\dfrac{3}{8}$

015 중

어느 기차역에서 기차의 도착 예정 시각과 실제 도착 시각의 차를 연속확률변수 X라 할 때, X의 확률밀도함수가

$$f(x)=\begin{cases} \dfrac{1}{160}x & (0 \le x \le 16) \\ \dfrac{1}{4}\left(2-\dfrac{1}{10}x\right) & (16 \le x \le 20) \end{cases}$$

이다. 이 기차의 도착 예정 시각과 실제 도착 시각의 차가 18분 이하일 확률을 구하시오.

016 중

$0 \le x \le a$에서 정의된 연속확률변수 X의 확률밀도함수 $y=f(x)$의 그래프가 오른쪽 그림과 같을 때, $\mathrm{P}(0 \le X \le b)=\dfrac{4}{5}$이다. 이때 상수 a, b에 대하여 ab의 값을 구하시오.

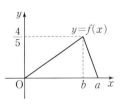

017 중

$-2 \leq x \leq 3$에서 정의된 연속확률변수 X의 확률밀도함수 $y=f(x)$의 그래프가 오른쪽 그림과 같을 때, $P(1 \leq X \leq 2)$를 구하시오.

(단, k는 상수)

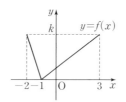

018 중

$0 \leq x \leq 4$에서 정의된 연속확률변수 X의 확률밀도함수 $y=f(x)$의 그래프가 오른쪽 그림과 같다. 이때 $P(a \leq X \leq 3)=P(3 \leq X \leq 4)$를 만족시키는 상수 a의 값은? (단, $0<a<3$)

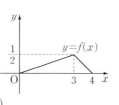

① $\sqrt{2}$ ② $\sqrt{3}$ ③ 2
④ $\sqrt{5}$ ⑤ $\sqrt{6}$

유형 03 정규분포 곡선의 성질

019 대표 문제 다시 보기

오른쪽 그림의 두 곡선 $y=f(x)$, $y=g(x)$는 각각 정규분포를 따르는 두 확률변수 X_1, X_2의 정규분포 곡선이다. 다음 보기 중 옳은 것만을 있는 대로 고르시오.

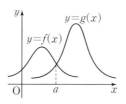

보기
ㄱ. $E(X_1)<E(X_2)$
ㄴ. $\sigma(X_1)<\sigma(X_2)$
ㄷ. $P(X_1 \geq a)=P(X_2 \geq a)$

020 하

두 학교 A, B의 학생들의 몸무게는 각각 정규분포를 따르고 그 평균과 표준편차는 오른쪽 표와 같다. 다음 중 두 학교 A, B의 학생들의 몸무게의 분포를 나타내는 것은?

(단위: kg)

학교	A	B
평균	60	71
표준편차	14	21

① 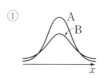 ② ③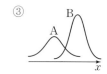

④ 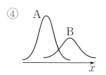 ⑤

021 중

확률변수 X가 정규분포 $N(m, \sigma^2)$을 따르고 다음 조건을 모두 만족시킬 때, $m+\sigma$의 값을 구하시오.

(가) $P(X \leq 7)=P(X \geq 11)$
(나) $V\left(\frac{1}{3}X\right)=9$

022 중

확률변수 X가 정규분포 $N(12, 4^2)$을 따를 때, $P(a-6 \leq X \leq a+4)$가 최대가 되도록 하는 상수 a의 값은?

① 11 ② 12 ③ 13
④ 14 ⑤ 15

유형 04   정규분포에서 확률 구하기

023 대표 문제 다시 보기

확률변수 X가 정규분포 $N(m, \sigma^2)$을 따를 때, $P(m \leq X \leq x)$는 오른쪽 표와 같다. 확률변수 X가 정규분포 $N(45, 3^2)$을 따를 때, $P(36 \leq X \leq 42)$를 위의 표를 이용하여 구하시오.

x	$P(m \leq X \leq x)$
$m+\sigma$	0.3413
$m+2\sigma$	0.4772
$m+3\sigma$	0.4987

024 중

확률변수 X가 정규분포 $N(m, \sigma^2)$을 따르고
$$P(m-\sigma \leq X \leq m+\sigma)=a,$$
$$P(m-2\sigma \leq X \leq m+2\sigma)=b$$
일 때, $P(m-2\sigma \leq X \leq m-\sigma)$를 a, b를 사용하여 나타내면?

① $0.5-a$ ② $0.5-b$ ③ $\dfrac{b-a}{2}$

④ $b-a$ ⑤ $\dfrac{a+b}{2}$

025 중

확률변수 X가 정규분포 $N(m, \sigma^2)$을 따르고
$$P(X \leq m-\sigma)=0.1587$$
일 때, $P(m-\sigma \leq X \leq m+\sigma)$를 구하시오.

026 중

확률변수 X가 정규분포 $N(m, \sigma^2)$을 따르고
$$P(40 \leq X \leq 45)=P(55 \leq X \leq 60)=0.1359$$
일 때, $P(X \leq 40)+P(50 \leq X \leq 55)$의 값을 구하시오.

027 상   신유형

확률변수 X가 정규분포 $N(m, \sigma^2)$을 따를 때, $P(m \leq X \leq x)$는 오른쪽 표와 같다. 확률변수 X가 정규분포 $N(2, 1^2)$을 따를 때, 곡선 $y=x^2+2Xx-X+2$와 직선 $y=4x$가 만나지 않을 확률을 위의 표를 이용하여 구하시오.

x	$P(m \leq X \leq x)$
$m+0.5\sigma$	0.1915
$m+\sigma$	0.3413
$m+1.5\sigma$	0.4332
$m+2\sigma$	0.4772

유형 05   정규분포에서 확률을 만족시키는 미지수의 값 구하기

028 대표 문제 다시 보기

확률변수 X가 정규분포 $N(m, \sigma^2)$을 따르면
$$P(m \leq X \leq m+\sigma)=0.3413$$
일 때, 정규분포 $N(15, 2^2)$을 따르는 확률변수 X에 대하여 $P(X \leq a)=0.1587$을 만족시키는 상수 a의 값은?

① 11   ② 12   ③ 13

④ 14   ⑤ 15

029 중

확률변수 X가 정규분포 $N(m, \sigma^2)$을 따를 때,
$$P(m-k\sigma \leq X \leq m+k\sigma)=0.383$$
을 만족시키는 양수 k의 값을 위의 표를 이용하여 구하시오.

x	$P(m \leq X \leq x)$
$m+0.5\sigma$	0.1915
$m+\sigma$	0.3413
$m+1.5\sigma$	0.4332
$m+2\sigma$	0.4772

030 중

확률변수 X가 정규분포 $N(m, \sigma^2)$을 따를 때, $P(m \leq X \leq x)$는 오른쪽 표와 같다. 확률변수 X가 정규분포 $N(48, 6^2)$을 따를 때, $P(X \geq a) = 0.9332$를 만족시키는 상수 a의 값을 위의 표를 이용하여 구하시오.

x	$P(m \leq X \leq x)$
$m+\sigma$	0.3413
$m+1.5\sigma$	0.4332
$m+2\sigma$	0.4772
$m+2.5\sigma$	0.4938

중요

유형 06 정규분포의 표준화

031 대표 문제 다시 보기

두 확률변수 X, Y가 각각 정규분포 $N(7, 3^2)$, $N(0, 4^2)$을 따르고 $P(X \geq 4k) = P(Y \geq 3k)$일 때, 상수 k의 값을 구하시오.

032 중

두 확률변수 X, Y가 각각 정규분포 $N(25, 4^2)$, $N(0, 1)$을 따르고 $P(X \leq a) = P(Y \geq a)$일 때, 상수 a의 값은?

① 4 ② 5 ③ 6
④ 7 ⑤ 8

033 중

두 확률변수 X, Y가 각각 정규분포 $N(18, 6^2)$, $N(m, 4^2)$을 따르고 $2P(18 \leq X \leq 24) = P(12 \leq Y \leq 2m-12)$일 때, 상수 m의 값을 구하시오.

중요

유형 07 표준화하여 확률 구하기

034 대표 문제 다시 보기

확률변수 X가 정규분포 $N(60, 10^2)$을 따를 때, $P(50 \leq X \leq 80)$을 오른쪽 표준정규분포표를 이용하여 구하시오.

z	$P(0 \leq Z \leq z)$
1.0	0.3413
2.0	0.4772
3.0	0.4987

035 중

확률변수 X가 정규분포 $N(32, 4^2)$을 따를 때, 다음 보기 중 옳은 것만을 있는 대로 고르시오. (단, $P(0 \leq Z \leq 3) = 0.4987$)

보기
ㄱ. $P(20 \leq X \leq 32) = 0.4987$
ㄴ. $P(X \geq 20) = 0.9987$
ㄷ. $P(X \geq 44) = 0.0013$

036 중

확률변수 X가 정규분포 $N(15, 3^2)$을 따를 때, 확률변수 $Y = 3X + 4$에 대하여 $P(58 \leq Y \leq 67)$을 오른쪽 표준정규분포표를 이용하여 구하시오.

z	$P(0 \leq Z \leq z)$
1.0	0.3413
1.5	0.4332
2.0	0.4772

037 상

두 확률변수 X, Y가 각각 정규분포 $N(m, 5^2)$, $N(2m, \sigma^2)$을 따르고, 확률변수 X의 확률밀도함수 $f(x)$가 다음 조건을 모두 만족시킬 때, $P(Y \geq 29)$를 위의 표준정규분포표를 이용하여 구하시오.

z	$P(0 \leq Z \leq z)$
0.5	0.1915
1.0	0.3413
1.5	0.4332

(가) $f(5) = f(25)$
(나) $P(X \leq 5) + P(Y \geq 26) = 1$

유형 **08**　표준화하여 확률을 만족시키는 미지수의 값 구하기

038 대표 문제 다시 보기

확률변수 X가 정규분포 $N(20, 2^2)$
을 따를 때, $P(a \le X \le 23) = 0.7745$
를 만족시키는 상수 a의 값을 오른쪽
표준정규분포표를 이용하여 구하면?

z	$P(0 \le Z \le z)$
0.5	0.1915
1.0	0.3413
1.5	0.4332
2.0	0.4772

① 15　　　　② 16

③ 17　　　　④ 18

⑤ 19

039 중

확률변수 X가 정규분포 $N(m, \sigma^2)$
을 따를 때,
$P(m - k\sigma \le X \le m + k\sigma) = 0.7888$
을 만족시키는 양수 k의 값을 오른쪽
표준정규분포표를 이용하여 구하시오.

z	$P(0 \le Z \le z)$
1.15	0.3749
1.25	0.3944
1.35	0.4115

040 중

확률변수 X가 정규분포 $N(24, 4^2)$
을 따를 때, $P(X \le 24 - k) = 0.3085$
이다. 이때 $P(X \ge 15k)$를 오른쪽 표
준정규분포표를 이용하여 구하시오.

　　　　　　(단, k는 상수)

z	$P(0 \le Z \le z)$
0.5	0.1915
1.0	0.3413
1.5	0.4332
2.0	0.4772

유형 **09**　표준화하여 확률 비교하기

041 대표 문제 다시 보기

어느 회사 전체 입사 지원자의 1차 필기시험, 2차 필기시험,
실기 시험 성적은 각각 정규분포를 따르고, 각 시험의 평균,
표준편차와 정연이의 성적은 다음 표와 같다. 시험별로 정연
이의 성적과 전체 입사 지원자의 성적을 비교할 때, 정연이의
성적이 상대적으로 좋은 시험부터 순서대로 나열하시오.

(단위: 점)

시험	1차 필기시험	2차 필기시험	실기 시험
회사 평균	60	55	64
회사 표준편차	9	12	10
정연이의 성적	68	67	73

042 중

세 확률변수 X, Y, W가 각각 정규분포 $N(59, 4^2)$,
$N(65, 5^2)$, $N(67, 6^2)$을 따르고,
　　$a = P(X \ge 65)$, $b = P(Y \le 57)$, $c = P(W \ge 73)$
이라 할 때, a, b, c의 대소 관계는?

① $a < b < c$　　　② $a = c < b$　　　③ $b < a < c$

④ $b = c < a$　　　⑤ $c < b < a$

043 중

어느 회사의 1팀, 2팀, 3팀 직원들의 하루 스마트폰 사용 시
간은 평균이 각각 68분, 72분, 70분, 표준편차가 각각 8분, 5
분, 4분인 정규분포를 따른다고 한다. 하루 스마트폰 사용 시
간이 64분인 세 직원 A, B, C가 각각 1팀, 2팀, 3팀 소속일
때, 소속된 각 팀에서 상대적으로 하루 스마트폰 사용 시간이
많은 직원부터 순서대로 나열하시오.

Ⅲ. 통계

연속확률변수와 정규분포

유형 10 | 정규분포의 활용 – 확률 구하기

정규분포에 대한 실생활 문제에서 확률은 다음과 같은 순서로
구한다.

⑴ 확률변수 X를 정한 후 X가 따르는 정규분포 $N(m, \sigma^2)$을
구한다.

⑵ 확률변수 X를 $Z=\dfrac{X-m}{\sigma}$으로 표준화한다.

⑶ 표준정규분포표를 이용하여 확률을 구한다.

대표 문제

044 어느 공장에서 생산하는 제품
한 개의 무게는 평균이 20 g, 표준편
차가 5 g인 정규분포를 따르고, 무게
가 30 g 이상인 제품은 불량으로 판정
한다. 이 공장에서 생산한 제품 중에
서 임의로 한 개를 택할 때, 택한 제품이 불량품일 확률을 위
의 표준정규분포표를 이용하여 구하면?

z	$P(0 \le Z \le z)$
0.5	0.19
1.0	0.34
1.5	0.43
2.0	0.48

① 0.01　　　② 0.02　　　③ 0.07

④ 0.16　　　⑤ 0.31

유형 11 | 정규분포의 활용 – 도수 구하기

정규분포 $N(m, \sigma^2)$을 따르는 확률변수 X에 대하여 n개의 자
료 중에서 특정 범위에 속하는 자료의 개수는 다음과 같은 순서
로 구한다.

⑴ 확률변수 X를 $Z=\dfrac{X-m}{\sigma}$으로 표준화한다.

⑵ 표준정규분포표를 이용하여 확률변수 X가 특정 범위에 속
할 확률 p를 구한다.

⑶ np의 값을 구한다.

대표 문제

045 어느 고등학교 학생 400명의
확률과 통계 시험 점수는 평균이 58점,
표준편차가 8점인 정규분포를 따른
다고 한다. 확률과 통계 시험 점수가
42점 이상 66점 이하인 학생 수를 위의 표준정규분포표를 이
용하여 구하시오.

z	$P(0 \le Z \le z)$
1.0	0.34
1.5	0.43
2.0	0.48

유형 12 | 정규분포의 활용 – 최저 점수 구하기

정규분포 $N(m, \sigma^2)$을 따르는 확률변수 X에 대하여 상위 k %
안에 드는 X의 최솟값을 구할 때에는 최솟값을 a로 놓고

$$P(X \ge a)=\frac{k}{100}, \ \ \text{즉} \ P\left(Z \ge \frac{a-m}{\sigma}\right)=\frac{k}{100}$$

를 만족시키는 $\dfrac{a-m}{\sigma}$의 값을 표준정규분포표에서 찾은 후 a의
값을 구한다.

대표 문제

046 어느 대학교 교양 수업의 평
가 점수는 평균이 40점, 표준편차가
5점인 정규분포를 따르고, 평가 점
수가 상위 8 %에 속하는 학생은 A
학점을 받는다고 한다. A학점을 받
은 학생의 최저 점수를 위의 표준정규분포표를 이용하여 구하
시오.

z	$P(0 \le Z \le z)$
1.3	0.40
1.4	0.42
1.5	0.43
1.6	0.45

유형 **13** 이항분포와 정규분포의 관계

확률변수 X가 이항분포 $B(n, p)$를 따를 때, n이 충분히 크면 X는 근사적으로 정규분포 $N(np, npq)$를 따른다.

(단, $q=1-p$)

참고 확률변수 X가 이항분포 $B(n, p)$를 따를 때,
$E(X)=np$, $V(X)=npq$ (단, $q=1-p$)

대표 문제

047 확률변수 X가 이항분포 $B\left(100, \dfrac{1}{5}\right)$을 따를 때, $P(X \geq 24)$를 오른쪽 표준정규분포표를 이용하여 구하면?

z	$P(0 \leq Z \leq z)$
1.0	0.3413
1.5	0.4332
2.0	0.4772

① 0.0228   ② 0.0668   ③ 0.1587

④ 0.3413   ⑤ 0.9772

06

중요

유형 **14** 이항분포와 정규분포의 관계의 활용 – 확률 구하기

이항분포에 대한 실생활 문제에서 확률은 다음과 같은 순서로 구한다.

(1) n번의 독립시행에서 사건 A가 일어나는 횟수를 확률변수 X라 하고, X가 따르는 이항분포 $B(n, p)$를 구한다.

(2) 확률변수 X의 평균 m과 분산 σ^2을 구한다.

(3) 확률변수 X가 근사적으로 정규분포 $N(m, \sigma^2)$을 따름을 이용하여 X를 표준화한다.

(4) 표준정규분포표를 이용하여 확률을 구한다.

대표 문제

048 한 개의 동전을 100번 던질 때, 앞면이 45번 이상 65번 이하로 나올 확률을 오른쪽 표준정규분포표를 이용하여 구하면?

z	$P(0 \leq Z \leq z)$
1.0	0.3413
2.0	0.4772
3.0	0.4987

① 0.1574   ② 0.6826   ③ 0.8185

④ 0.84   ⑤ 0.9759

유형 **15** 이항분포와 정규분포의 관계의 활용 – 미지수의 값 구하기

확률변수 X가 이항분포 $B(n, p)$를 따를 때, $P(X \geq a)=\alpha$를 만족시키는 a의 값은 다음과 같은 순서로 구한다.

(1) 확률변수 X가 근사적으로 정규분포 $N(np, npq)$를 따름을 이용하여 X를 표준화한다. (단, $q=1-p$)

(2) 표준정규분포표에서 $P(Z \geq k)=\alpha$를 만족시키는 k의 값을 찾은 후 a의 값을 구한다.

대표 문제

049 아윤이가 정답이 하나씩인 25개의 오지선다 문제에 임의로 답을 할 때, 문제를 a개 이상 맞힐 확률이 0.01이라 한다. 이때 a의 값을 위의 표준정규분포표를 이용하여 구하면?

z	$P(0 \leq Z \leq z)$
1.5	0.43
2.0	0.48
2.5	0.49

① 6   ② 8   ③ 10

④ 12   ⑤ 14

★중요

유형 10 정규분포의 활용 – 확률 구하기

050 **대표 문제** 다시 보기

어느 세차장에서 승용차 한 대를 세차하는 데 걸리는 시간은 평균이 20분, 표준편차가 2분인 정규분포를 따른다고 한다. 승용차 한 대를 세차하는 데 21분 이상 걸릴 확률을 오른쪽 표준정규분포표를 이용하여 구하시오.

z	$P(0 \leq Z \leq z)$
0.5	0.1915
1.0	0.3413
1.5	0.4332
2.0	0.4772

051 중

어느 식당에서 판매하는 밥 한 공기의 열량은 평균이 320 kcal, 표준편차가 8 kcal인 정규분포를 따른다고 한다. 이 식당에서 밥을 한 공기 먹었을 때, 섭취한 열량이 304 kcal 이상 324 kcal 이하일 확률을 위의 표준정규분포표를 이용하여 구하시오.

z	$P(0 \leq Z \leq z)$
0.5	0.1915
1.0	0.3413
1.5	0.4332
2.0	0.4772

052 중

어느 제과점에서 만드는 과자 한 개의 무게는 평균이 18 g, 표준편차가 0.3 g인 정규분포를 따른다고 한다. 이 제과점에서 만든 과자 중에서 무게가 18.75 g 이하인 것은 전체의 몇 %인가? (단, $P(0 \leq Z \leq 2.5)=0.49$)

① 1 %
② 16 %
③ 49 %
④ 84 %
⑤ 99 %

053 중

윤진이네 집에서 약속 장소인 공원까지 가는 데 걸리는 시간은 평균이 25분, 표준편차가 4분인 정규분포를 따른다고 한다. 약속 시간이 7시 50분이고 윤진이가 집에서 7시 19분에 출발했을 때, 윤진이가 약속 시간에 늦을 확률을 구하시오.
(단, $P(0 \leq Z \leq 1.5)=0.4332$)

유형 11 정규분포의 활용 – 도수 구하기

054 **대표 문제** 다시 보기

어느 고등학교 2학년 학생 150명의 키는 평균이 169 cm, 표준편차가 6.5 cm인 정규분포를 따른다고 한다. 키가 182 cm 이상인 학생 수를 오른쪽 표준정규분포표를 이용하여 구하면?

z	$P(0 \leq Z \leq z)$
0.5	0.19
1.0	0.34
1.5	0.43
2.0	0.48

① 1
② 3
③ 5
④ 7
⑤ 9

055 중

어느 농장에서 수확하는 키위 한 개의 무게를 X g이라 하면 확률변수 X는 정규분포 $N(62, 2^2)$을 따른다고 한다. 키위 500개를 수확한 이 농장에서 무게가 58 g 이상 66 g 이하인 키위를 정상 제품으로 판매할 때, 정상 제품의 개수를 구하시오. (단, $P(0 \leq Z \leq 2)=0.477$)

056 ^중

어느 고등학교 학생 200명의 세계지리 시험 성적은 평균이 70점, 표준편차가 8점인 정규분포를 따른다고 한다. 시험 성적이 62점 이하인 학생은 재평가를 받는다고 할 때, 재평가를 받아야 하는 학생 수는? (단, $P(0 \leq Z \leq 1) = 0.34$)

① 26   ② 28   ③ 30

④ 32   ⑤ 34

057 ^중

어느 지역 50대 주민들의 혈압을 측정한 결과 최고 혈압은 평균이 143 mmHg, 표준편차가 6 mmHg인 정규분포를 따른다고 한다. 최고 혈압이 140 mmHg 이상이거나 최저 혈압이 90 mmHg 이상이면 고혈압으로 판정한다고 할 때, 이 지역의 50대 주민 4000명 중에서 최고 혈압이 고혈압의 범위에 속하는 50대 주민은 몇 명인지 구하시오.

(단, $P(0 \leq Z \leq 0.5) = 0.1915$)

★ 중요

유형 12   **정규분포의 활용 – 최저 점수 구하기**

058   [대표 문제] 다시 보기

어느 고등학교 2학년 여학생의 오래매달리기 기록은 평균이 480초, 표준편차가 40초인 정규분포를 따른다고 한다. 오래매달리기 기록이 상위 4 %인

z	$P(0 \leq Z \leq z)$
1.55	0.44
1.75	0.46
2.05	0.48

학생에게 메달을 수여한다고 할 때, 메달을 받은 학생의 최저 기록을 위의 표준정규분포표를 이용하여 구하시오.

059 ^중

모집 정원이 21명인 입사 시험에 300명이 응시하였다. 응시자의 시험 점수는 평균이 60점, 표준편차가 2점인 정규분포를 따른다고 할 때, 합격자의

z	$P(0 \leq Z \leq z)$
1.18	0.38
1.50	0.43
2.06	0.48

최저 점수를 위의 표준정규분포표를 이용하여 구하면?

① 61점   ② 62점   ③ 63점

④ 64점   ⑤ 65점

060 ^중

어느 원반던지기 대회에 150명의 선수가 참가하였다. 선수들의 기록은 평균이 45 m, 표준편차가 5 m인 정규분포를 따른다고 할 때, 3등을 한 선수의 기록을 구하시오.

(단, $P(0 \leq Z \leq 2) = 0.48$)

061 ^상

600명이 응시한 어느 대학 통계학과 시험에서 응시자의 점수는 평균이 68점, 표준편차가 10점인 정규분포를 따른다고 한다. 응시자 중에서 30명이 1차로 합격했고, 15명이 2차로 추가 합격했을 때, 1차 합격자와 2차 합격자의 최저 점수의 차를 구하시오.

(단, $P(0 \leq Z \leq 1.44) = 0.425$, $P(0 \leq Z \leq 1.64) = 0.45$)

유형 **13** 이항분포와 정규분포의 관계

062 대표 문제 다시 보기

확률변수 X가 이항분포 $\text{B}\left(150, \dfrac{3}{5}\right)$을 따를 때, $\text{P}(75 \le X \le 96)$을 오른쪽 표준정규분포표를 이용하여 구하시오.

z	$\text{P}(0 \le Z \le z)$
1.0	0.3413
1.5	0.4332
2.0	0.4772
2.5	0.4938

063 하

확률변수 X가 이항분포 $\text{B}\left(64, \dfrac{1}{2}\right)$을 따를 때, X는 근사적으로 정규분포 $\text{N}(a, b)$를 따른다. 표준정규분포를 따르는 확률변수 Z에 대하여 $\text{P}(32 \le X \le 44) = \text{P}(0 \le Z \le c)$일 때, 상수 a, b, c에 대하여 $a+b+c$의 값을 구하시오.

064 중

이항분포 $\text{B}(180, p)$를 따르는 확률변수 X에 대하여 $\text{V}(X) = 25$일 때, $\text{P}\left(X \ge \dfrac{135}{p}\right)$를 구하시오.

(단, $0.5 < p < 1$, $\text{P}(0 \le Z \le 2.4) = 0.4918$)

065 상

오른쪽 표준정규분포표를 이용하여
$${}_{100}\text{C}_{100}\left(\dfrac{9}{10}\right)^{100} + {}_{100}\text{C}_{99}\left(\dfrac{9}{10}\right)^{99}\left(\dfrac{1}{10}\right)^{1}$$
$$+ \cdots + {}_{100}\text{C}_{93}\left(\dfrac{9}{10}\right)^{93}\left(\dfrac{1}{10}\right)^{7}$$
의 값을 구하시오.

z	$\text{P}(0 \le Z \le z)$
0.5	0.1915
1.0	0.3413
1.5	0.4332

중요
유형 **14** 이항분포와 정규분포의 관계의 활용 – 확률 구하기

066 대표 문제 다시 보기

한 개의 주사위를 720번 던질 때, 1의 눈이 140번 이상 나올 확률을 오른쪽 표준정규분포표를 이용하여 구하면?

z	$\text{P}(0 \le Z \le z)$
1.0	0.3413
1.5	0.4332
2.0	0.4772

① 0.0919
② 0.0228
③ 0.4332
④ 0.9104
⑤ 0.9759

067 중

재구매율이 $60\,\%$인 세제를 150명에게 판매하였을 때, 재구매하는 인원이 99명 이상일 확률을 구하시오.

(단, $\text{P}(0 \le Z \le 1.5) = 0.4332$)

068 중

어느 공연은 초청장을 받은 사람만 입장할 수 있고, 초청받은 사람 중에서 $20\,\%$는 공연을 보러 오지 않는다고 한다. 좌석이 332개인 공연장에서 하는 공연의 초청장을 400명에게 보냈을 때, 공연장의 좌석이 부족하지 않을 확률을 위의 표준정규분포표를 이용하여 구하시오.

z	$\text{P}(0 \le Z \le z)$
1.1	0.3643
1.2	0.3849
1.3	0.4032
1.4	0.4192
1.5	0.4332

069 중

어느 대학은 합격자 4명 중에서 3명 꼴로 등록을 한다고 한다. 합격자 192명 중에서 138명 이상이 등록을 할 확률을 오른쪽 표준정규분포표를 이용하여 구하면?

z	$P(0 \leq Z \leq z)$
0.5	0.1915
1.0	0.3413
1.5	0.4332
2.0	0.4772

① 0.6915   ② 0.7745   ③ 0.8413

④ 0.9332   ⑤ 0.9772

070 상

10점을 얻을 확률이 $\dfrac{1}{4}$, 2점을 잃을 확률이 $\dfrac{3}{4}$인 게임이 있다. 0점에서 시작하여 이 게임을 1200번 했을 때, 얻은 점수가 1560점 이상일 확률을 구하시오. (단, $P(0 \leq Z \leq 2)=0.48$)

유형 15 **이항분포와 정규분포의 관계의 활용 – 미지수의 값 구하기**

071 대표 문제 다시 보기

어떤 의견에 각 사람이 찬성 또는 반대할 확률이 서로 같다고 한다. 임의로 택한 400명 중에서 찬성한 사람이 a명 이상일 확률이 0.02라 할 때, a의 값을 위의 표준정규분포표를 이용하여 구하시오.

z	$P(0 \leq Z \leq z)$
1.5	0.43
2.0	0.48
2.5	0.49

(단, 기권하는 사람은 없다.)

072 중

자유투 성공률이 $\dfrac{2}{3}$인 어느 농구 선수가 450번의 자유투를 던져서 성공한 횟수를 확률변수 X라 할 때, $P(300 \leq X \leq a)=0.43$을 만족시키는 상수 a의 값을 구하시오. (단, $P(0 \leq Z \leq 1.5)=0.43$)

073 중

어느 회사 제품의 불량률이 2 %라 한다. 이 회사의 제품 2500개 중에서 불량인 제품의 개수를 확률변수 X라 할 때, $P(|X-50| \geq k)=0.04$를 만족시키는 상수 k의 값을 오른쪽 표준정규분포표를 이용하여 구하면?

z	$P(0 \leq Z \leq z)$
0.5	0.19
1.0	0.34
1.5	0.43
2.0	0.48

① 13   ② 14   ③ 15

④ 16   ⑤ 17

074 상

어느 영화관에 입장하는 전체 관객의 90 %는 어른이고, 10 %는 어린이이다. 입장한 관객 100명 중에서 어린이가 a명 이상일 확률이 0.1587이라 할 때, 100명 중에서 어른이 $(6a+6)$명 이상일 확률을 위의 표준정규분포표를 이용하여 구하시오.

z	$P(0 \leq Z \leq z)$
0.5	0.1915
1.0	0.3413
1.5	0.4332
2.0	0.4772

075
유형 01

연속확률변수 X의 확률밀도함수가

$$f(x)=\begin{cases} a(1-x) & (0\leq x\leq 1) \\ \dfrac{1}{2}a(x-1) & (1\leq x\leq 3) \end{cases}$$

일 때, 상수 a의 값은?

① $\dfrac{1}{3}$ ② $\dfrac{4}{9}$ ③ $\dfrac{5}{9}$

④ $\dfrac{2}{3}$ ⑤ $\dfrac{7}{9}$

076
유형 02

$0\leq x\leq 6$에서 정의된 연속확률변수 X의 확률밀도함수 $y=f(x)$의 그래프가 오른쪽 그림과 같을 때, $P(0\leq X\leq 6p)$를 구하시오.

(단, p는 상수)

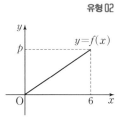

077
유형 03

세 수영 동아리 A, B, C의 회원 수는 서로 같다. 각 동아리 회원들의 연습량이 각각 정규분포를 따르고 각 정규분포의 정규분포 곡선이 오른쪽 그림과 같을 때, 다음 보기 중 옳은 것만을 있는 대로 고르시오.

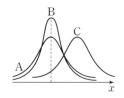

> **보기**
>
> ㄱ. 평균적으로 A 동아리 회원들이 B 동아리 회원들보다 연습량이 적다.
> ㄴ. 연습량이 많은 회원은 C 동아리보다 B 동아리에 더 많다.
> ㄷ. B 동아리 회원들이 C 동아리 회원들보다 연습량이 더 고르다.

078
유형 03

정규분포 $N(m, 2^2)$을 따르는 확률변수 X에 대하여 함수

$$g(k)=P(k-4\leq X\leq k+6)$$

은 $k=9$일 때 최댓값을 갖는다. 이때 상수 m의 값은?

① 10   ② 11   ③ 12

④ 14   ⑤ 15

079
유형 05

확률변수 X가 정규분포 $N(m, \sigma^2)$을 따를 때, $P(m\leq X\leq x)$는 오른쪽 표와 같다. 확률변수 X가 정규분포 $N(50, 3^2)$을 따를 때, $P(|X|\geq k)=0.0026$을 만족시키는 상수 k의 값을 위의 표를 이용하여 구하시오.

x	$P(m\leq X\leq x)$
$m+2\sigma$	0.4772
$m+2.5\sigma$	0.4938
$m+3\sigma$	0.4987

080
유형 06

A 양계장에서 생산하는 달걀 한 개의 무게는 평균이 $60\,g$, 표준편차가 $10\,g$인 정규분포를 따르고, B 양계장에서 생산하는 달걀 한 개의 무게는 평균이 $65\,g$, 표준편차가 $15\,g$인 정규분포를 따른다고 한다. A 양계장에서 임의로 택한 달걀 한 개의 무게가 $a\,g$ 이상일 확률과 B 양계장에서 임의로 택한 달걀 한 개의 무게가 $a\,g$ 이하일 확률이 같을 때, 상수 a의 값을 구하시오.

081
유형 07

확률변수 X가 정규분포 $N(20, 5^2)$을 따를 때, 확률변수 $Y=3X+2$에 대하여 $P(Y\leq 47)$을 오른쪽 표준정규분포표를 이용하여 구하시오.

z	$P(0\leq Z\leq z)$
0.5	0.1915
1.0	0.3413
1.5	0.4332

06

082

정규분포 $N(m, \sigma^2)$을 따르는 확률
변수 X의 확률밀도함수 $f(x)$가 모든
실수 x에 대하여
$f(52-x)=f(52+x)$를 만족시킨다.
$P(m \le X \le m+4)=0.4772$일 때, $P(49 \le X \le 57)$을 위의
표준정규분포표를 이용하여 구하시오.

z	$P(0 \le Z \le z)$
1.5	0.4332
2.0	0.4772
2.5	0.4938

083
유형 08

확률변수 X가 정규분포 $N(60, 2^2)$을
따를 때, $P(X \ge k)=0.0228$을 만족
시키는 상수 k의 값을 오른쪽 표준정
규분포표를 이용하여 구하면?

z	$P(0 \le Z \le z)$
1.0	0.3413
2.0	0.4772
3.0	0.4987

① 62   ② 63   ③ 64
④ 65   ⑤ 66

084
유형 09

지민이네 학교 전체 학생의 물리학, 화학, 생명과학, 지구과학
시험 성적은 각각 정규분포를 따르고, 각 과목의 평균, 표준
편차와 지민이의 성적은 아래 표와 같다. 다음 보기 중 지민이
의 성적에 대한 설명으로 옳은 것만을 있는 대로 고르시오.

(단위: 점)

과목	물리학	화학	생명과학	지구과학
학교 평균	44	42	52	68
학교 표준편차	16	12	14	10
지민이의 성적	56	54	59	74

보기

ㄱ. 지구과학 성적이 물리학 성적보다 상대적으로 높다.
ㄴ. 상대적으로 물리학 성적이 가장 높고 화학 성적이 가
    장 낮다.
ㄷ. 화학 성적이 가장 낮지만 물리학 성적보다 상대적으로
    높다.

085
유형 10

어느 고등학교 학생들의 키는 평균이 171 cm, 표준편차가
7 cm인 정규분포를 따른다고 한다. 이 학교 학생 중에서 키가
164 cm 이상 178 cm 이하인 학생은 전체 학생의 몇 %인가?
(단, $P(0 \le Z \le 1)=0.34$)

① 15 %   ② 29 %   ③ 53 %
④ 68 %   ⑤ 91 %

086
유형 12

어느 회사에서는 매년 사원 200명을 대상으로 업무 능력을 평
가한다. 올해 사원들의 평가 점수는 평균이 55점, 표준편차가
8점인 정규분포를 따른다고 할 때, 10등 이내에 들기 위한 최저
점수를 구하시오. (단, $P(0 \le Z \le 1.64)=0.45$)

087
유형 13

확률변수 X의 확률질량함수가
$$P(X=x)={}_{400}C_x \left(\frac{1}{5}\right)^x \left(\frac{4}{5}\right)^{400-x}$$
$$(x=0, 1, 2, \cdots, 400)$$
일 때, $P(X \le 96)$을 오른쪽 표준정규
분포표를 이용하여 구하시오.

z	$P(0 \le Z \le z)$
0.5	0.1915
1.0	0.3413
1.5	0.4332
2.0	0.4772

088
유형 14

원점 O를 출발하여 수직선 위를 움
직이는 점 P가 있다. 한 개의 동전을
던져서 앞면이 나오면 양의 방향으로
2만큼, 뒷면이 나오면 음의 방향으로
1만큼 점 P를 이동한다. 한 개의 동전을 100번 던졌을 때, 점 P
의 좌표가 26 이상일 확률을 위의 표준정규분포표를 이용하여
구하시오.

z	$P(0 \le Z \le z)$
1.2	0.3849
1.4	0.4192
1.6	0.4452

통계적 추정

통계적 추정

중요
유형 01 | 표본평균의 평균, 분산, 표준편차 – 모평균, 모표준편차가 주어진 경우

모평균이 m, 모표준편차가 σ인 모집단에서 크기가 n인 표본을 임의추출할 때, 표본평균 $\overline{X}$에 대하여

$$\mathrm{E}(\overline{X})=m,\ \mathrm{V}(\overline{X})=\frac{\sigma^2}{n},\ \sigma(\overline{X})=\frac{\sigma}{\sqrt{n}}$$

대표 문제

001 모평균이 15, 모표준편차가 6인 모집단에서 크기가 3인 표본을 임의추출할 때, 표본평균 $\overline{X}$에 대하여 $\mathrm{E}(\overline{X}^2)$을 구하시오.

유형 02 | 표본평균의 평균, 분산, 표준편차 – 모집단의 확률분포가 주어진 경우

모집단의 확률분포가 주어지고 표본평균 $\overline{X}$의 평균, 분산, 표준편차를 구할 때에는

$$m=\mathrm{E}(X)=x_1p_1+x_2p_2+x_3p_3+\cdots+x_np_n,$$
$$\sigma^2=\mathrm{V}(X)=\mathrm{E}(X^2)-\{\mathrm{E}(X)\}^2$$

임을 이용하여 모평균 m과 모분산 σ^2을 먼저 구한다.

대표 문제

002 모집단의 확률변수 X의 확률분포를 표로 나타내면 다음과 같다. 이 모집단에서 크기가 5인 표본을 임의추출할 때, 표본평균 $\overline{X}$의 평균과 분산의 합을 구하시오. (단, a는 상수)

X	0	1	2	3	합계
$\mathrm{P}(X=x)$	$\dfrac{1}{4}$	a	$\dfrac{1}{4}$	$\dfrac{1}{3}$	1

유형 03 | 표본평균의 평균, 분산, 표준편차 – 모집단이 주어진 경우

모집단이 주어진 경우 표본평균 $\overline{X}$의 평균, 분산, 표준편차는 다음과 같은 순서로 구한다.
⑴ 모집단의 확률변수 X의 확률분포를 표로 나타낸다.
⑵ 모평균 m과 모분산 σ^2을 구한다.
⑶ $\mathrm{E}(\overline{X})=m,\ \mathrm{V}(\overline{X})=\dfrac{\sigma^2}{n}$임을 이용하여 표본평균 $\overline{X}$의 평균, 분산, 표준편차를 구한다.

대표 문제

003 1부터 7까지의 홀수가 각각 하나씩 적힌 4개의 공 중에서 2개의 공을 임의추출할 때, 공에 적힌 수의 평균을 $\overline{X}$라 하자. 이때 $\mathrm{E}(\overline{X})\mathrm{V}(\overline{X})$의 값은?

① 6 ② 8 ③ 10
④ 12 ⑤ 14

중요
유형 04 | 표본평균의 확률

정규분포 $\mathrm{N}(m,\ \sigma^2)$을 따르는 모집단에서 크기가 n인 표본을 임의추출할 때, 표본평균 $\overline{X}$의 확률은 다음과 같은 순서로 구한다.
⑴ 표본평균 $\overline{X}$가 따르는 정규분포 $\mathrm{N}\!\left(m,\ \dfrac{\sigma^2}{n}\right)$을 구한다.
⑵ $\overline{X}$를 $Z=\dfrac{\overline{X}-m}{\dfrac{\sigma}{\sqrt{n}}}$으로 표준화한 후 표준정규분포표를 이용하여 확률을 구한다.

대표 문제

004 어느 고등학교 남학생의 제자리멀리뛰기 기록은 평균이 260 cm, 표준편차가 15 cm인 정규분포를 따른다고 한다. 이 고등학교의 남학생 중에서 25명을 임의추출할 때, 제자리멀리뛰기 기록의 평균이 257 cm 이상 266 cm 이하일 확률을 위의 표준정규분포표를 이용하여 구하시오.

z	$\mathrm{P}(0\leq Z\leq z)$
1.0	0.3413
1.5	0.4332
2.0	0.4772
2.5	0.4938

유형 05 │ 표본평균의 확률 − 표본의 크기, 미지수의 값 구하기

표본평균 $\overline{X}$가 정규분포 $N\left(m, \dfrac{\sigma^2}{n}\right)$을 따르면 $\overline{X}$를

$Z=\dfrac{\overline{X}-m}{\dfrac{\sigma}{\sqrt{n}}}$으로 표준화한 후 표준정규분포표를 이용하여 주어

진 확률을 만족시키는 표본의 크기 또는 미지수의 값을 구한다.

대표 문제

005 어느 밭에서 수확한 귤 한 개의 무게는 평균이 640 g, 표준편차가 12 g인 정규분포를 따른다고 한다. 이 밭에서 수확한 귤 중에서 임의추출한 n개의 귤의 무게의 평균을 $\overline{X}$ g이라 할 때, $P(\overline{X}\leq 634)=0.0668$이다. 이때 n의 값을 위의 표준정규분포표를 이용하여 구하시오.

z	$P(0\leq Z\leq z)$
1.0	0.3413
1.5	0.4332
2.0	0.4772
2.5	0.4938

07

★중요

유형 06 │ 모평균의 추정

정규분포 $N(m, \sigma^2)$을 따르는 모집단에서 임의추출한 크기가 n인 표본의 표본평균 $\overline{X}$의 값이 $\overline{x}$일 때, 모평균 m에 대한 신뢰도 α %의 신뢰구간은

$$\overline{x}-k\dfrac{\sigma}{\sqrt{n}}\leq m\leq \overline{x}+k\dfrac{\sigma}{\sqrt{n}} \left(단, P(|Z|\leq k)=\dfrac{\alpha}{100}\right)$$

참고 표본의 크기가 충분히 크면 모표준편차 대신 표본표준편차를 이용할 수 있다.

대표 문제

006 어느 체육관 회원들의 체중은 평균이 m kg, 표준편차가 10 kg인 정규분포를 따른다고 한다. 이 체육관 회원 중에서 100명을 임의추출하여 체중을 조사하였더니 평균이 90 kg이었을 때, 이 체육관 회원들의 체중의 모평균 m에 대한 신뢰도 95 %의 신뢰구간을 구하시오. (단, $P(|Z|\leq 1.96)=0.95$)

유형 07 │ 모평균의 추정 − 표본의 크기 구하기

정규분포 $N(m, \sigma^2)$을 따르는 모집단에서 임의추출한 크기가 n인 표본의 표본평균 $\overline{X}$의 값이 $\overline{x}$일 때, 모평균 m에 대한 신뢰도 α %의 신뢰구간이 $p\leq m\leq q$로 주어지면

$$p=\overline{x}-k\dfrac{\sigma}{\sqrt{n}}, q=\overline{x}+k\dfrac{\sigma}{\sqrt{n}}$$

임을 이용하여 표본의 크기 n의 값을 구한다.

$$\left(단, P(|Z|\leq k)=\dfrac{\alpha}{100}\right)$$

대표 문제

007 어느 공장에서 생산하는 타이어의 수명은 평균이 m일, 표준편차가 20일인 정규분포를 따른다고 한다. 이 공장에서 생산한 타이어 중에서 n개를 임의추출하여 수명을 조사하였더니 평균이 1500일이었다. 이 공장에서 생산한 타이어의 수명의 모평균 m에 대한 신뢰도 95 %의 신뢰구간이 $1480.4\leq m\leq 1519.6$일 때, n의 값을 구하시오.

(단, $P(|Z|\leq 1.96)=0.95$)

유형 08 │ 신뢰구간의 길이

표준편차가 σ인 정규분포를 따르는 모집단에서 크기가 n인 표본을 임의추출할 때, 신뢰도 α %로 추정한 모평균의 신뢰구간의 길이는

$$2k\dfrac{\sigma}{\sqrt{n}} \left(단, P(|Z|\leq k)=\dfrac{\alpha}{100}\right)$$

대표 문제

008 어느 가게에서 피자를 배달하는 데 걸리는 시간은 표준편차가 5분인 정규분포를 따른다고 한다. 피자를 배달하는 데 걸리는 시간을 임의로 9번 측정하여 전체 피자 배달 시간의 평균을 신뢰도 99 %로 추정할 때, 신뢰구간의 길이를 구하시오.

(단, $P(|Z|\leq 2.58)=0.99$)

유형 09 | 신뢰구간의 길이 – 표본의 크기 구하기

표준편차가 σ인 정규분포를 따르는 모집단에서 크기가 n인 표본을 임의추출할 때, 신뢰도 $\alpha\,\%$로 추정한 모평균의 신뢰구간의 길이는 $l=2k\dfrac{\sigma}{\sqrt{n}}$이므로 이를 주어진 신뢰구간의 길이와 비교하여 n의 값을 구한다. $\left(\text{단, } \mathrm{P}(|Z|\leq k)=\dfrac{\alpha}{100}\right)$

대표 문제

009 어느 농장에서 수확하는 바나나 한 개의 길이는 표준편차가 $5\,\mathrm{cm}$인 정규분포를 따른다고 한다. 이 농장에서 수확한 바나나 중에서 n개를 임의추출하여 전체 바나나의 길이의 평균을 신뢰도 $95\,\%$로 추정할 때, 신뢰구간의 길이가 1.4 이하가 되도록 하는 n의 최솟값을 구하시오.

(단, $\mathrm{P}(|Z|\leq 1.96)=0.95$)

유형 10 | 신뢰구간의 길이 – 신뢰도 구하기

표준편차가 σ인 정규분포를 따르는 모집단에서 크기가 n인 표본을 임의추출할 때, 신뢰도 $\alpha\,\%$로 추정한 모평균의 신뢰구간의 길이가 l로 주어지면

$$\mathrm{P}(|Z|\leq k)=\dfrac{\alpha}{100}$$

로 놓고 $l=2k\dfrac{\sigma}{\sqrt{n}}$임을 이용하여 k의 값을 구한 후 표준정규분포표를 이용하여 α의 값을 구한다.

대표 문제

010 어느 출판사에서 제작하는 책 한 권의 무게는 표준편차가 $32\,\mathrm{g}$인 정규분포를 따른다고 한다. 이 출판사에서 제작한 책 중에서 64권을 임의추출하여 모평균을 신뢰도 $\alpha\,\%$로 추정한 신뢰구간의 길이가 16.4일 때, α의 값을 위의 표준정규분포표를 이용하여 구하시오.

z	$\mathrm{P}(0\leq Z\leq z)$
1.81	0.465
1.88	0.470
1.96	0.475
2.05	0.480
2.58	0.495

유형 11 | 모평균과 표본평균의 차

정규분포 $\mathrm{N}(m,\,\sigma^2)$을 따르는 모집단에서 크기가 n인 표본을 임의추출하여 모평균 m을 신뢰도 $\alpha\,\%$로 추정할 때, 모평균 m과 표본평균 $\overline{x}$의 차는

$$|m-\overline{x}|\leq k\dfrac{\sigma}{\sqrt{n}}\quad\left(\text{단, } \mathrm{P}(|Z|\leq k)=\dfrac{\alpha}{100}\right)$$

대표 문제

011 정규분포 $\mathrm{N}(m,\,5^2)$을 따르는 모집단에서 크기가 n인 표본을 임의추출하여 모평균을 신뢰도 $95\,\%$로 추정할 때, 표본평균 $\overline{x}$에 대하여 $|m-\overline{x}|\leq 1$이 되도록 하는 n의 최솟값을 구하시오. (단, $\mathrm{P}(|Z|\leq 1.96)=0.95$)

유형 12 | 신뢰구간의 성질

(1) 표본의 크기가 일정할 때
→ 신뢰도가 높아지면 신뢰구간의 길이는 길어지고, 신뢰도가 낮아지면 신뢰구간의 길이는 짧아진다.
(2) 신뢰도가 일정할 때
→ 표본의 크기가 커지면 신뢰구간의 길이는 짧아지고, 표본의 크기가 작아지면 신뢰구간의 길이는 길어진다.

대표 문제

012 정규분포 $\mathrm{N}(m,\,\sigma^2)$을 따르는 모집단에서 크기가 n인 표본을 임의추출하여 모평균 m을 신뢰도 $\alpha\,\%$로 추정한 신뢰구간이 $a\leq m\leq b$일 때, 다음 보기 중 옳은 것만을 있는 대로 고르시오.

보기
ㄱ. α의 값이 같을 때, n의 값이 커지면 $b-a$의 값은 작아진다.
ㄴ. n의 값이 같을 때, α의 값이 작아지면 $b-a$의 값은 커진다.
ㄷ. α의 값이 커지고 n의 값이 작아지면 $b-a$의 값은 커진다.

★중요

유형 **01** 표본평균의 평균, 분산, 표준편차
 – 모평균, 모표준편차가 주어진 경우

013 대표 문제 다시 보기

모평균이 10, 모표준편차가 4인 모집단에서 크기가 8인 표본을 임의추출할 때, 표본평균 $\overline{X}$에 대하여 $\mathrm{E}(\overline{X}^2)$을 구하시오.

014 하

정규분포 $\mathrm{N}(60,\ 5^2)$을 따르는 모집단에서 크기가 16인 표본을 임의추출할 때, 표본평균 $\overline{X}$에 대하여 $\mathrm{E}(\overline{X})\sigma(\overline{X})$의 값은?

① 4   ② 10   ③ 25
④ 64   ⑤ 75

015 중

정규분포 $\mathrm{N}(m,\ 6^2)$을 따르는 모집단에서 크기가 n인 표본을 임의추출할 때, 표본평균 $\overline{X}$의 평균이 11, 분산이 9이다. 이때 $m-n$의 값을 구하시오.

016 중

모표준편차가 8인 모집단에서 크기가 n인 표본을 임의추출할 때, 표본평균 $\overline{X}$에 대하여 $\sigma(\overline{X})\ge0.2$가 되도록 하는 n의 최댓값을 구하시오.

유형 **02** 표본평균의 평균, 분산, 표준편차
 – 모집단의 확률분포가 주어진 경우

017 대표 문제 다시 보기

모집단의 확률변수 X의 확률분포를 표로 나타내면 다음과 같다. 이 모집단에서 크기가 4인 표본을 임의추출할 때, 표본평균 $\overline{X}$에 대하여 $\mathrm{E}(\overline{X})\mathrm{V}(\overline{X})$의 값을 구하시오. (단, a는 상수)

X	1	3	5	합계
$\mathrm{P}(X=x)$	a	$2a$	$3a$	1

018 중

모집단의 확률변수 X의 확률분포를 표로 나타내면 다음과 같다. 이 모집단에서 크기가 n인 표본을 임의추출할 때, 표본평균 $\overline{X}$의 분산이 $\dfrac{1}{8}$이다. 이때 n의 값은?

X	1	2	3	4	합계
$\mathrm{P}(X=x)$	$\dfrac{2}{5}$	$\dfrac{3}{10}$	$\dfrac{1}{5}$	$\dfrac{1}{10}$	1

① 2   ② 4   ③ 6
④ 8   ⑤ 10

019 중

모집단의 확률변수 X의 확률분포를 표로 나타내면 다음과 같다. 이 모집단에서 크기가 2인 표본을 임의추출할 때, 표본평균 $\overline{X}$에 대하여 $\mathrm{E}(\overline{X})=1$이다. 이때 $\mathrm{V}(\overline{X})$를 구하시오.
(단, a, b는 상수)

X	0	1	2	3	합계
$\mathrm{P}(X=x)$	$\dfrac{5}{12}$	$\dfrac{1}{4}$	a	b	1

020 중

모집단의 확률변수 X의 확률질량함수가

$$P(X=x)=\frac{kx+2}{10} \ (x=-1, 0, 1, 2)$$

이다. 이 모집단에서 크기가 9인 표본을 임의추출할 때, 표본평균 $\overline{X}$에 대하여 $\sigma(3\overline{X}+5)$를 구하시오. (단, k는 상수)

유형 03 표본평균의 평균, 분산, 표준편차 – 모집단이 주어진 경우

021 대표 문제 다시 보기

숫자 1이 적힌 공이 3개, 숫자 2가 적힌 공이 2개, 숫자 3이 적힌 공이 1개 들어 있는 주머니에서 4개의 공을 임의추출할 때, 공에 적힌 수의 평균을 $\overline{X}$라 하자. 이때 $\dfrac{\mathrm{E}(\overline{X})}{\mathrm{V}(\overline{X})}$의 값은?

① 4 ② 8 ③ 12
④ 16 ⑤ 20

022 중

500원짜리 동전 1개, 100원짜리 동전 1개를 동시에 던져서 앞면이 나오는 동전을 모두 상금으로 받는 게임이 있다. 이 게임을 5번 하여 받을 수 있는 상금의 평균을 $\overline{X}$원이라 할 때, $\mathrm{V}(\overline{X})$를 구하시오.

---

023 중

3, 3, 5, 5, 5, 7, 7의 숫자가 각각 하나씩 적힌 7개의 구슬이 들어 있는 상자에서 크기가 n인 표본을 임의추출할 때, 구슬에 적힌 수의 평균 $\overline{X}$의 분산이 $\dfrac{1}{14}$이다. 이때 n의 값을 구하시오.

중요

유형 04 표본평균의 확률

024 대표 문제 다시 보기

어느 과일 가게에서 판매하는 귤 한 개의 무게는 평균이 60 g, 표준편차가 8 g인 정규분포를 따른다고 한다. 이 가게에서 판매하는 귤 중에서 16개를 임의추출할 때, 무게의 평균이 58 g 이상 64 g 이하일 확률을 위의 표준정규분포표를 이용하여 구하시오.

z	$\mathrm{P}(0\leq Z\leq z)$
1.0	0.3413
1.5	0.4332
2.0	0.4772
2.5	0.4938

025 중

정규분포 $\mathrm{N}(350, 12^2)$을 따르는 모집단에서 크기가 36인 표본을 임의추출할 때, 표본평균 $\overline{X}$가 348 이상일 확률을 오른쪽 표준정규분포표를 이용하여 구하시오.

z	$\mathrm{P}(0\leq Z\leq z)$
1.0	0.3413
1.5	0.4332
2.0	0.4772

026 중

모집단의 확률변수 X의 확률분포를 표로 나타내면 다음과 같다. 이 모집단에서 크기가 3인 표본을 임의추출할 때, 표본평균 $\overline{X}$에 대하여 $\mathrm{P}(\overline{X}=2)$를 구하시오.

X	1	2	3	합계
$\mathrm{P}(X=x)$	$\frac{1}{2}$	$\frac{1}{3}$	$\frac{1}{6}$	1

027 중

어느 회사에서 생산하는 휴대 전화 배터리의 사용 시간은 평균이 m시간, 표준편차가 20시간인 정규분포를 따른다고 한다. 이 회사에서 생산한 휴대 전화 배터리 중에서 100개를 임의추출할 때, 표본평균 $\overline{X}$와 모평균 m의 차가 2시간 이하일 확률을 위의 표준정규분포표를 이용하여 구하면?

z	$\mathrm{P}(0 \le Z \le z)$
0.5	0.1915
1.0	0.3413
1.5	0.4332

① 0.4938   ② 0.6826   ③ 0.7745
④ 0.8351   ⑤ 0.9270

028 상

어느 제과점의 제빵사 1명이 하루에 만드는 빵의 개수는 평균이 500, 표준편차가 16인 정규분포를 따른다고 한다. 임의로 지정된 제빵사 4명이 한 조가 되어 빵을 만든다고 할 때, 한 조가 하루에 만드는 빵이 2080개 이상일 확률을 위의 표준정규분포표를 이용하여 구하시오.

z	$\mathrm{P}(0 \le Z \le z)$
1.0	0.3413
1.5	0.4332
2.0	0.4772
2.5	0.4938

029 대표 문제 다시 보기

어느 과수원에서 수확하는 사과 한 개의 무게는 평균이 300 g, 표준편차가 33 g인 정규분포를 따른다고 한다. 이 과수원에서 수확한 사과 중에서 임의추출한 n개의 사과의 무게의 평균을 $\overline{X}$ g이라 할 때, $\mathrm{P}(\overline{X} \ge 289)=0.9772$이다. 이때 n의 값을 위의 표준정규분포표를 이용하여 구하시오.

z	$\mathrm{P}(0 \le Z \le z)$
1.0	0.3413
1.5	0.4332
2.0	0.4772
2.5	0.4938

030 중

정규분포 $\mathrm{N}(150, 16^2)$을 따르는 모집단에서 크기가 n인 표본을 임의추출할 때, 표본평균 $\overline{X}$에 대하여 $\mathrm{P}(\overline{X} \ge 152)=0.0668$이다. 이때 n의 값을 위의 표준정규분포표를 이용하여 구하면?

z	$\mathrm{P}(0 \le Z \le z)$
1.0	0.3413
1.5	0.4332
2.0	0.4772

① 64   ② 81   ③ 100
④ 121   ⑤ 144

031 중

어느 공장에서 생산하는 건전지의 수명은 평균이 350시간, 표준편차가 50시간인 정규분포를 따른다고 한다. 이 공장에서 생산한 건전지 중에서 임의추출한 100개의 건전지의 수명의 평균을 $\overline{X}$시간이라 할 때, $\mathrm{P}(\overline{X} \ge k)=0.1587$을 만족시키는 상수 k의 값을 위의 표준정규분포표를 이용하여 구하시오.

z	$\mathrm{P}(0 \le Z \le z)$
0.5	0.1915
1.0	0.3413
1.5	0.4332

032 중

정규분포 $N(180, 10^2)$을 따르는 모집단에서 크기가 25인 표본을 임의추출할 때, 표본평균 $\overline{X}$에 대하여 $P(|\overline{X}-180|\leq a)=0.8664$를 만족시키는 양수 a의 값을 오른쪽 표준정규분포표를 이용하여 구하면?

z	$P(0\leq Z\leq z)$
1.0	0.3413
1.5	0.4332
2.0	0.4772
2.5	0.4938

① 2.5   ② 3   ③ 3.5

④ 4   ⑤ 4.5

033 중

어느 AS 센터를 이용하는 고객의 대기 시간은 평균이 40분, 표준편차가 10분인 정규분포를 따른다고 한다. 이 AS 센터를 이용한 고객 중에서 임의추출한 n명의 대기 시간의 평균을 $\overline{X}$분이라 할 때, $P(30\leq\overline{X}\leq 50)\geq 0.9544$를 만족시키는 n의 최솟값을 위의 표준정규분포표를 이용하여 구하시오.

z	$P(0\leq Z\leq z)$
1.5	0.4332
2.0	0.4772
2.5	0.4938

유형 06 모평균의 추정
★ 중요

034 대표 문제 다시 보기

어느 가게에서 판매하는 초콜릿 한 개의 무게는 평균이 m g, 표준편차가 14 g인 정규분포를 따른다고 한다. 이 가게의 초콜릿 중에서 49개를 임의추출하여 무게를 조사하였더니 평균이 85 g이었을 때, 이 가게 초콜릿의 무게의 모평균 m에 대한 신뢰도 95 %의 신뢰구간을 구하시오.

(단, $P(|Z|\leq 1.96)=0.95$)

035 하

표준편차가 12인 정규분포를 따르는 모집단에서 크기가 16인 표본을 임의추출하여 구한 표본평균이 40이다. 모평균 m에 대한 신뢰도 99 %의 신뢰구간을 $\alpha\leq m\leq\beta$라 할 때, $100\alpha-50\beta$의 값은? (단, $P(|Z|\leq 2.58)=0.99$)

① 827   ② 830   ③ 833

④ 836   ⑤ 839

036 중

정규분포를 따르는 모집단에서 크기가 144인 표본을 임의추출하였더니 평균이 64, 표준편차가 12이었을 때, 모평균 m에 대한 신뢰도 95 %의 신뢰구간은? (단, $P(|Z|\leq 1.96)=0.95$)

① $61.88\leq m\leq 65.8$ ② $61.92\leq m\leq 65.84$

③ $61.96\leq m\leq 65.88$ ④ $62\leq m\leq 65.92$

⑤ $62.04\leq m\leq 65.96$

037 중

어느 고등학교 학생들의 키는 평균이 m cm인 정규분포를 따른다고 한다. 이 학교 학생 중에서 100명을 임의추출하여 키를 조사하였더니 평균이 $\overline{x}$ cm, 표준편차가 10 cm이었다. 이 학교 학생들의 키의 평균 m에 대한 신뢰도 99 %의 신뢰구간이 $175.42\leq m\leq a$일 때, a의 값을 구하시오.

(단, $P(0\leq Z\leq 2.58)=0.495$)

유형 07 모평균의 추정 – 표본의 크기 구하기

038 대표 문제 다시 보기

어느 회사 직원들의 하루 여가 활동 시간은 평균이 m분, 표준편차가 8분인 정규분포를 따른다고 한다. 이 회사 직원 중에서 n명을 임의추출하여 하루 여가 활동 시간을 조사하였더니 평균이 42분이었다. 이 회사 직원들의 하루 여가 활동 시간의 모평균 m을 신뢰도 99 %로 추정한 신뢰구간이 $36.84 \leq m \leq 47.16$일 때, n의 값을 구하시오.

(단, $P(|Z| \leq 2.58) = 0.99$)

039 중

우리나라 국민의 연평균 음식 배달 횟수는 평균이 m회, 표준편차가 10회인 정규분포를 따르고, 우리나라 국민을 대상으로 실시한 연평균 음식 배달 횟수에 대한 표본조사에서 평균은 12회이었다. 우리나라 국민의 연평균 음식 배달 횟수의 모평균 m을 신뢰도 95 %로 추정한 신뢰구간이 11.51회 이상 12.49회 이하일 때, 이 표본조사는 국민 몇 명을 대상으로 조사한 것인가? (단, $P(|Z| \leq 1.96) = 0.95$)

① 100명 ② 400명 ③ 900명
④ 1600명 ⑤ 2500명

유형 08 신뢰구간의 길이

040 대표 문제 다시 보기

어느 양계장에서 납품하는 달걀 한 개의 무게는 표준편차가 3 g인 정규분포를 따른다고 한다. 이 양계장에서 납품한 달걀 중에서 144개를 임의추출하여 전체 달걀의 무게의 평균을 신뢰도 95 %로 추정할 때, 신뢰구간의 길이를 구하시오.

(단, $P(0 \leq Z \leq 1.96) = 0.475$)

041 중

정규분포 $N(m, \sigma^2)$을 따르는 모집단에서 크기가 n인 표본을 임의추출하여 모평균을 추정하려고 한다. 일정한 신뢰도로 모평균 m을 추정할 때, 다음 중 신뢰구간의 길이가 가장 긴 것은?

① $n=25$, $\sigma=5$ ② $n=25$, $\sigma=10$
③ $n=36$, $\sigma=3$ ④ $n=36$, $\sigma=6$
⑤ $n=36$, $\sigma=9$

042 중

어느 마을버스를 이용하는 고객들의 하루 버스 이용 시간은 표준편차가 10분인 정규분포를 따른다고 한다. 이 고객들 중에서 400명을 임의추출하여 전체 고객의 하루 버스 이용 시간의 평균을 신뢰도 95 %, 99 %로 추정할 때, 신뢰구간의 길이를 각각 a, b라 하자. 이때 $b-a$의 값을 구하시오.

(단, $P(|Z| \leq 1.96) = 0.95$, $P(|Z| \leq 2.58) = 0.99$)

유형 09 신뢰구간의 길이 – 표본의 크기 구하기

043 대표 문제 다시 보기

어느 병원에서 출생한 신생아의 몸무게는 표준편차가 0.5 kg인 정규분포를 따른다고 한다. 이 병원에서 태어난 신생아 중에서 몇 명을 임의추출하여 전체 신생아의 몸무게의 평균을 신뢰도 99 %로 추정할 때, 신뢰구간의 길이가 0.3 이하가 되도록 하려면 적어도 몇 명의 신생아를 조사해야 하는지 구하시오. (단, $P(|Z| \leq 2.58) = 0.99$)

044 (중)

표준편차가 10인 정규분포를 따르는 모집단에서 크기가 n인 표본을 임의추출하여 모평균을 신뢰도 95 %로 추정할 때, 신뢰구간의 길이가 7.84 이하가 되도록 하는 n의 최솟값은?

(단, $P(|Z| \le 1.96) = 0.95$)

① 16   ② 25   ③ 36
④ 49   ⑤ 64

045 (중)

표준편차가 σ인 정규분포를 따르는 모집단에서 크기가 n인 표본을 임의추출하여 모평균 m을 신뢰도 99 %로 추정한 신뢰구간이 $a \le m \le b$이다. 이때 $b - a = 0.645\sigma$가 되도록 하는 n의 값을 구하시오. (단, $P(0 \le Z \le 2.58) = 0.495$)

046 (중)

정규분포를 따르는 모집단에서 크기가 4인 표본을 임의추출하여 모평균을 추정하였더니 신뢰구간의 길이가 2.45이었다. 이 모집단에서 같은 신뢰도로 모평균을 추정할 때, 신뢰구간의 길이가 0.49가 되도록 하는 표본의 크기는?

① 81   ② 100   ③ 121
④ 144   ⑤ 169

유형 10   **신뢰구간의 길이 – 신뢰도 구하기**

047 대표 문제 다시 보기

어느 도시의 공용 자전거의 1회 이용 시간은 표준편차가 10분인 정규분포를 따른다고 한다. 이 도시의 공용 자전거 이용 목록 중에서 25회를 임의추출하여 모평균을 신뢰도 α %로 추정한 신뢰구간의 길이가 7일 때, α의 값을 위의 표준정규분포표를 이용하여 구하시오.

z	$P(0 \le Z \le z)$
1.75	0.46
1.88	0.47
2.05	0.48

048 (중)

정규분포를 따르는 모집단에서 크기가 n인 표본을 임의추출하여 신뢰도 98 %로 추정였더니 신뢰구간의 길이가 l이었다. 같은 표본으로 모평균을 신뢰도 α %로 추정한 신뢰구간의 길이가 $\dfrac{l}{2}$일 때, α의 값을 위의 표준정규분포표를 이용하여 구하면?

z	$P(0 \le Z \le z)$
1.1	0.36
1.6	0.45
2.2	0.49

① 66   ② 68   ③ 70
④ 72   ⑤ 74

049 (상) 신유형

정규분포 $N(m, 5^2)$을 따르는 모집단에서 크기가 25인 표본을 임의추출하여 모평균 m을 신뢰도 x %로 추정한 신뢰구간이 $\alpha \le m \le \beta$일 때, $f(x) = \beta - \alpha$라 하자. 상수 x_1, x_2에 대하여 $f(x_1) = 2$, $f(x_2) = 5$일 때, $x_2 - x_1$의 값을 위의 표준정규분포표를 이용하여 구하시오.

z	$P(0 \le Z \le z)$
1.0	0.3413
1.5	0.4332
2.0	0.4772
2.5	0.4938

유형 **11** 모평균과 표본평균의 차

050 대표 문제 다시 보기

정규분포 $N(m, 10^2)$을 따르는 모집단에서 크기가 n인 표본을 임의추출하여 모평균을 신뢰도 99 %로 추정할 때, 표본평균 $\overline{x}$에 대하여 $|m-\overline{x}|\leq6$이 되도록 하는 n의 최솟값은?

(단, $P(|Z|\leq2.58)=0.99$)

① 15   ② 16   ③ 17

④ 18   ⑤ 19

051 중

정규분포를 따르는 모집단에서 크기가 n인 표본을 임의추출하여 모평균을 신뢰도 95 %로 추정할 때, 모평균과 표본평균의 차가 모표준편차의 $\dfrac{1}{50}$배 이하가 되게 하려고 한다. 이때 n의 최솟값을 구하시오. (단, $P(|Z|\leq1.96)=0.95$)

052 중

어느 회사에서 판매하는 건전지의 수명은 표준편차가 20시간인 정규분포를 따른다고 한다. 이 회사에서 판매하는 건전지의 수명의 평균을 신뢰도 95 %로 추정할 때, 모평균과 표본평균의 차가 7시간 이하가 되도록 하려면 최소 몇 개를 조사해야 하는지 구하시오. (단, $P(|Z|\leq1.96)=0.95$)

유형 **12** 신뢰구간의 성질

053 대표 문제 다시 보기

정규분포를 따르는 모집단에서 표본을 임의추출하여 모평균을 추정할 때, 모평균의 신뢰구간에 대하여 다음 보기 중 옳은 것만을 있는 대로 고른 것은?

보기

ㄱ. 표본의 크기가 일정할 때, 신뢰도가 낮아지면 신뢰구간의 길이는 짧아진다.

ㄴ. 신뢰도가 일정할 때, 표본의 크기가 커지면 신뢰구간의 길이는 길어진다.

ㄷ. 표본의 크기가 커지고 신뢰도가 낮아지면 신뢰구간의 길이는 짧아진다.

ㄹ. 신뢰도가 높아지고 표본의 크기가 작아지면 신뢰구간의 길이는 길어진다.

① ㄱ, ㄴ   ② ㄴ, ㄹ   ③ ㄱ, ㄷ, ㄹ

④ ㄴ, ㄷ, ㄹ   ⑤ ㄱ, ㄴ, ㄷ, ㄹ

054 중

정규분포 $N(m, \sigma^2)$을 따르는 모집단에서 표본을 임의추출하여 모평균을 추정하려고 한다. 신뢰도가 일정할 때, 신뢰구간의 길이가 3배가 되려면 표본의 크기는 a배가 되어야 한다. 이때 a의 값은?

① $\dfrac{1}{9}$ ② $\dfrac{1}{3}$ ③ 3

④ 9   ⑤ 27

055
유형 01

모집단의 확률변수 X에 대하여 $\mathrm{E}(X)=5$이다. 이 모집단에서 크기가 4인 표본을 임의추출하여 구한 표본평균 $\overline{X}$에 대하여 $\mathrm{E}(\overline{X}^2)=30$일 때, $\mathrm{E}(X^2)$을 구하시오.

056
유형 02

모집단의 확률변수 X의 확률분포를 표로 나타내면 다음과 같다. 이 모집단에서 크기가 16인 표본을 임의추출할 때, 표본평균 $\overline{X}$의 표준편차를 구하시오. (단, a는 상수)

X	1	2	3	4	합계
$\mathrm{P}(X=x)$	$\frac{1}{4}$	a	$\frac{1}{2}$	$\frac{1}{8}$	1

057
유형 03

무게가 $1\,\mathrm{kg}$, $2\,\mathrm{kg}$, $3\,\mathrm{kg}$인 과일 바구니가 각각 20개, 40개, 20개 있다. 이 중에서 n개의 과일 바구니를 임의추출할 때, 과일 바구니의 무게의 평균을 $\overline{X}\,\mathrm{kg}$이라 하자. $\sigma(6\overline{X}-2)=\dfrac{\sqrt{3}}{2}$일 때, n의 값은?

① 6   ② 24   ③ 28
④ 36   ⑤ 42

058
유형 04

어느 공장에서 생산하는 음료수 한 병의 용량은 평균이 $800\,\mathrm{mL}$, 표준편차가 $10\,\mathrm{mL}$인 정규분포를 따른다고 한다. 이 공장에서 생산한 음료수 중에서 임의추출한 100병의 음료수의 용량의 평균을 $\overline{X}\,\mathrm{mL}$라 할 때, $\mathrm{P}(798\le\overline{X}\le802)$를 구하시오.

(단, $\mathrm{P}(0\le Z\le2)=0.4772$)

059
유형 05

정규분포 $\mathrm{N}(60,\ 24^2)$을 따르는 모집단에서 크기가 n인 표본을 임의추출할 때, 표본평균 $\overline{X}$에 대하여 $\mathrm{P}(\overline{X}\ge66)=0.0228$이다. 이때 n의 값을 위의 표준정규분포표를 이용하여 구하시오.

z	$\mathrm{P}(0\le Z\le z)$
1.5	0.4332
2.0	0.4772
2.5	0.4938

060
유형 05

정규분포 $\mathrm{N}(40,\ 4^2)$을 따르는 모집단에서 크기가 64인 표본을 임의추출할 때, 표본평균 $\overline{X}$에 대하여 $\mathrm{P}(\overline{X}\ge k)\le0.1587$을 만족시키는 상수 k의 최솟값을 오른쪽 표준정규분포표를 이용하여 구하시오.

z	$\mathrm{P}(0\le Z\le z)$
0.5	0.1915
1.0	0.3413
1.5	0.4332
2.0	0.4772

061
유형 06

어느 가게에서 판매하는 음료수 한 병의 용량은 평균이 $m\,\mathrm{mL}$, 표준편차가 $20\,\mathrm{mL}$인 정규분포를 따른다고 한다. 이 가게에서 판매하는 음료수 100병을 임의추출하여 용량을 조사하였더니 평균이 $120\,\mathrm{mL}$이었다. 이 가게에서 판매하는 음료수의 용량의 모평균 m에 대한 신뢰도 $95\,\%$의 신뢰구간에 속하는 자연수의 개수를 구하시오. (단, $\mathrm{P}(|Z|\le1.96)=0.95$)

062

유형 07

어느 과수원에서 수확한 딸기의 무게는 평균이 m g, 표준편차가 5 g인 정규분포를 따른다고 한다. 이 과수원에서 수확한 딸기 중에서 n개를 임의추출하여 무게를 조사하였더니 평균이 64 g이었다. 이 과수원에서 수확한 딸기의 무게의 모평균 m을 신뢰도 95 %로 추정한 신뢰구간이 $63.02 \le m \le 64.98$일 때, n의 값은? (단, $\mathrm{P}(0 \le Z \le 1.96) = 0.475$)

① 64　　　　② 81　　　　③ 100

④ 121　　　　⑤ 144

063

유형 08

어느 고등학교 학생들의 한 달 독서 시간은 평균이 m시간, 표준편차가 4시간인 정규분포를 따른다고 한다. 이 학교 학생 중에서 16명을 임의추출하여 전체 학생의 한 달 독서 시간의 모평균 m을 신뢰도 99 %로 추정한 신뢰구간이 $a \le m \le \beta$일 때, $\beta - a$의 값을 구하시오. (단, $\mathrm{P}(|Z| \le 2.58) = 0.99$)

064

유형 09

정규분포 $\mathrm{N}(m, 1^2)$을 따르는 모집단에서 크기가 n_1인 표본을 임의추출하여 모평균 m을 신뢰도 95 %로 추정한 신뢰구간이 $a \le m \le b$이다. 또 이 모집단에서 크기가 n_2인 표본을 임의추출하여 모평균 m을 신뢰도 99 %로 추정한 신뢰구간이 $c \le m \le d$이다. $\dfrac{d-c}{b-a} = \dfrac{43}{14}$일 때, $\dfrac{n_1}{n_2}$의 값을 구하시오.

(단, $\mathrm{P}(|Z| \le 1.96) = 0.95$, $\mathrm{P}(|Z| \le 2.58) = 0.99$)

065

유형 10

정규분포 $\mathrm{N}(m, 25^2)$을 따르는 모집단에서 크기가 25인 표본을 임의추출하여 모평균을 신뢰도 a %로 추정한 신뢰구간의 길이가 18일 때, a의 값을 위의 표준정규분포표를 이용하여 구하시오.

z	$\mathrm{P}(0 \le Z \le z)$
1.6	0.45
1.8	0.46
2.0	0.48

066

유형 11

어느 하프 마라톤 대회 참가자들의 기록은 표준편차가 300초인 정규분포를 따른다고 한다. 이 대회 참가자 전체의 기록의 평균을 신뢰도 99 %로 추정할 때, 모평균과 표본평균의 차가 43초 이하가 되도록 하는 표본의 크기 n의 최솟값을 구하시오. (단, $\mathrm{P}(|Z| \le 2.58) = 0.99$)

067

유형 12

정규분포 $\mathrm{N}(m, \sigma^2)$을 따르는 모집단에서 크기가 n인 표본을 임의추출하여 신뢰도 a %로 추정한 모평균 m의 신뢰구간의 길이를 $f(n, a)$라 할 때, 다음 보기 중 옳은 것만을 있는 대로 고른 것은? (단, $n > 2$)

> 보기
>
> ㄱ. $a < \beta$이면 $f(n, a) > f(n, \beta)$
>
> ㄴ. $f(n^2, a) < f(2n, a)$
>
> ㄷ. $f(16n, a) = \dfrac{1}{4}f(n, a)$

① ㄱ　　　　② ㄴ　　　　③ ㄱ, ㄷ

④ ㄴ, ㄷ　　　　⑤ ㄱ, ㄴ, ㄷ

표준정규분포표

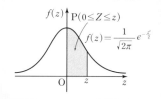

z	0.00	0.01	0.02	0.03	0.04	0.05	0.06	0.07	0.08	0.09
0.0	0.0000	0.0040	0.0080	0.0120	0.0160	0.0199	0.0239	0.0279	0.0319	0.0359
0.1	0.0398	0.0438	0.0478	0.0517	0.0557	0.0596	0.0636	0.0675	0.0714	0.0753
0.2	0.0793	0.0832	0.0871	0.0910	0.0948	0.0987	0.1026	0.1064	0.1103	0.1141
0.3	0.1179	0.1217	0.1255	0.1293	0.1331	0.1368	0.1406	0.1443	0.1480	0.1517
0.4	0.1554	0.1591	0.1628	0.1664	0.1700	0.1736	0.1772	0.1808	0.1844	0.1879
0.5	0.1915	0.1950	0.1985	0.2019	0.2054	0.2088	0.2123	0.2157	0.2190	0.2224
0.6	0.2257	0.2291	0.2324	0.2357	0.2389	0.2422	0.2454	0.2486	0.2517	0.2549
0.7	0.2580	0.2611	0.2642	0.2673	0.2704	0.2734	0.2764	0.2794	0.2823	0.2852
0.8	0.2881	0.2910	0.2939	0.2967	0.2995	0.3023	0.3051	0.3078	0.3106	0.3133
0.9	0.3159	0.3186	0.3212	0.3238	0.3264	0.3289	0.3315	0.3340	0.3365	0.3389
1.0	0.3413	0.3438	0.3461	0.3485	0.3508	0.3531	0.3554	0.3577	0.3599	0.3621
1.1	0.3643	0.3665	0.3686	0.3708	0.3729	0.3749	0.3770	0.3790	0.3810	0.3830
1.2	0.3849	0.3869	0.3888	0.3907	0.3925	0.3944	0.3962	0.3980	0.3997	0.4015
1.3	0.4032	0.4049	0.4066	0.4082	0.4099	0.4115	0.4131	0.4147	0.4162	0.4177
1.4	0.4192	0.4207	0.4222	0.4236	0.4251	0.4265	0.4279	0.4292	0.4306	0.4319
1.5	0.4332	0.4345	0.4357	0.4370	0.4382	0.4394	0.4406	0.4418	0.4429	0.4441
1.6	0.4452	0.4463	0.4474	0.4484	0.4495	0.4505	0.4515	0.4525	0.4535	0.4545
1.7	0.4554	0.4564	0.4573	0.4582	0.4591	0.4599	0.4608	0.4616	0.4625	0.4633
1.8	0.4641	0.4649	0.4656	0.4664	0.4671	0.4678	0.4686	0.4693	0.4699	0.4706
1.9	0.4713	0.4719	0.4726	0.4732	0.4738	0.4744	0.4750	0.4756	0.4761	0.4767
2.0	0.4772	0.4778	0.4783	0.4788	0.4793	0.4798	0.4803	0.4808	0.4812	0.4817
2.1	0.4821	0.4826	0.4830	0.4834	0.4838	0.4842	0.4846	0.4850	0.4854	0.4857
2.2	0.4861	0.4864	0.4868	0.4871	0.4875	0.4878	0.4881	0.4884	0.4887	0.4890
2.3	0.4893	0.4896	0.4898	0.4901	0.4904	0.4906	0.4909	0.4911	0.4913	0.4916
2.4	0.4918	0.4920	0.4922	0.4925	0.4927	0.4929	0.4931	0.4932	0.4934	0.4936
2.5	0.4938	0.4940	0.4941	0.4943	0.4945	0.4946	0.4948	0.4949	0.4951	0.4952
2.6	0.4953	0.4955	0.4956	0.4957	0.4959	0.4960	0.4961	0.4962	0.4963	0.4964
2.7	0.4965	0.4966	0.4967	0.4968	0.4969	0.4970	0.4971	0.4972	0.4973	0.4974
2.8	0.4974	0.4975	0.4976	0.4977	0.4977	0.4978	0.4979	0.4979	0.4980	0.4981
2.9	0.4981	0.4982	0.4982	0.4983	0.4984	0.4984	0.4985	0.4985	0.4986	0.4986
3.0	0.4987	0.4987	0.4987	0.4988	0.4988	0.4989	0.4989	0.4989	0.4990	0.4990
3.1	0.4990	0.4991	0.4991	0.4991	0.4992	0.4992	0.4992	0.4992	0.4993	0.4993
3.2	0.4993	0.4993	0.4994	0.4994	0.4994	0.4994	0.4994	0.4995	0.4995	0.4995
3.3	0.4995	0.4995	0.4995	0.4996	0.4996	0.4996	0.4996	0.4996	0.4996	0.4997
3.4	0.4997	0.4997	0.4997	0.4997	0.4997	0.4997	0.4997	0.4997	0.4997	0.4998

01 여러 가지 순열 ══════════ 8~21쪽

001 ③	002 8	003 240	004 ⑤
005 117	006 ④	007 ④	008 180
009 ④	010 ①	011 40	012 20
013 48	014 ②	015 1440	016 ③
017 ⑤	018 48	019 ④	020 30
021 ①	022 48	023 ⑤	024 180
025 ④	026 ②	027 5040	028 ④
029 $\frac{1}{3}$	030 ③	031 ③	032 ③
033 62	034 ④	035 27	036 ②
037 ④	038 5	039 ③	040 ③
041 249	042 ②	043 ③	044 615
045 ④	046 ②	047 9	048 30
049 ④	050 630	051 ③	052 44
053 ④	054 96	055 36	056 150
057 30	058 ④	059 1260	060 3024
061 ④	062 ②	063 2520	064 90
065 ④	066 ③	067 236	068 50
069 ④	070 26	071 34	072 74
073 37	074 432	075 12	076 24
077 ①	078 10200	079 512	080 63
081 ③	082 64	083 ③	084 12
085 ⑤	086 180	087 60	088 ③
089 42			

02 중복조합과 이항정리 ══════════ 24~33쪽

001 ①	002 171	003 ③	004 56
005 3	006 −12	007 ②	008 ③
009 ④	010 330	011 ③	012 ②
013 247	014 22	015 126	016 ①
017 460	018 10	019 504	020 ④
021 ⑤	022 105	023 ②	024 42
025 ③	026 ④	027 75	028 ③
029 170	030 2	031 ②	032 2
033 ②	034 84	035 42	036 ③
037 ②	038 160	039 ③	040 2
041 7	042 −2016	043 ②	044 ③
045 251	046 462	047 ③	048 8
049 ③	050 8	051 128	052 ①
053 ③	054 10	055 ①	056 ②
057 84	058 28	059 ④	060 39
061 ③	062 $\frac{1}{4}$	063 ⑤	064 10
065 ③	066 ④	067 5	068 ④

03 확률의 뜻과 활용 36~51쪽

001 ㄱ, ㄷ   002 ②   003 ②   004 $\frac{1}{5}$

005 $\frac{1}{2}$ 006 ①   007 ④   008 $\frac{2}{15}$

009 ㄷ   010 ④   011 4   012 ④

013 $\frac{1}{4}$ 014 $\frac{3}{4}$ 015 $\frac{14}{25}$ 016 $\frac{1}{7}$

017 $\frac{1}{5}$ 018 ①   019 $\frac{11}{20}$ 020 ④

021 ②   022 $\frac{1}{5}$ 023 ①   024 $\frac{1}{5}$

025 ③   026 $\frac{3}{8}$ 027 ③   028 $\frac{5}{32}$

029 $\frac{1}{7}$ 030 $\frac{1}{3}$ 031 $\frac{18}{35}$ 032 $\frac{1}{9}$

033 ④   034 ④   035 $\frac{4}{15}$ 036 $\frac{3}{14}$

037 ①   038 ④   039 $\frac{3}{7}$ 040 $\frac{7}{12}$

041 $\frac{1}{13}$ 042 $\frac{10}{21}$ 043 ③   044 $\frac{35}{216}$

045 3   046 $\frac{3}{4}$ 047 ㄴ, ㄷ   048 ①

049 ②   050 $\frac{22}{35}$ 051 $\frac{9}{20}$ 052 ②

053 ②   054 $\frac{4}{25}$ 055 $\frac{5}{12}$ 056 $\frac{\pi}{8}$

057 $\frac{5}{16}$ 058 ⑤   059 ㄱ, ㄴ, ㄷ   060 ①

061 $\frac{4}{5}$ 062 $\frac{1}{2}$ 063 ①   064 ②

065 $\frac{13}{10}$ 066 $\frac{3}{5}$ 067 ⑤   068 $\frac{13}{28}$

069 $\frac{11}{48}$ 070 ④   071 $\frac{1}{4}$ 072 $\frac{1}{4}$

073 $\frac{5}{14}$ 074 ④   075 $\frac{3}{5}$ 076 $\frac{61}{125}$

077 7   078 $\frac{31}{32}$ 079 ④   080 $\frac{65}{84}$

081 $\frac{4}{9}$ 082 ⑤   083 $\frac{1}{12}$ 084 $\frac{5}{8}$

085 $\frac{3}{5}$ 086 $\frac{24}{125}$ 087 ③   088 ①

089 $\frac{1}{10}$ 090 $\frac{11}{63}$ 091 ⑤   092 7

093 ①   094 ③   095 $\frac{3}{8}$ 096 $\frac{3}{10}$

097 ①   098 ④   099 $\frac{1}{7}$ 100 6

101 $\frac{21}{32}$ 102 ②

04 조건부확률 54~67쪽

001 ①   002 $\frac{15}{26}$ 003 $\frac{5}{14}$ 004 ③

005 $\frac{5}{9}$ 006 ④   007 ㄷ   008 $\frac{1}{6}$

009 ⑤   010 ⑤   011 $\frac{5}{16}$ 012 $\frac{4}{5}$

013 ④   014 $\frac{3}{10}$ 015 $\frac{1}{2}$ 016 $\frac{5}{3}$

017 $\frac{5}{6}$ 018 ③   019 ④   020 2

021 $\frac{7}{8}$ 022 ③   023 ③   024 $\frac{1}{6}$

025 7   026 $\frac{5}{8}$ 027 ④   028 $\frac{7}{20}$

029 $\frac{19}{30}$ 030 ③   031 $\frac{21}{29}$ 032 $\frac{7}{8}$

033 ①   034 $\frac{7}{17}$ 035 30   036 ⑤

037 ㄱ, ㄷ   038 ④   039 3   040 10

041 ㄱ, ㄴ, ㄷ   042 ㄱ, ㄷ   043 ②   044 ④

045 $\frac{2}{3}$ 046 ④   047 $\frac{1}{12}$ 048 $\frac{1}{4}$

049 ①   050 $\frac{3}{4}$ 051 $\frac{11}{15}$ 052 $\frac{3}{4}$

053 ②   054 ①   055 $\frac{4}{81}$ 056 $\frac{80}{81}$

057 ①   058 ④   059 $\frac{80}{2187}$ 060 $\frac{1}{4}$

061 764   062 $\frac{9}{28}$ 063 $\frac{5}{16}$ 064 $\frac{15}{64}$

065 $\frac{50}{243}$ 066 ④   067 $\frac{1}{2}$ 068 $\frac{7}{20}$

069 $\frac{2}{5}$ 070 $\frac{1}{6}$ 071 ③   072 4

073 ③   074 ⑤   075 ㄱ, ㄴ, ㄷ   076 ①

077 $\frac{1}{2}$ 078 $\frac{3}{8}$ 079 $\frac{10}{27}$

05 이산확률변수와 이항분포 —————— 70~83쪽

001 9 002 $\frac{1}{4}$ 003 $\frac{25}{28}$ 004 $\frac{7}{6}$

005 $\frac{8}{15}$ 006 ② 007 5 008 $\sqrt{15}$

009 ③ 010 ⑤ 011 541 012 ⑤

013 98 014 ④ 015 $\frac{1}{2}$ 016 ①

017 ⑤ 018 $\frac{8}{9}$ 019 ③ 020 $\frac{2-\sqrt{2}}{3}$

021 ① 022 ⑤ 023 ② 024 $\frac{1}{2}$

025 ⑤ 026 2 027 $\frac{8}{7}$ 028 ②

029 ① 030 ④ 031 $\frac{4\sqrt{6}}{15}$ 032 ②

033 ③ 034 $\frac{13}{2}$ 035 ① 036 ①

037 350원 038 ③ 039 6 040 ④

041 31 042 60 043 ③ 044 $-\frac{7}{3}$

045 ① 046 20 047 ② 048 ③

049 7 050 ⑤ 051 ① 052 $\sqrt{26}$

053 3 054 ② 055 2 056 $\frac{15}{128}$

057 ⑤ 058 ⑤ 059 ① 060 $\frac{3}{5}$

061 평균: 6, 분산: $\frac{24}{5}$ 062 $\frac{1}{3}$ 063 5

064 920 065 ② 066 ③ 067 ③

068 28 069 ⑤ 070 ④ 071 73

072 7 073 ④ 074 ⑤ 075 $\frac{3}{4}$

076 ② 077 ② 078 $\frac{9}{25}$ 079 8625원

080 48800 081 ③ 082 ④ 083 4

084 ③ 085 $\frac{495}{8}$ 086 80

06 연속확률변수와 정규분포 —————— 86~101쪽

001 ⑤ 002 ⑤ 003 ㄱ, ㄷ 004 ③

005 ⑤ 006 ③ 007 ④ 008 ②

009 국어, 영어, 수학 010 $\frac{1}{8}$ 011 $\frac{1}{3}$

012 ⑤ 013 $\frac{1}{5}$ 014 ⑤ 015 $\frac{19}{20}$

016 5 017 $\frac{1}{4}$ 018 ⑤ 019 ㄱ

020 ④ 021 18 022 ③ 023 0.1574

024 ③ 025 0.6826 026 0.3641 027 0.3413

028 ③ 029 0.5 030 39 031 4

032 ② 033 16 034 0.8185 035 ㄱ, ㄴ, ㄷ

036 0.1359 037 0.6915 038 ④ 039 1.25

040 0.0668 041 2차 필기시험, 실기 시험, 1차 필기시험

042 ③ 043 A, C, B 044 ② 045 328

046 47점 047 ③ 048 ④ 049 ③

050 0.3085 051 0.6687 052 ⑤ 053 0.0668

054 ② 055 477 056 ④ 057 2766명

058 550초 059 ③ 060 55 m 061 2점

062 0.8351 063 51 064 0.0082 065 0.1587

066 ② 067 0.0668 068 0.9332 069 ③

070 0.02 071 220 072 315 073 ②

074 0.9772 075 ④ 076 $\frac{1}{9}$ 077 ㄷ

078 ① 079 59 080 62 081 0.1587

082 0.927 083 ③ 084 ㄷ 085 ④

086 68.12점 087 0.9772 088 0.9452

07 통계적 추정 104~115쪽

001 237   **002** $\dfrac{35}{18}$ **003** ③   **004** 0.8185

005 9   **006** $88.04 \leq m \leq 91.96$ **007** 4

008 8.6   **009** 196   **010** 96   **011** 97

012 ㄱ, ㄷ   **013** 102   **014** ⑤   **015** 7

016 1600   **017** $\dfrac{55}{27}$ **018** ④   **019** $\dfrac{1}{2}$

020 1   **021** ③   **022** 13000   **023** 32

024 0.8185   **025** 0.8413   **026** $\dfrac{11}{54}$ **027** ②

028 0.0062   **029** 36   **030** ⑤   **031** 355

032 ②   **033** 4   **034** $81.08 \leq m \leq 88.92$

035 ⑤   **036** ⑤   **037** 180.58   **038** 16

039 ④   **040** 0.98   **041** ②   **042** 0.62

043 74명   **044** ②   **045** 64   **046** ②

047 92   **048** ④   **049** 30.5   **050** ⑤

051 9604   **052** 32개   **053** ③   **054** ①

055 45   **056** $\dfrac{1}{4}$ **057** ②   **058** 0.9544

059 64   **060** $\dfrac{81}{2}$ **061** 7   **062** ③

063 5.16   **064** $\dfrac{49}{9}$ **065** 92   **066** 324

067 ④

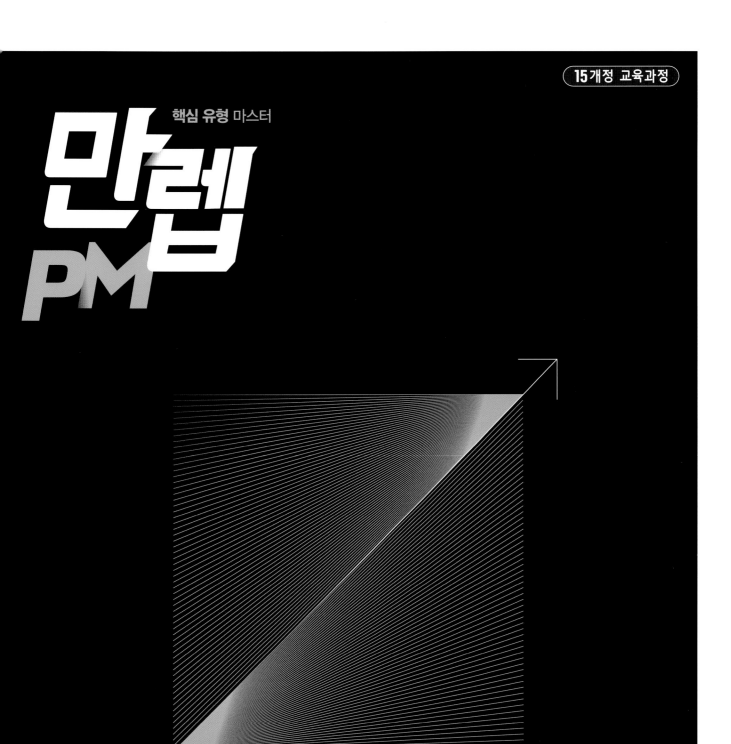

핵심 유형 마스터

만렙 PM

15개정 교육과정

확률과 통계

정답과 해설

핵심 유형 마스터

만렙
PM

정답과 해설
확률과 통계

001 답 ③

학생 3명을 한 사람으로 생각하여 6명이 원탁에 둘러앉는 경우의 수는

$(6-1)!=5!=120$

학생끼리 자리를 바꾸어 앉는 경우의 수 $3!=6$

따라서 구하는 경우의 수는

$120 \times 6 = 720$

002 답 8

가운데 삼각형을 칠하는 경우의 수는 4이고, 나머지 3개의 삼각형을 칠하는 경우의 수는

$(3-1)!=2!=2$

따라서 구하는 경우의 수는

$4 \times 2 = 8$

003 답 240

6명을 원형으로 배열하는 경우의 수는

$(6-1)!=5!=120$

이때 원형으로 배열하는 한 가지 경우에 대하여 주어진 정삼각형 모양의 탁자에서는 다음 그림과 같이 서로 다른 경우가 2가지씩 존재한다.

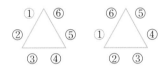

따라서 구하는 경우의 수는

$120 \times 2 = 240$

004 답 ⑤

구하는 경우의 수는 3개의 시설에서 중복을 허용하여 5개를 택하는 중복순열의 수와 같으므로

$_3\Pi_5 = 3^5 = 243$

005 답 117

(i) 세 기호를 2개 사용하여 만들 수 있는 신호의 개수는

$_3\Pi_2 = 3^2 = 9$

(ii) 세 기호를 3개 사용하여 만들 수 있는 신호의 개수는

$_3\Pi_3 = 3^3 = 27$

(iii) 세 기호를 4개 사용하여 만들 수 있는 신호의 개수는

$_3\Pi_4 = 3^4 = 81$

(i), (ii), (iii)에서 구하는 신호의 개수는

$9 + 27 + 81 = 117$

006 답 ④

천의 자리에 올 수 있는 숫자는

1, 2, 3, 4 ➡ 4가지

홀수이므로 일의 자리에 올 수 있는 숫자는

1, 3 ➡ 2가지

나머지 자리에는 0, 1, 2, 3, 4의 5개의 숫자에서 중복을 허용하여 2개를 택하여 일렬로 나열하면 되므로 그 경우의 수는

$_5\Pi_2 = 5^2 = 25$

따라서 구하는 홀수의 개수는

$4 \times 2 \times 25 = 200$

007 답 ④

$f(1) \neq 1$이므로 $f(1)$의 값이 될 수 있는 수는 1을 제외한 4개이다. 또 집합 Y의 원소 1, 2, 3, 4, 5의 5개에서 중복을 허용하여 2개를 택하여 집합 X의 원소 2, 3에 대응시키면 된다.

따라서 구하는 함수의 개수는

$4 \times _5\Pi_2 = 4 \times 5^2 = 100$

다른 풀이 X에서 Y로의 함수의 개수는

$_5\Pi_3 = 5^3 = 125$

X에서 Y로의 함수 중에서 $f(1)=1$인 함수의 개수는

$_5\Pi_2 = 5^2 = 25$

따라서 구하는 함수의 개수는

$125 - 25 = 100$

008 답 180

p, u를 양 끝에 고정시키고 그 사이에 나머지 문자 r, r, e, e, s, s를 일렬로 나열하는 경우의 수는

$\dfrac{6!}{2! \times 2! \times 2!} = 90$

p, u끼리 자리를 바꾸는 경우의 수는 $2!=2$

따라서 구하는 경우의 수는

$90 \times 2 = 180$

009 답 ④

짝수이므로 일의 자리에 올 수 있는 숫자는 2 또는 4이다.

(i) 일의 자리에 2가 오는 경우

나머지 숫자 1, 1, 2, 2, 3, 4를 일렬로 나열하는 경우의 수는

$\dfrac{6!}{2! \times 2!} = 180$

(ii) 일의 자리에 4가 오는 경우

나머지 숫자 1, 1, 2, 2, 2, 3을 일렬로 나열하는 경우의 수는

$\dfrac{6!}{2! \times 3!} = 60$

(i), (ii)에서 구하는 짝수의 개수는

$180 + 60 = 240$

010 답 ①

b, d의 순서가 정해져 있으므로 b, d를 모두 B로 바꾸어 생각하여 a, B, c, B, e를 일렬로 나열한 후 첫 번째 B를 b로, 두 번째 B를 d로 바꾸면 된다.

따라서 구하는 경우의 수는

$\dfrac{5!}{2!} = 60$

011 답 40

A 지점에서 P 지점까지 최단 거리로 가는 경우의 수는
$\dfrac{4!}{3!}=4$

P 지점에서 B 지점까지 최단 거리로 가는 경우의 수는
$\dfrac{5!}{2!\times3!}=10$

따라서 구하는 경우의 수는
$4\times10=40$

012 답 20

오른쪽 그림과 같이 두 지점 P, Q
를 잡으면 A 지점에서 B 지점까지
최단 거리로 가는 경우는
A → P → B 또는 A → Q → B

(i) A → P → B로 가는 경우의 수는
$\dfrac{6!}{2!\times4!}\times1=15$

(ii) A → Q → B로 가는 경우의 수는
$1\times\dfrac{5!}{4!}=5$

(i), (ii)에서 구하는 경우의 수는
$15+5=20$

013 답 48

부모 2명을 한 사람으로 생각하여 5명이 원탁에 둘러앉는 경우의
수는
$(5-1)!=4!=24$
부모끼리 자리를 바꾸어 앉는 경우의 수는 $2!=2$
따라서 구하는 경우의 수는
$24\times2=48$

014 답 ②

초 8개 중에서 4개를 고르는 경우의 수는
$_8C_4=70$
고른 초 4개를 원형으로 배열하는 경우의 수는
$(4-1)!=3!=6$
따라서 구하는 경우의 수는
$70\times6=420$

다른 풀이 초 8개 중에서 4개를 골라 일렬로 배열하는 경우의 수
는 $_8P_4$이고, 이를 원형으로 배열하면 같은 것이 4가지씩 있으므로
구하는 경우의 수는
$\dfrac{_8P_4}{4}=420$

015 답 1440

D, E, F, G, H의 5명이 원탁에 둘러앉는 경우의 수는
$(5-1)!=4!=24$
D, E, F, G, H 사이사이의 5개의 자리에서 3개를 택하여 A, B,
C를 앉히는 경우의 수는
$_5P_3=60$

따라서 구하는 경우의 수는
$24\times60=1440$

016 답 ③

2학년 학생 3명이 원탁에 둘러앉는 경우의 수는
$(3-1)!=2!=2$
2학년 학생 사이사이의 3개의 자리에 3학년 학생 3명을 앉히는 경
우의 수는
$_3P_3=3!=6$
따라서 구하는 경우의 수는
$2\times6=12$

017 답 ⑤

연우의 자리가 결정되면 진우가 앉을 수 있는 자리는 고정된다.
즉, 구하는 경우의 수는 7명이 원탁에 둘러앉는 경우의 수와 같으
므로
$(7-1)!=6!=720$

다른 풀이 연우와 진우가 마주 보고 원탁에 앉은 다음 나머지 6개
의 자리에 친구 6명을 앉히면 되므로 구하는 경우의 수는
$_6P_6=6!=720$

018 답 48

회장, 총무, 서기를 한 사람으로 생각하여 5명이 원탁에 둘러앉는
경우의 수는
$(5-1)!=4!=24$
총무와 서기끼리 자리를 바꾸어 앉는 경우의 수는
$2!=2$
따라서 구하는 경우의 수는
$24\times2=48$

019 답 ④

3개의 조를 만드는 경우의 수는
$3!=6$
같은 조원 2명과 빈자리 1개를 묶어 한 사람으로 생각하여 3명이
원탁에 둘러앉는 경우의 수는
$(3-1)!=2!=2$
같은 조원들끼리 자리를 바꾸어 앉는 경우의 수는
$2!\times2!\times2!=8$
따라서 구하는 경우의 수는
$6\times2\times8=96$

020 답 30

가운데 정사각형을 칠하는 경우의 수는 5이고, 나머지 4개의 반원
을 칠하는 경우의 수는
$(4-1)!=3!=6$
따라서 구하는 경우의 수는
$5\times6=30$

021 답 ①
6개의 영역에 6가지 색을 칠하는 경우의 수는
$(6-1)!=5!=120$

022 답 48
빨간색과 주황색을 한 가지 색으로 생각하여 5가지 색을 칠하는 경우의 수는
$(5-1)!=4!=24$
빨간색과 주황색끼리 자리를 바꾸는 경우의 수는 $2!=2$
따라서 구하는 경우의 수는
$24 \times 2 = 48$

023 답 ⑤
주황, 초록, 파랑의 3가지 색을 칠하는 경우의 수는
$(3-1)!=2!=2$
주황색, 초록색, 파란색 사이사이의 3개의 자리에서 2개를 택하여 빨간색과 노란색을 칠하는 경우의 수는
$_3P_2=6$
따라서 구하는 경우의 수는
$2 \times 6 = 12$
다른 풀이 5개의 영역에 5가지 색을 칠하는 경우의 수는
$(5-1)!=4!=24$
빨간색과 노란색이 이웃하도록 칠하는 경우의 수는
$(4-1)! \times 2! = 12$
따라서 구하는 경우의 수는
$24-12=12$

024 답 180
정사각뿔대의 두 밑면을 칠하는 경우의 수는
$_6P_2=30$
두 밑면에 칠한 2가지 색을 제외한 4가지 색을 옆면에 칠하는 경우의 수는
$(4-1)!=3!=6$
따라서 구하는 경우의 수는
$30 \times 6 = 180$

025 답 ④
가운데 정삼각형을 칠하는 경우의 수는 7
가운데 정삼각형에 칠한 색을 제외한 6가지 색 중에서 나머지 3개의 정삼각형을 칠할 3가지 색을 택하는 경우의 수는
$_6C_3=20$
택한 3가지 색으로 3개의 정삼각형을 칠하는 경우의 수는
$(3-1)!=2!=2$
나머지 3가지 색으로 정삼각형의 바깥쪽의 3개의 영역을 칠하는 경우의 수는 $3!=6$
따라서 구하는 경우의 수는
$7 \times 20 \times 2 \times 6 = 1680$

026 답 ②
10명을 원형으로 배열하는 경우의 수는 $(10-1)!=9!$
이때 원형으로 배열하는 한 가지 경우에 대하여 주어진 정오각형 모양의 탁자에서는 다음 그림과 같이 서로 다른 경우가 2가지씩 존재한다.

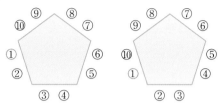

따라서 구하는 경우의 수는
$9! \times 2$

027 답 5040
7명을 원형으로 배열하는 경우의 수는 $(7-1)!=6!=720$
이때 원형으로 배열하는 한 가지 경우에 대하여 주어진 부채꼴 모양의 탁자에서는 다음 그림과 같이 서로 다른 경우가 7가지씩 존재한다.

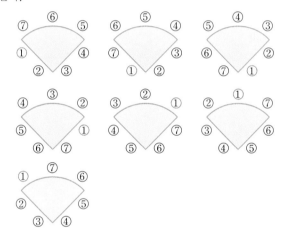

따라서 구하는 경우의 수는
$720 \times 7 = 5040$

028 답 ④
6명을 원형으로 배열하는 경우의 수는 $(6-1)!=5!=120$
이때 원형으로 배열하는 한 가지 경우에 대하여 주어진 직사각형 모양의 탁자에서는 다음 그림과 같이 서로 다른 경우가 3가지씩 존재한다.

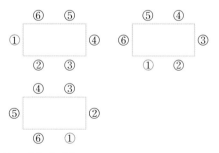

따라서 구하는 경우의 수는
$120 \times 3 = 360$

029 답 $\frac{1}{3}$

9명을 원형으로 배열하는 경우의 수는 $(9-1)!=8!$
이때 원형으로 배열하는 한 가지 경우에 대하여 주어진 정삼각형
모양의 탁자에서는 다음 그림과 같이 서로 다른 경우가 3가지씩
존재한다.

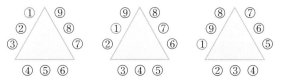

따라서 주어진 정삼각형 모양의 탁자에 둘러앉는 경우의 수는
$8! \times 3 = 8! \times 9 \times \frac{1}{3} = 9! \times \frac{1}{3}$

$\therefore k = \frac{1}{3}$

030 답 ③

부부 1쌍을 한 사람으로 생각하여 4명을 원형으로 배열하는 경우
의 수는 $(4-1)!=3!=6$
이때 원형으로 배열하는 한 가지 경우에 대하여 주어진 직사각형
모양의 탁자에서는 다음 그림과 같이 서로 다른 경우가 2가지씩
존재한다.

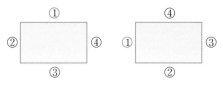

또 부부끼리 자리를 바꾸어 앉는 경우의 수는
$2! \times 2! \times 2! \times 2! = 16$
따라서 구하는 경우의 수는
$6 \times 2 \times 16 = 192$

031 답 ③

구하는 경우의 수는 4개의 접시에서 중복을 허용하여 3개를 택하
는 중복순열의 수와 같으므로
$_4\Pi_3 = 4^3 = 64$

032 답 ③

A가 미국 또는 영국을 여행하는 경우의 수는 2이고, B, C가 여행
하는 경우의 수는 5개의 나라에서 중복을 허용하여 2개를 택하는
중복순열의 수와 같으므로
$_5\Pi_2 = 5^2 = 25$
따라서 구하는 경우의 수는
$2 \times 25 = 50$

033 답 62

6명의 학생을 두 고등학교 A, B에 배정하는 경우의 수는 2개의
고등학교에서 중복을 허용하여 6개를 택하는 중복순열의 수와 같
으므로
$_2\Pi_6 = 2^6 = 64$

이때 6명의 학생이 모두 같은 고등학교에 배정되는 경우를 제외해
야 하므로 구하는 경우의 수는
$64 - 2 = 62$

034 답 ④

네 자리의 암호의 개수는 4개의 문자에서 중복을 허용하여 4개를
택하는 중복순열의 수와 같으므로
$_4\Pi_4 = 4^4 = 256$
이때 문자 V를 포함하지 않는 암호의 개수는 V를 제외한 나머지
3개의 문자에서 중복을 허용하여 4개를 택하는 중복순열의 수와
같으므로
$_3\Pi_4 = 3^4 = 81$
따라서 구하는 암호의 개수는
$256 - 81 = 175$

035 답 27

전체집합 U의 원소 1, 2, 3, 4, 5 중에서 2, 4는 집합 $A \cap B$의 원
소이고, 1, 3, 5는 세 집합 $A-B$, $B-A$, $(A \cup B)^c$ 중 어느 하
나의 원소이다.
따라서 구하는 경우의 수는 서로 다른 세 집합에서 중복을 허용하
여 3개를 택하는 중복순열의 수와 같으므로
$_3\Pi_3 = 3^3 = 27$

036 답 ②

(i) 두 부호를 3개 사용하여 만들 수 있는 신호의 개수는
$_2\Pi_3 = 2^3 = 8$
(ii) 두 부호를 4개 사용하여 만들 수 있는 신호의 개수는
$_2\Pi_4 = 2^4 = 16$
(iii) 두 부호를 5개 사용하여 만들 수 있는 신호의 개수는
$_2\Pi_5 = 2^5 = 32$
(i), (ii), (iii)에서 구하는 신호의 개수는
$8 + 16 + 32 = 56$

037 답 ④

구하는 경우의 수는 3개의 깃발에서 중복을 허용하여 5개를 택하
는 중복순열의 수와 같으므로
$_3\Pi_5 = 3^5 = 243$

038 답 5

깃발을 1번, 2번, 3번, $\cdots$, n번 들어 올려서 만들 수 있는 신호의
개수는 각각 $_3\Pi_1$, $_3\Pi_2$, $_3\Pi_3$, $\cdots$, $_3\Pi_n$이므로 깃발을 n번 이하로 들
어 올려서 만들 수 있는 신호의 개수는
$3 + 3^2 + 3^3 + \cdots + 3^n$
$n=4$일 때, $3 + 3^2 + 3^3 + 3^4 = 120 < 300$
$n=5$일 때, $3 + 3^2 + 3^3 + 3^4 + 3^5 = 363 > 300$
따라서 n의 최솟값은 5이다.

039 답 ③

짝수이므로 일의 자리에 올 수 있는 숫자는

4, 6 ➡ 2가지

나머지 자리에는 3, 4, 5, 6, 7의 5개의 숫자에서 중복을 허용하여 3개를 택하여 일렬로 나열하면 되므로 그 경우의 수는

$_5\Pi_3 = 5^3 = 125$

따라서 구하는 짝수의 개수는

$2 \times 125 = 250$

040 답 ③

백의 자리에 올 수 있는 숫자는

1, 2, 3 ➡ 3가지

나머지 자리에는 0, 1, 2, 3의 4개의 숫자에서 중복을 허용하여 2개를 택하여 일렬로 나열하면 되므로 그 경우의 수는

$_4\Pi_2 = 4^2 = 16$

따라서 구하는 자연수의 개수는

$3 \times 16 = 48$

041 답 249

3000보다 큰 네 자리의 자연수는 천의 자리의 숫자가 3 또는 4인 수에서 3000을 제외한 수이다.

(i) 천의 자리에 3이 오는 경우

나머지 자리에는 0, 1, 2, 3, 4의 5개의 숫자에서 중복을 허용하여 3개를 택하여 일렬로 나열하면 되므로 그 경우의 수는

$_5\Pi_3 = 5^3 = 125$

(ii) 천의 자리에 4가 오는 경우

나머지 자리에는 0, 1, 2, 3, 4의 5개의 숫자에서 중복을 허용하여 3개를 택하여 일렬로 나열하면 되므로 그 경우의 수는

$_5\Pi_3 = 5^3 = 125$

(i), (ii)에서 3000보다 큰 자연수의 개수는

$125 + 125 - 1 = 249$

042 답 ②

(i) 0, 1, 2, 3, 4에서 택하여 자연수를 만드는 경우

백의 자리에 올 수 있는 숫자는

1, 2, 3, 4 ➡ 4가지

나머지 자리에는 0, 1, 2, 3, 4의 5개의 숫자에서 중복을 허용하여 2개를 택하여 일렬로 나열하면 되므로 그 경우의 수는

$_5\Pi_2 = 5^2 = 25$

따라서 세 자리의 자연수의 개수는

$4 \times 25 = 100$

(ii) 3을 제외하고 0, 1, 2, 4에서 택하여 자연수를 만드는 경우

백의 자리에 올 수 있는 숫자는

1, 2, 4 ➡ 3가지

나머지 자리에는 0, 1, 2, 4의 4개의 숫자에서 중복을 허용하여 2개를 택하여 일렬로 나열하면 되므로 그 경우의 수는

$_4\Pi_2 = 4^2 = 16$

따라서 숫자 3을 포함하지 않는 세 자리의 자연수의 개수는

$3 \times 16 = 48$

(i), (ii)에서 숫자 3을 적어도 한 개 포함하는 자연수의 개수는

$100 - 48 = 52$

043 답 ③

(i) 한 자리의 자연수의 개수는 5

(ii) 두 자리의 자연수의 개수는

$5 \times _6\Pi_1 = 5 \times 6 = 30$

(iii) 세 자리의 자연수의 개수는

$5 \times _6\Pi_2 = 5 \times 6^2 = 180$

(iv) 네 자리의 자연수 중에서 10□□, 11□□ 꼴인 자연수의 개수는

$2 \times _6\Pi_2 = 2 \times 6^2 = 72$

(i)~(iv)에서 1200보다 작은 자연수의 개수는

$5 + 30 + 180 + 72 = 287$

따라서 1200은 288번째 수이다.

044 답 615

4000 이상의 네 자리의 자연수는 천의 자리의 숫자가 4 또는 5 또는 6인 수이므로 그 개수는

$3 \times _6\Pi_3 = 3 \times 6^3 = 648$

숫자 1끼리 이웃하는 4000 이상의 네 자리의 자연수는

(i) 백의 자리와 십의 자리에만 1이 오는 경우

천의 자리에 올 수 있는 숫자는 4, 5, 6의 3가지이고, 일의 자리에 올 수 있는 숫자는 1을 제외한 5가지이므로 자연수의 개수는

$3 \times 5 = 15$

(ii) 십의 자리와 일의 자리에만 1이 오는 경우

천의 자리에 올 수 있는 숫자는 4, 5, 6의 3가지이고, 백의 자리에 올 수 있는 숫자는 1을 제외한 5가지이므로 자연수의 개수는

$3 \times 5 = 15$

(iii) 백의 자리, 십의 자리, 일의 자리에 1이 오는 경우

천의 자리에 올 수 있는 숫자는 4, 5, 6의 3가지이므로 자연수의 개수는 3

(i), (ii), (iii)에서 숫자 1끼리 이웃하는 4000 이상의 네 자리의 자연수의 개수는 $15 + 15 + 3 = 33$

따라서 구하는 자연수의 개수는

$648 - 33 = 615$

045 답 ④

$f(3) \neq 7$이므로 $f(3)$의 값이 될 수 있는 수는 7을 제외한 3개이다. 또 집합 Y의 원소 5, 6, 7, 8의 4개에서 중복을 허용하여 3개를 택하여 집합 X의 원소 1, 2, 4에 대응시키면 된다.

따라서 구하는 함수의 개수는

$3 \times _4\Pi_3 = 3 \times 4^3 = 192$

046 답 ②

X에서 Y로의 함수의 개수는 집합 Y의 원소 a, b, c, d의 4개에서 중복을 허용하여 2개를 택하여 집합 X의 원소 -1, 1에 대응시키는 경우의 수와 같으므로

${}_4\Pi_2 = 4^2 = 16$ ∴ $m = 16$

X에서 Y로의 일대일함수의 개수는 집합 Y의 원소 a, b, c, d의 4개에서 서로 다른 2개를 택하여 집합 X의 원소 -1, 1에 대응시키는 경우의 수와 같으므로

${}_4P_2 = 12$ ∴ $n = 12$

∴ $m - n = 16 - 12 = 4$

047 답 9

$f(-1) = 4$, $f(3) = 6$이므로 집합 X의 원소 -1과 3에 대응하는 집합 Y의 원소는 각각 4와 6으로 고정시키고, 집합 Y의 원소 2, 4, 6의 3개에서 중복을 허용하여 2개를 택하여 집합 X의 원소 -3, 1에 대응시키면 된다.

따라서 구하는 함수의 개수는

${}_3\Pi_2 = 3^2 = 9$

048 답 30

X에서 Y로의 함수의 개수는 집합 Y의 원소 1, 2의 2개에서 중복을 허용하여 5개를 택하여 집합 X의 원소 a, b, c, d, e에 대응시키는 경우의 수와 같으므로

${}_2\Pi_5 = 2^5 = 32$

이때 치역이 $\{1\}$인 함수의 개수는 1, 치역이 $\{2\}$인 함수의 개수는 1이므로 공역과 치역이 일치하는 함수의 개수는

$32 - (1+1) = 30$

049 답 ④

p, n을 양 끝에 고정시키고 그 사이에 나머지 문자 a, s, s, i, o를 일렬로 나열하는 경우의 수는

$\dfrac{5!}{2!} = 60$

p, n끼리 자리를 바꾸는 경우의 수는 $2! = 2$

따라서 구하는 경우의 수는

$60 \times 2 = 120$

050 답 630

g, r, r, a, a, m, m을 일렬로 나열하는 경우의 수는

$\dfrac{7!}{2! \times 2! \times 2!} = 630$

051 답 ③

모음 a, i, i를 한 문자 A로 생각하여 A, s, s, s, t, t, t, c를 일렬로 나열하는 경우의 수는

$\dfrac{8!}{3! \times 3!} = 1120$

모음 a, i, i끼리 자리를 바꾸는 경우의 수는 $\dfrac{3!}{2!} = 3$

따라서 구하는 경우의 수는

$1120 \times 3 = 3360$

052 답 44

a, a, b, b, b, c를 일렬로 나열하는 경우의 수는

$\dfrac{6!}{2! \times 3!} = 60$

(i) 양 끝에 a가 오는 경우

나머지 문자 b, b, b, c를 일렬로 나열하는 경우의 수는

$\dfrac{4!}{3!} = 4$

(ii) 양 끝에 b가 오는 경우

나머지 문자 a, a, b, c를 일렬로 나열하는 경우의 수는

$\dfrac{4!}{2!} = 12$

(i), (ii)에서 양 끝에 서로 같은 문자가 오도록 나열하는 경우의 수는

$4 + 12 = 16$

따라서 구하는 경우의 수는

$60 - 16 = 44$

053 답 ④

b와 d를 제외한 a, a, c, c, c, e를 일렬로 나열하는 경우의 수는

$\dfrac{6!}{2! \times 3!} = 60$

a, a, c, c, c, e의 사이사이와 양 끝의 7개의 자리에서 2개를 택하여 b와 d를 나열하는 경우의 수는

${}_7P_2 = 42$

따라서 구하는 경우의 수는

$60 \times 42 = 2520$

다른 풀이 a, a, b, c, c, c, d, e를 일렬로 나열하는 경우의 수는

$\dfrac{8!}{2! \times 3!} = 3360$

b와 d를 한 문자 B로 생각하여 a, a, B, c, c, c, e를 일렬로 나열하는 경우의 수는

$\dfrac{7!}{2! \times 3!} = 420$

b, d끼리 자리를 바꾸는 경우의 수는

$2! = 2$

즉, b와 d가 이웃하도록 나열하는 경우의 수는

$420 \times 2 = 840$

따라서 b와 d가 이웃하지 않도록 나열하는 경우의 수는

$3360 - 840 = 2520$

054 답 96

(i) o끼리 이웃하는 경우

2개의 o를 한 문자 O로 생각하여 f, O, l, l, w를 일렬로 나열하는 경우의 수는

$\dfrac{5!}{2!} = 60$

(ii) l끼리 이웃하는 경우

2개의 l을 한 문자 L로 생각하여 f, o, o, L, w를 일렬로 나열하는 경우의 수는

$\dfrac{5!}{2!} = 60$

(iii) o끼리, l끼리 모두 이웃하는 경우

　2개의 o, 2개의 l을 각각 한 문자 O, L로 생각하여 4개의 문자 f, O, L, w를 일렬로 나열하는 경우의 수는

　$4!=24$

(i), (ii), (iii)에서 구하는 경우의 수는

$60+60-24=96$

055 답 36

(i) 일의 자리에 1이 오는 경우

　나머지 숫자 1, 2, 3, 4를 일렬로 나열하는 경우의 수는

　$4!=24$

(ii) 일의 자리에 3이 오는 경우

　나머지 숫자 1, 1, 2, 4를 일렬로 나열하는 경우의 수는

　$\dfrac{4!}{2!}=12$

(i), (ii)에서 구하는 홀수의 개수는

$24+12=36$

056 답 150

(i) 맨 앞자리에 1이 오는 경우

　나머지 숫자 0, 1, 2, 3을 일렬로 나열하는 경우의 수는

　$\dfrac{5!}{2!}=60$

(ii) 맨 앞자리에 2가 오는 경우

　나머지 숫자 0, 1, 1, 3, 3을 일렬로 나열하는 경우의 수는

　$\dfrac{5!}{2!\times2!}=30$

(iii) 맨 앞자리에 3이 오는 경우

　나머지 숫자 0, 1, 1, 2, 3을 일렬로 나열하는 경우의 수는

　$\dfrac{5!}{2!}=60$

(i), (ii), (iii)에서 구하는 자연수의 개수는

$60+30+60=150$

다른 풀이 0, 1, 1, 2, 3, 3을 일렬로 나열하는 경우의 수는

$\dfrac{6!}{2!\times2!}=180$

맨 앞자리에 0이 오는 경우의 수는 나머지 숫자 1, 1, 2, 3, 3을 일렬로 나열하는 경우의 수와 같으므로

$\dfrac{5!}{2!\times2!}=30$

따라서 구하는 자연수의 개수는

$180-30=150$

057 답 30

일의 자리, 십의 자리, 백의 자리에 홀수 1, 1, 3을 나열하는 경우의 수는

$\dfrac{3!}{2!}=3$

나머지 숫자 2, 2, 2, 4, 4를 일렬로 나열하는 경우의 수는

$\dfrac{5!}{3!\times2!}=10$

따라서 구하는 자연수의 개수는

$3\times10=30$

058 답 ④

3의 배수이려면 각 자리의 숫자의 합이 3의 배수이어야 한다.

1, 1, 2, 2, 3, 3, 3에서 택한 4개의 숫자의 합이

6인 경우 ➡ 1, 1, 2, 2

9인 경우 ➡ 1, 2, 3, 3

(i) 1, 1, 2, 2를 일렬로 나열하는 경우의 수는

　$\dfrac{4!}{2!\times2!}=6$

(ii) 1, 2, 3, 3을 일렬로 나열하는 경우의 수는

　$\dfrac{4!}{2!}=12$

(i), (ii)에서 구하는 3의 배수의 개수는

$6+12=18$

059 답 1260

t, c의 순서가 정해져 있으므로 t, c를 모두 T로 바꾸어 생각하여 T, T, e, e, a, h, r를 일렬로 나열한 후 다시 첫 번째 T를 t로, 두 번째 T를 c로 바꾸면 된다.

따라서 구하는 경우의 수는

$\dfrac{7!}{2!\times2!}=1260$

060 답 3024

a, t, i, o, n의 순서가 정해져 있으므로 a, t, i, o, n을 모두 A로 바꾸어 생각하여 e, d, u, c, A, A, A, A, A를 일렬로 나열한 후 첫 번째, 두 번째, 세 번째, 네 번째, 다섯 번째 A를 각각 a, t, i, o, n으로 바꾸면 된다.

따라서 구하는 경우의 수는

$\dfrac{9!}{5!}=3024$

061 답 ④

모음 a, a, i를 한 문자로 생각하고, 자음 p, r, c, c, t, l을 다른 한 문자로 생각하여 모음이 자음보다 앞에 오도록 나열하는 경우의 수는 1

모음 a, a, i끼리 자리를 바꾸는 경우의 수는

$\dfrac{3!}{2!}=3$

자음 p, r, c, c, t, l끼리 자리를 바꾸는 경우의 수는

$\dfrac{6!}{2!}=360$

따라서 구하는 경우의 수는

$1\times3\times360=1080$

062 답 ②

1, 4와 3, 5의 순서가 각각 정해져 있으므로 1, 4를 모두 A로, 3, 5를 모두 B로 생각하여 A, 2, B, A, B, 6을 일렬로 나열한 후 첫 번째 A는 1로, 두 번째 A는 4로 바꾸고, 첫 번째 B는 5로, 두 번째 B는 3으로 바꾸면 된다.

따라서 구하는 경우의 수는

$$\frac{6!}{2! \times 2!} = 180$$

063 답 2520

서로 다른 4개의 가방을 각각 a, b, c, d라 하면 각 가방에 리본과 인형을 다는 순서가 정해져 있으므로 각 가방에 리본을 다는 것과 인형을 다는 것을 같은 알파벳으로 나타내면

a, a, b, b, c, c, d, d

즉, a, a, b, b, c, c, d, d를 일렬로 나열한 후 같은 문자에 대하여 첫 번째를 리본을 다는 것으로, 두 번째를 인형을 다는 것으로 생각하면 된다.

따라서 구하는 경우의 수는

$$\frac{8!}{2! \times 2! \times 2! \times 2!} = 2520$$

064 답 90

A 지점에서 P 지점까지 최단 거리로 가는 경우의 수는

$$\frac{6!}{4! \times 2!} = 15$$

P 지점에서 B 지점까지 최단 거리로 가는 경우의 수는

$$\frac{4!}{2! \times 2!} = 6$$

따라서 구하는 경우의 수는

$$15 \times 6 = 90$$

065 답 ④

A 지점에서 B 지점까지 최단 거리로 가는 경우의 수는

$$\frac{7!}{3! \times 4!} = 35$$

066 답 ③

(i) A 지점에서 P 지점까지 최단 거리로 가는 경우의 수는

$$\frac{4!}{2! \times 2!} = 6$$

(ii) P 지점에서 B 지점까지 최단 거리로 가는 경우의 수는

$$\frac{7!}{4! \times 3!} = 35$$

  P 지점에서 Q 지점을 거쳐 B 지점까지 최단 거리로 가는 경우의 수는

$$\frac{4!}{2! \times 2!} \times \frac{3!}{2!} = 6 \times 3 = 18$$

  따라서 P 지점에서 Q 지점을 거치지 않고 B 지점까지 최단 거리로 가는 경우의 수는 $35 - 18 = 17$

(i), (ii)에서 구하는 경우의 수는

$6 \times 17 = 102$

067 답 236

(i) A 지점에서 P 지점을 거쳐 B 지점까지 최단 거리로 가는 경우의 수는

$$\frac{4!}{3!} \times \frac{7!}{4! \times 3!} = 4 \times 35 = 140$$

(ii) A 지점에서 Q 지점을 거쳐 B 지점까지 최단 거리로 가는 경우의 수는

$$\frac{8!}{5! \times 3!} \times \frac{3!}{2!} = 56 \times 3 = 168$$

(iii) A 지점에서 P 지점과 Q 지점을 모두 거쳐 B 지점까지 최단 거리로 가는 경우의 수는

$$\frac{4!}{3!} \times \frac{4!}{2! \times 2!} \times \frac{3!}{2!} = 4 \times 6 \times 3 = 72$$

(i), (ii), (iii)에서 구하는 경우의 수는

$140 + 168 - 72 = 236$

068 답 50

오른쪽으로 한 칸 가는 것을 a, 위쪽으로 한 칸 가는 것을 b, 대각선으로 한 칸 가는 것을 c라 하자.

(i) 대각선을 0번 이용하는 경우는 a, a, a, b, b, b를 나열하는 것과 같으므로 그 경우의 수는

$$\frac{6!}{3! \times 3!} = 20$$

(ii) 대각선을 1번 이용하는 경우는 a, a, b, b, c를 나열하는 것과 같으므로 그 경우의 수는

$$\frac{5!}{2! \times 2!} = 30$$

(i), (ii)에서 구하는 경우의 수는

$20 + 30 = 50$

069 답 ④

꼭짓점 A에서 꼭짓점 B까지 최단 거리로 가려면 가로, 세로, 높이의 방향으로 각각 정육면체의 모서리를 3번, 2번, 4번 지나야 하므로 구하는 경우의 수는

$$\frac{9!}{3! \times 2! \times 4!} = 1260$$

070 답 26

오른쪽 그림과 같이 세 지점 P, Q, R를 잡으면 A 지점에서 B 지점까지 최단 거리로 가는 경우는

A → P → B 또는 A → Q → B
또는 A → R → B

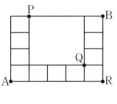

(i) A → P → B로 가는 경우의 수는

$$\frac{5!}{4!} \times 1 = 5$$

(ii) A → Q → B로 가는 경우의 수는

$$\frac{5!}{4!} \times \frac{4!}{3!} = 5 \times 4 = 20$$

(iii) A → R → B로 가는 경우의 수는

$$1 \times 1 = 1$$

(i), (ii), (iii)에서 구하는 경우의 수는

$5 + 20 + 1 = 26$

071 답 34

오른쪽 그림과 같이 네 지점 Q, R, S, T를 잡으면 A 지점에서 B 지점까지 최단 거리로 가는 경우는

A → Q → B 또는 A → R → B

또는 A → S → B 또는 A → T → B

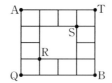

(i) A → Q → B로 가는 경우의 수는

$1 \times 1 = 1$

(ii) A → R → B로 가는 경우의 수는

$\dfrac{4!}{3!} \times \dfrac{4!}{3!} = 4 \times 4 = 16$

(iii) A → S → B로 가는 경우의 수는

$\dfrac{4!}{3!} \times \dfrac{4!}{3!} = 4 \times 4 = 16$

(iv) A → T → B로 가는 경우의 수는

$1 \times 1 = 1$

(i)~(iv)에서 구하는 경우의 수는

$1 + 16 + 16 + 1 = 34$

다른 풀이 P 지점을 생각하지 않고 A 지점에서 B 지점까지 최단 거리로 가는 경우의

수는 $\dfrac{8!}{4! \times 4!} = 70$

A 지점에서 P 지점을 거쳐 B 지점까지 최단 거리로 가는 경우의 수는 $\dfrac{4!}{2! \times 2!} \times \dfrac{4!}{2! \times 2!} = 6 \times 6 = 36$

따라서 구하는 경우의 수는 $70 - 36 = 34$

072 답 74

오른쪽 그림과 같이 세 지점 P, Q, R를 잡으면 A 지점에서 B 지점까지 최단 거리로 가는 경우는

A → P → B 또는 A → Q → B

또는 A → R → B

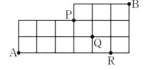

(i) A → P → B로 가는 경우의 수는

$\dfrac{5!}{3! \times 2!} \times \dfrac{4!}{3!} = 10 \times 4 = 40$

(ii) A → Q → B로 가는 경우의 수는

$\dfrac{5!}{4!} \times \dfrac{4!}{2! \times 2!} = 5 \times 6 = 30$

(iii) A → R → B로 가는 경우의 수는

$1 \times \dfrac{4!}{3!} = 4$

(i), (ii), (iii)에서 구하는 경우의 수는

$40 + 30 + 4 = 74$

073 답 37

오른쪽 그림과 같이 세 지점 P, Q, R를 잡으면 A 지점에서 B 지점까지 최단 거리로 가는 경우는

A → P → B 또는 A → Q → B

또는 A → R → B

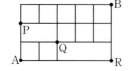

(i) A → P → B로 가는 경우의 수는

$1 \times \dfrac{6!}{5!} = 6$

(ii) A → Q → B로 가는 경우의 수는

$\dfrac{3!}{2!} \times \dfrac{5!}{3! \times 2!} = 3 \times 10 = 30$

(iii) A → R → B로 가는 경우의 수는

$1 \times 1 = 1$

(i), (ii), (iii)에서 구하는 경우의 수는

$6 + 30 + 1 = 37$

074 답 432

남학생 4명을 한 사람으로 생각하여 5명이 원탁에 둘러앉는 경우의 수는

$(5-1)! = 4! = 24$

남학생끼리 자리를 바꾸어 앉는 경우의 수는 $4! = 24$

따라서 남학생끼리 이웃하게 앉는 경우의 수는

$a = 24 \times 24 = 576$

한편 남학생 4명이 원탁에 둘러앉는 경우의 수는

$(4-1)! = 3! = 6$

남학생들 사이사이의 4개의 자리에 여학생 4명을 앉히는 경우의 수는

$_4\mathrm{P}_4 = 4! = 24$

따라서 남학생과 여학생이 교대로 앉는 경우의 수는

$b = 6 \times 24 = 144$

$\therefore a - b = 576 - 144 = 432$

075 답 12

6이 적힌 카드의 양옆에 각각 2, 4가 적힌 카드가 와야 한다.

2, 4, 6이 적힌 카드를 1장으로 생각하여 4장의 카드를 원형으로 배열하는 경우의 수는

$(4-1)! = 3! = 6$

2, 4가 적힌 카드끼리 자리를 바꾸는 경우의 수는 $2! = 2$

따라서 구하는 경우의 수는

$6 \times 2 = 12$

076 답 24

빨간색을 칠하는 영역이 결정되면 파란색이 칠해지는 영역은 고정된다.

따라서 구하는 경우의 수는 5가지 색을 칠하는 경우의 수와 같으므로

$(5-1)! = 4! = 24$

077 답 ①

정사각뿔의 밑면을 칠하는 경우의 수는 5이고, 나머지 4가지 색을 옆면에 칠하는 경우의 수는

$(4-1)! = 3! = 6$

따라서 구하는 경우의 수는

$5 \times 6 = 30$

078 답 10200

탁자 A에 8명을 원형으로 배열하는 경우의 수는

$(8-1)!=7!=5040$

이때 원형으로 배열하는 한 가지 경우에 대하여 주어진 정사각형 모양의 탁자에서는 다음 그림과 같이 서로 다른 경우가 2가지씩 존재한다.

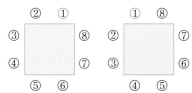

따라서 탁자 A에 8명이 둘러앉는 경우의 수는

$5040 \times 2 = 10080$

한편 탁자 B에 5명을 원형으로 배열하는 경우의 수는

$(5-1)!=4!=24$

이때 원형으로 배열하는 한 가지 경우에 대하여 주어진 직사각형 모양의 탁자에서는 다음 그림과 같이 서로 다른 경우가 5가지씩 존재한다.

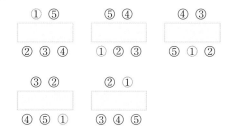

따라서 탁자 B에 5명이 둘러앉는 경우의 수는

$24 \times 5 = 120$

따라서 $a=10080$, $b=120$이므로

$a+b=10200$

079 답 512

마지막 자리에 올 수 있는 것은

a, b ➡ 2가지

나머지 자리를 정하는 경우의 수는 1, 3, a, b의 4개에서 중복을 허용하여 4개를 택하는 중복순열의 수와 같으므로

$_4\Pi_4=4^4=256$

따라서 구하는 암호의 개수는

$2 \times 256 = 512$

080 답 63

켜거나 끄는 것 2종류에서 중복을 허용하여 6개를 택하는 중복순열의 수는

$_2\Pi_6=2^6=64$

이때 모든 전구가 꺼진 경우 1가지는 제외해야 하므로 구하는 신호의 개수는

$64-1=63$

081 답 ③

(ⅰ) 천의 자리에 3이 오는 경우

백의 자리에 4 또는 5가 오고, 나머지 자리에는 1, 2, 3, 4, 5의 5개의 숫자에서 중복을 허용하여 2개를 택하여 일렬로 나열하면 되므로 그 경우의 수는

$2 \times _5\Pi_2 = 2 \times 5^2 = 50$

(ⅱ) 천의 자리에 4가 오는 경우

나머지 자리에는 1, 2, 3, 4, 5의 5개의 숫자에서 중복을 허용하여 3개를 택하여 일렬로 나열하면 되므로 그 경우의 수는

$_5\Pi_3=5^3=125$

(ⅲ) 천의 자리에 5가 오는 경우

나머지 자리에는 1, 2, 3, 4, 5의 5개의 숫자에서 중복을 허용하여 3개를 택하여 일렬로 나열하면 되므로 그 경우의 수는

$_5\Pi_3=5^3=125$

(ⅰ), (ⅱ), (ⅲ)에서 구하는 자연수의 개수는

$50+125+125=300$

082 답 64

$f(1)+f(2)=5$를 만족시키는 $f(1)$, $f(2)$의 순서쌍 $(f(1), f(2))$는 $(1, 4)$, $(2, 3)$, $(3, 2)$, $(4, 1)$

각각의 경우에 집합 Y의 원소 1, 2, 3, 4의 4개에서 중복을 허용하여 2개를 택하여 집합 X의 나머지 원소 0, 3에 대응시키면 된다.

따라서 구하는 함수의 개수는

$4 \times _4\Pi_2 = 4 \times 4^2 = 64$

083 답 ③

$f(2)f(3)f(4) \neq 0$이려면 $f(2) \neq 0$, $f(3) \neq 0$, $f(4) \neq 0$이어야 한다.

$f(2)$, $f(3)$, $f(4)$의 값이 될 수 있는 수는 1, 2, 3, 4의 4개

$f(0)$, $f(1)$의 값이 될 수 있는 수는 0, 1, 2, 3, 4의 5개

따라서 구하는 함수의 개수는

$_4\Pi_3 \times _5\Pi_2 = 4^3 \times 5^2 = 1600$

084 답 12

두 개의 m을 양 끝에 고정시키고 그 사이에 나머지 문자 u, u, s, e를 일렬로 나열하는 경우의 수는

$\dfrac{4!}{2!}=12$

085 답 ⑤

b와 c를 한 문자 B로 생각하여 a, a, B, d, d, d를 일렬로 나열하는 경우의 수는

$\dfrac{6!}{2!\,3!}=60$

b, c끼리 자리를 바꾸는 경우의 수는 $2!=2$

따라서 구하는 경우의 수는

$60 \times 2 = 120$

086 답 180

(i) 맨 앞자리에 1이 오고 일의 자리에 3이 오는 경우

나머지 숫자 0, 0, 2, 2, 3을 일렬로 나열하는 경우의 수는

$$\frac{5!}{2! \times 2!} = 30$$

(ii) 맨 앞자리에 2가 오고 일의 자리에 1이 오는 경우

나머지 숫자 0, 0, 2, 3, 3을 일렬로 나열하는 경우의 수는

$$\frac{5!}{2! \times 2!} = 30$$

(iii) 맨 앞자리에 2가 오고 일의 자리에 3이 오는 경우

나머지 숫자 0, 0, 1, 2, 3을 일렬로 나열하는 경우의 수는

$$\frac{5!}{2!} = 60$$

(iv) 맨 앞자리에 3이 오고 일의 자리에 1이 오는 경우

나머지 숫자 0, 0, 2, 2, 3을 일렬로 나열하는 경우의 수는

$$\frac{5!}{2! \times 2!} = 30$$

(v) 맨 앞자리에 3이 오고 일의 자리에 3이 오는 경우

나머지 숫자 0, 0, 1, 2, 2를 일렬로 나열하는 경우의 수는

$$\frac{5!}{2! \times 2!} = 30$$

(i)~(v)에서 구하는 홀수의 개수는 $30+30+60+30+30=180$

087 답 60

홀수 1, 3, 5의 순서가 정해져 있으므로 1, 3, 5를 모두 A로 바꾸어 생각하여 A, A, A, 2, 2, 4를 일렬로 나열한 후 첫 번째, 두 번째, 세 번째 A를 각각 1, 3, 5로 바꾸면 된다.

따라서 구하는 경우의 수는 $\dfrac{6!}{3! \times 2!} = 60$

088 답 ③

(i) A 지점에서 P 지점까지 최단 거리로 가는 경우의 수는

$$\frac{4!}{2! \times 2!} = 6$$

(ii) P 지점에서 Q 지점까지 최단 거리로 가는 경우의 수는 1

(iii) Q 지점에서 B 지점까지 최단 거리로 가는 경우의 수는

$$\frac{4!}{3!} = 4$$

(i), (ii), (iii)에서 구하는 경우의 수는 $6 \times 1 \times 4 = 24$

089 답 42

오른쪽 그림과 같이 두 지점 P, Q를 잡으면 A 지점에서 B 지점까지 최단 거리로 가는 경우는

A → P → B 또는 A → Q → B

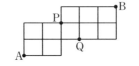

(i) A → P → B로 가는 경우의 수는

$$\frac{4!}{2! \times 2!} \times \frac{4!}{3!} = 6 \times 4 = 24$$

(ii) A → Q → B로 가는 경우의 수는

$$\left(\frac{3!}{2!} \times 1\right) \times \frac{4!}{2! \times 2!} = 3 \times 6 = 18$$

(i), (ii)에서 구하는 경우의 수는 $24+18=42$

---

001 답 ①

구하는 경우의 수는 3명의 학생에서 중복을 허용하여 9명을 택하는 중복조합의 수와 같으므로

$${}_3H_9 = {}_{11}C_9 = {}_{11}C_2 = 55$$

002 답 171

먼저 3종류의 송편을 각각 1개씩 넣고, 나머지 17개의 송편을 넣으면 된다.

따라서 구하는 경우의 수는 3종류의 송편에서 중복을 허용하여 17개를 택하는 중복조합의 수와 같으므로

$${}_3H_{17} = {}_{19}C_{17} = {}_{19}C_2 = 171$$

003 답 ③

a의 값은 3개의 문자 x, y, z에서 중복을 허용하여 8개를 택하는 중복조합의 수와 같으므로

$$a = {}_3H_8 = {}_{10}C_8 = {}_{10}C_2 = 45$$

한편 x, y, z가 모두 자연수이므로 $X=x-1$, $Y=y-1$, $Z=z-1$이라 하면 X, Y, Z는 음이 아닌 정수이다.

$x=X+1$, $y=Y+1$, $z=Z+1$을 방정식 $x+y+z=8$에 대입하면

$$(X+1)+(Y+1)+(Z+1)=8$$

$$\therefore X+Y+Z=5$$

따라서 b의 값은 방정식 $X+Y+Z=5$를 만족시키는 음이 아닌 정수 X, Y, Z의 순서쌍 (X, Y, Z)의 개수, 즉 3개의 문자 X, Y, Z에서 중복을 허용하여 5개를 택하는 중복조합의 수와 같으므로

$$b = {}_3H_5 = {}_7C_5 = {}_7C_2 = 21$$

$$\therefore a+b = 45+21 = 66$$

004 답 56

집합 Y의 원소 1, 2, 3, 4, 5, 6의 6개에서 중복을 허용하여 3개를 택하여 작은 수부터 차례대로 집합 X의 원소 -1, 0, 1에 대응시키면 되므로 구하는 함수의 개수는

$${}_6H_3 = {}_8C_3 = 56$$

005 답 3

$\left(ax^2 + \dfrac{1}{x}\right)^4$의 전개식의 일반항은

$${}_4C_r (ax^2)^{4-r} \left(\frac{1}{x}\right)^r = {}_4C_r a^{4-r} \frac{x^{8-2r}}{x^r}$$

$\dfrac{x^{8-2r}}{x^r} = x^2$에서 $8-2r-r=2$

$8-3r=2$ $\therefore r=2$

이때 x^2의 계수가 54이므로

$${}_4C_2 a^2 = 54, \quad 6a^2 = 54$$

$a^2 = 9$ $\therefore a=3$ ($\because a>0$)

---

006 답 -12

$(x+2)^3$의 전개식의 일반항은

$_3C_r x^{3-r} 2^r = _3C_r 2^r x^{3-r}$

$(x-2)^4$의 전개식의 일반항은

$_4C_s x^{4-s}(-2)^s = _4C_s(-2)^s x^{4-s}$

따라서 $(x+2)^3(x-2)^4$의 전개식의 일반항은

$_3C_r 2^r x^{3-r} \times _4C_s(-2)^s x^{4-s} = _3C_r \times _4C_s 2^r(-2)^s x^{7-r-s}$

$x^{7-r-s} = x^5$에서 $r+s=2$

이때 r, s는 $0 \le r \le 3$, $0 \le s \le 4$인 정수이므로 r, s의 순서쌍 (r, s)는

$(0, 2)$, $(1, 1)$, $(2, 0)$

따라서 x^5의 계수는

$_3C_0 \times _4C_2 \times (-2)^2 + _3C_1 \times _4C_1 \times 2^1 \times (-2)^1 + _3C_2 \times _4C_0 \times 2^2$

$= 24 + (-48) + 12 = -12$

007 답 ②

$_2C_0 + _2C_1 + _3C_2 + _4C_3 = _3C_1 + _3C_2 + _4C_3$

$\qquad\qquad\qquad\qquad = _4C_2 + _4C_3$

$\qquad\qquad\qquad\qquad = _5C_3$

$\qquad\qquad\qquad\qquad = _5C_2$

008 답 ③

$_{30}C_0 - _{30}C_1 + _{30}C_2 - _{30}C_3 + _{30}C_4 - \cdots - _{30}C_{29} + _{30}C_{30} = 0$이므로

$_{30}C_0 - (_{30}C_1 - _{30}C_2 + _{30}C_3 - _{30}C_4 + \cdots + _{30}C_{29}) + _{30}C_{30} = 0$

$\therefore _{30}C_1 - _{30}C_2 + _{30}C_3 - _{30}C_4 + \cdots + _{30}C_{29} = _{30}C_0 + _{30}C_{30}$

$\qquad\qquad\qquad\qquad\qquad\qquad\qquad = 1 + 1 = 2$

009 답 ④

$(1+x)^n = _nC_0 + _nC_1 x + _nC_2 x^2 + \cdots + _nC_n x^n$이므로 이 식의 양변에 $x=2$, $n=30$을 대입하면

$3^{30} = _{30}C_0 + _{30}C_1 \times 2 + _{30}C_2 \times 2^2 + _{30}C_3 \times 2^3 + \cdots + _{30}C_{30} \times 2^{30}$

$\therefore _{30}C_1 \times 2 + _{30}C_2 \times 2^2 + _{30}C_3 \times 2^3 + \cdots + _{30}C_{30} \times 2^{30} = 3^{30} - _{30}C_0$

$\qquad\qquad\qquad\qquad\qquad\qquad\qquad\qquad = 3^{30} - 1$

010 답 330

구하는 경우의 수는 5명의 학생에서 중복을 허용하여 7명을 택하는 중복조합의 수와 같으므로

$_5H_7 = _{11}C_7 = _{11}C_4 = 330$

011 답 ③

구하는 경우의 수는 4종류의 공에서 중복을 허용하여 9개를 택하는 중복조합의 수와 같으므로

$_4H_9 = _{12}C_9 = _{12}C_3 = 220$

012 답 ②

구하는 항의 개수는 3개의 문자 a, b, c에서 중복을 허용하여 7개를 택하는 중복조합의 수와 같으므로

$_3H_7 = _9C_7 = _9C_2 = 36$

013 답 247

a의 값은 2명의 후보에서 중복을 허용하여 8명을 택하는 중복조합의 수와 같으므로

$a = _2H_8 = _9C_8 = _9C_1 = 9$

b의 값은 2명의 후보에서 중복을 허용하여 8명을 택하는 중복순열의 수와 같으므로

$b = _2\Pi_8 = 2^8 = 256$

$\therefore b - a = 256 - 9 = 247$

014 답 22

3종류의 구슬에서 중복을 허용하여 6개를 택하는 중복조합의 수는

$_3H_6 = _8C_6 = _8C_2 = 28$

이때 노란 구슬을 4개 이상 택하는 경우의 수는 먼저 노란 구슬을 4개 택한 후 3종류의 구슬에서 중복을 허용하여 2개를 택하는 중복조합의 수와 같으므로

$_3H_2 = _4C_2 = 6$

따라서 구하는 경우의 수는

$28 - 6 = 22$

015 답 126

먼저 5종류의 과일을 각각 1개씩 사고, 나머지 5개의 과일을 사면 된다.

따라서 구하는 경우의 수는 5종류의 과일에서 중복을 허용하여 5개를 택하는 중복조합의 수와 같으므로

$_5H_5 = _9C_5 = _9C_4 = 126$

016 답 ①

먼저 펜을 두 주머니 A, B에 각각 3개씩 넣고, 주머니 C에 1개를 넣고, 나머지 8개의 펜을 나누어 넣으면 된다.

따라서 구하는 경우의 수는 3개의 주머니에서 중복을 허용하여 8개를 택하는 중복조합의 수와 같으므로

$_3H_8 = _{10}C_8 = _{10}C_2 = 45$

017 답 460

엽서 8장을 5명에게 나누어 주는 경우의 수는 5명에서 중복을 허용하여 8명을 택하는 중복조합의 수와 같으므로

$_5H_8 = _{12}C_8 = _{12}C_4 = 495$

5명 모두 적어도 한 장의 엽서를 받도록 하려면 먼저 5명에게 엽서를 한 장씩 나누어 주고, 나머지 3장을 나누어 주면 된다.

나머지 3장을 나누어 주는 경우의 수는 5명에서 중복을 허용하여 3명을 택하는 중복조합의 수와 같으므로

$_5H_3 = _7C_3 = 35$

따라서 엽서를 한 장도 받지 못하는 사람이 생기는 경우의 수는

$495 - 35 = 460$

018 답 **10**

3종류의 만두에서 중복을 허용하여 n개를 사는 경우의 수가 28이므로

$$_3H_n = {}_{n+2}C_n = {}_{n+2}C_2 = 28$$

$$\frac{(n+2)(n+1)}{2 \times 1} = 28, \ (n+2)(n+1) = 56 = 8 \times 7$$

$$\therefore n = 6 \ (\because n은 \ 자연수)$$

만두를 종류별로 적어도 한 개씩 포함하여 6개를 사려면 먼저 만두를 종류별로 각각 1개씩 사고, 나머지 3개의 만두를 사면 된다.
따라서 구하는 경우의 수는 3종류의 만두에서 중복을 허용하여 3개를 택하는 중복조합의 수와 같으므로

$$_3H_3 = {}_5C_3 = {}_5C_2 = 10$$

019 답 **504**

3명의 학생 중에서 펜 2개를 받을 1명을 택하는 경우의 수는

$$_3C_1 = 3$$

먼저 학생 A가 펜 2개를 받는 경우 두 학생 B, C가 각각 펜 1개씩 받는 경우의 수는 서로 다른 4개에서 2개를 택하는 순열의 수와 같으므로

$$_4P_2 = 12$$

이 각각에 대하여 지우개 4개를 3명의 학생에게 나누어 주는 경우의 수는 3명의 학생에서 중복을 허용하여 4명을 택하는 중복조합의 수와 같으므로

$$_3H_4 = {}_6C_4 = {}_6C_2 = 15$$

이때 펜과 지우개를 합하여 5개 이하가 되려면 학생 A가 지우개 4개를 모두 받는 경우의 수를 빼면 된다.
따라서 구하는 경우의 수는

$$3 \times 12 \times (15-1) = 504$$

020 답 **④**

a의 값은 3개의 문자 x, y, z에서 중복을 허용하여 12개를 택하는 중복조합의 수와 같으므로

$$a = {}_3H_{12} = {}_{14}C_{12} = {}_{14}C_2 = 91$$

한편 x, y, z가 모두 자연수이므로 $X = x-1$, $Y = y-1$, $Z = z-1$이라 하면 X, Y, Z는 음이 아닌 정수이다.

$x = X+1$, $y = Y+1$, $z = Z+1$을 방정식 $x+y+z=12$에 대입하면

$$(X+1)+(Y+1)+(Z+1) = 12$$

$$\therefore X+Y+Z = 9$$

따라서 b의 값은 방정식 $X+Y+Z=9$를 만족시키는 음이 아닌 정수 X, Y, Z의 순서쌍 (X, Y, Z)의 개수, 즉 3개의 문자 X, Y, Z에서 중복을 허용하여 9개를 택하는 중복조합의 수와 같으므로

$$b = {}_3H_9 = {}_{11}C_9 = {}_{11}C_2 = 55$$

$$\therefore a+b = 91+55 = 146$$

021 답 **⑤**

x, y, z, w가 음이 아닌 정수이므로 $x+y+z+w<4$에서
$x+y+z+w=0$ 또는 $x+y+z+w=1$ 또는 $x+y+z+w=2$
또는 $x+y+z+w=3$

(ⅰ) 방정식 $x+y+z+w=0$을 만족시키는 음이 아닌 정수 x, y, z, w의 순서쌍 (x, y, z, w)의 개수는 4개의 문자 x, y, z, w에서 중복을 허용하여 0개를 택하는 중복조합의 수와 같으므로

$$_4H_0 = {}_3C_0 = 1$$

(ⅱ) 방정식 $x+y+z+w=1$을 만족시키는 음이 아닌 정수 x, y, z, w의 순서쌍 (x, y, z, w)의 개수는 4개의 문자 x, y, z, w에서 중복을 허용하여 1개를 택하는 중복조합의 수와 같으므로

$$_4H_1 = {}_4C_1 = 4$$

(ⅲ) 방정식 $x+y+z+w=2$를 만족시키는 음이 아닌 정수 x, y, z, w의 순서쌍 (x, y, z, w)의 개수는 4개의 문자 x, y, z, w에서 중복을 허용하여 2개를 택하는 중복조합의 수와 같으므로

$$_4H_2 = {}_5C_2 = 10$$

(ⅳ) 방정식 $x+y+z+w=3$을 만족시키는 음이 아닌 정수 x, y, z, w의 순서쌍 (x, y, z, w)의 개수는 4개의 문자 x, y, z, w에서 중복을 허용하여 3개를 택하는 중복조합의 수와 같으므로

$$_4H_3 = {}_6C_3 = 20$$

(ⅰ)~(ⅳ)에서 구하는 순서쌍의 개수는

$$1+4+10+20 = 35$$

022 답 **105**

a, b, c가 각각 $a \geq 1$, $b \geq 2$, $c \geq 3$인 자연수이므로 $A=a-1$, $B=b-2$, $C=c-3$이라 하면 A, B, C는 음이 아닌 정수이다.
$a=A+1$, $b=B+2$, $c=C+3$을 방정식 $a+b+c=19$에 대입하면

$$(A+1)+(B+2)+(C+3) = 19$$

$$\therefore A+B+C = 13$$

따라서 구하는 순서쌍의 개수는 방정식 $A+B+C=13$을 만족시키는 음이 아닌 정수 A, B, C의 순서쌍 (A, B, C)의 개수, 즉 3개의 문자 A, B, C에서 중복을 허용하여 13개를 택하는 중복조합의 수와 같으므로

$$_3H_{13} = {}_{15}C_{13} = {}_{15}C_2 = 105$$

023 답 **②**

방정식 $x+y+z=n$을 만족시키는 음이 아닌 정수 x, y, z의 순서쌍 (x, y, z)의 개수가 36이므로

$$_3H_n = {}_{n+2}C_n = {}_{n+2}C_2 = 36$$

$$\frac{(n+2)(n+1)}{2 \times 1} = 36$$

$$(n+2)(n+1) = 72 = 9 \times 8$$

$$\therefore n = 7 \ (\because n은 \ 자연수)$$

024 답 **42**

x, y, z, w가 모두 자연수이므로 $X=x-1$, $Y=y-1$, $Z=z-1$, $W=w-1$이라 하면 X, Y, Z, W는 음이 아닌 정수이다.
$x=X+1$, $y=Y+1$, $z=Z+1$, $w=W+1$을 방정식 $x+y+z+5w=15$에 대입하면

$$(X+1)+(Y+1)+(Z+1)+5(W+1) = 15$$

$$\therefore X+Y+Z+5W = 7$$

(i) $W=0$, 즉 $X+Y+Z=7$일 때

방정식 $X+Y+Z=7$을 만족시키는 음이 아닌 정수 X, Y, Z의 순서쌍 (X, Y, Z)의 개수는 3개의 문자 X, Y, Z에서 중복을 허용하여 7개를 택하는 중복조합의 수와 같으므로

$_3H_7 = {_9C_7} = {_9C_2} = 36$

(ii) $W=1$, 즉 $X+Y+Z=2$일 때

방정식 $X+Y+Z=2$를 만족시키는 음이 아닌 정수 X, Y, Z의 순서쌍 (X, Y, Z)의 개수는 3개의 문자 X, Y, Z에서 중복을 허용하여 2개를 택하는 중복조합의 수와 같으므로

$_3H_2 = {_4C_2} = 6$

(i), (ii)에서 구하는 순서쌍의 개수는 $36+6=42$

025 답 ③

a, b, c, d의 4개 중에서 홀수가 될 2개를 정하는 경우의 수는

$_4C_2 = 6$

$a=2x+1$, $b=2y+1$, $c=2z+2$, $d=2w+2$ (x, y, z, w는 음이 아닌 정수)라 하고 이를 방정식 $a+b+c+d=12$에 대입하면

$(2x+1)+(2y+1)+(2z+2)+(2w+2)=12$

$\therefore x+y+z+w=3$

$x+y+z+w=3$을 만족시키는 음이 아닌 정수 x, y, z, w의 순서쌍 (x, y, z, w)의 개수는 4개의 문자 x, y, z, w에서 중복을 허용하여 3개를 택하는 중복조합의 수와 같으므로

$_4H_3 = {_6C_3} = 20$

따라서 구하는 순서쌍의 개수는 $6 \times 20 = 120$

026 답 ④

집합 Y의 원소 1, 2, 3, 4, 5의 5개에서 중복을 허용하여 4개를 택하여 작은 수부터 차례대로 집합 X의 원소 -3, -1, 1, 3에 대응시키면 되므로 구하는 함수의 개수는

$_5H_4 = {_8C_4} = 70$

027 답 75

$f(1) \leq f(2)$에서 $f(1)$, $f(2)$의 값을 정하는 경우의 수는 집합 Y의 원소 1, 3, 5, 7, 9의 5개에서 중복을 허용하여 2개를 택하여 작은 수부터 차례대로 집합 X의 원소 1, 2에 대응시키면 되므로 그 경우의 수는 $_5H_2 = {_6C_2} = 15$

$f(3)$의 값이 될 수 있는 수는 1, 3, 5, 7, 9의 5개

따라서 구하는 함수의 개수는 $15 \times 5 = 75$

028 답 ③

㈎에서 $f(3)=4$, $f(5)=6$이므로 ㈐에 의하여

$f(1) \leq f(2) \leq 4 \leq f(4) \leq 6$

$f(1) \leq f(2) \leq 4$에서 $f(1)$, $f(2)$의 값을 정하는 경우의 수는 집합 Y의 원소 1, 2, 3, 4의 4개에서 중복을 허용하여 2개를 택하여 작은 수부터 차례대로 집합 X의 원소 1, 2에 대응시키면 되므로 그 경우의 수는 $_4H_2 = {_5C_2} = 10$

$4 \leq f(4) \leq 6$에서 $f(4)$의 값이 될 수 있는 수는 4, 5, 6의 3개

따라서 구하는 함수의 개수는 $10 \times 3 = 30$

029 답 170

㈏에서 $f(1) \geq f(2) \geq f(3) \geq f(4)$

㈎에서 $f(2)$의 값이 짝수이므로

$f(2)=2$ 또는 $f(2)=4$ 또는 $f(2)=6$ 또는 $f(2)=8$

(i) $f(2)=2$일 때

$f(1) \geq 2$에서 $f(1)$의 값이 될 수 있는 수는 2, 3, 4, 5, 6, 7, 8의 7개

$2 \geq f(3) \geq f(4)$에서 $f(3)$, $f(4)$의 값을 정하는 경우의 수는 집합 Y의 원소 1, 2의 2개에서 중복을 허용하여 2개를 택하여 큰 수부터 차례대로 집합 X의 원소 3, 4에 대응시키면 되므로 그 경우의 수는 $_2H_2 = {_3C_2} = 3$

따라서 함수의 개수는 $7 \times 3 = 21$

(ii) $f(2)=4$일 때

$f(1) \geq 4$에서 $f(1)$의 값이 될 수 있는 수는 4, 5, 6, 7, 8의 5개

$4 \geq f(3) \geq f(4)$에서 $f(3)$, $f(4)$의 값을 정하는 경우의 수는 집합 Y의 원소 1, 2, 3, 4의 4개에서 중복을 허용하여 2개를 택하여 큰 수부터 차례대로 집합 X의 원소 3, 4에 대응시키면 되므로 그 경우의 수는 $_4H_2 = {_5C_2} = 10$

따라서 함수의 개수는 $5 \times 10 = 50$

(iii) $f(2)=6$일 때

$f(1) \geq 6$에서 $f(1)$의 값이 될 수 있는 수는 6, 7, 8의 3개

$6 \geq f(3) \geq f(4)$에서 $f(3)$, $f(4)$의 값을 정하는 경우의 수는 집합 Y의 원소 1, 2, 3, 4, 5, 6의 6개에서 중복을 허용하여 2개를 택하여 큰 수부터 차례대로 집합 X의 원소 3, 4에 대응시키면 되므로 그 경우의 수는 $_6H_2 = {_7C_2} = 21$

따라서 함수의 개수는 $3 \times 21 = 63$

(iv) $f(2)=8$일 때

$f(1) \geq 8$에서 $f(1)$의 값은 8

$8 \geq f(3) \geq f(4)$에서 $f(3)$, $f(4)$의 값을 정하는 경우의 수는 집합 Y의 원소 1, 2, 3, 4, 5, 6, 7, 8의 8개에서 중복을 허용하여 2개를 택하여 큰 수부터 차례대로 집합 X의 원소 3, 4에 대응시키면 되므로 그 경우의 수는 $_8H_2 = {_9C_2} = 36$

따라서 함수의 개수는 36

(i)~(iv)에서 구하는 함수의 개수는

$21+50+63+36=170$

030 답 2

$\left(x^2 - \dfrac{a}{x}\right)^5$의 전개식의 일반항은

$_5C_r (x^2)^{5-r} \left(-\dfrac{a}{x}\right)^r = {_5C_r}(-a)^r \dfrac{x^{10-2r}}{x^r}$

$\dfrac{x^{10-2r}}{x^r} = x^4$에서

$10-2r-r=4$, $10-3r=4$

$\therefore r=2$

x^4의 계수가 40이므로

$_5C_2 \times (-a)^2 = 40$

$10a^2 = 40$, $a^2 = 4$

$\therefore a=2$ ($\because a>0$)

031 답 ②

$(x^2-2x)^4$의 전개식의 일반항은

${}_4C_r(x^2)^{4-r}(-2x)^r={}_4C_r(-2)^r x^{8-r}$

$x^{8-r}=x^6$에서 $r=2$

따라서 x^6의 계수는 ${}_4C_2 \times (-2)^2=24$

032 답 2

$(x+ay)^7$의 전개식의 일반항은

${}_7C_r x^{7-r}(ay)^r={}_7C_r a^r x^{7-r}y^r$

$x^{7-r}y^r=x^4y^3$에서 $r=3$

x^4y^3의 계수가 280이므로

${}_7C_3 a^3=280$, $35a^3=280$

$a^3=8$ ∴ $a=2$ (∵ a는 실수)

033 답 ②

$(x+a)^{10}$의 전개식의 일반항은

${}_{10}C_r x^{10-r}a^r={}_{10}C_r a^r x^{10-r}$

$x^{10-r}=x^7$에서 $r=3$

따라서 x^7의 계수는

${}_{10}C_3 a^3=120a^3$

한편 $x^{10-r}=x^8$에서 $r=2$

따라서 x^8의 계수는

${}_{10}C_2 a^2=45a^2$

이때 x^7의 계수가 x^8의 계수의 8배이므로

$120a^3=8\times 45a^2$, $a^2(a-3)=0$

∴ $a=3$ (∵ $a>0$)

034 답 84

$(x-1)^n$의 전개식의 일반항은

${}_nC_r x^{n-r}(-1)^r={}_nC_r(-1)^r x^{n-r}$

$x^{n-r}=x^2$에서 $n-r=2$ ∴ $r=n-2$

x^2의 계수가 -36이므로

${}_nC_{n-2}(-1)^{n-2}=-36$

즉, ${}_nC_{n-2}={}_nC_2=36$, $(-1)^{n-2}=-1$에서

$\dfrac{n(n-1)}{2\times 1}=36$

$n(n-1)=72=9\times 8$

∴ $n=9$ (∵ n은 자연수)

따라서 x^3의 계수는

${}_9C_6\times(-1)^6=84$

035 답 42

$\left(x^4+\dfrac{1}{x^3}\right)^n$의 전개식의 일반항은

${}_nC_r(x^4)^{n-r}\left(\dfrac{1}{x^3}\right)^r={}_nC_r\dfrac{x^{4n-4r}}{x^{3r}}$

$\dfrac{x^{4n-4r}}{x^{3r}}=1$에서

$4n-4r=3r$ ∴ $n=\dfrac{7}{4}r$

이때 n은 자연수이므로 r는 4의 배수이어야 한다.

즉, $r=4$일 때 n이 최소이므로 최솟값은

$m=\dfrac{7}{4}\times 4=7$

이때의 상수항은

$k={}_7C_4={}_7C_3=35$

∴ $m+k=7+35=42$

036 답 ③

$(1+\sqrt{2}x)^{15}$의 전개식의 일반항은

${}_{15}C_r(\sqrt{2}x)^r={}_{15}C_r(\sqrt{2})^r x^r$

항의 계수가 유리수이려면 r가 0 또는 2의 배수이어야 한다.

이때 $0\leq r\leq 15$이므로 r의 값은 0, 2, 4, ⋯, 14의 8개이다.

따라서 계수가 유리수인 항의 개수는 8이다.

037 답 ②

$(1+x)^4$의 전개식의 일반항은

${}_4C_r x^r$

$(2-x)^5$의 전개식의 일반항은

${}_5C_s 2^{5-s}(-x)^s={}_5C_s(-1)^s 2^{5-s}x^s$

따라서 $(1+x)^4(2-x)^5$의 전개식의 일반항은

${}_4C_r x^r \times {}_5C_s(-1)^s 2^{5-s}x^s={}_4C_r\times{}_5C_s(-1)^s 2^{5-s}x^{r+s}$

$x^{r+s}=x^2$에서 $r+s=2$

이때 r, s는 $0\leq r\leq 4$, $0\leq s\leq 5$인 정수이므로 r, s의 순서쌍 (r, s)는

$(0, 2)$, $(1, 1)$, $(2, 0)$

따라서 x^2의 계수는

${}_4C_0\times{}_5C_2\times(-1)^2\times 2^3+{}_4C_1\times{}_5C_1\times(-1)^1\times 2^4+{}_4C_2\times{}_5C_0\times 2^5$

$=80+(-320)+192=-48$

038 답 160

$(1+x)(1+2x)^5=(1+2x)^5+x(1+2x)^5$

$(1+2x)^5$의 전개식의 일반항은

${}_5C_r(2x)^r={}_5C_r 2^r x^r$ ⋯⋯ ㉠

$(1+x)(1+2x)^5$의 전개식에서 x^4항은 1과 ㉠의 x^4항이 곱해진 경우, x와 ㉠의 x^3항이 곱해진 경우가 있다.

(ⅰ) 1과 ㉠의 x^4항이 곱해진 경우

$x^r=x^4$에서 $r=4$

㉠의 x^4항은

${}_5C_4\times 2^4\times x^4=5\times 16\times x^4=80x^4$

1과 ㉠의 x^4항을 곱하면

$1\times 80x^4=80x^4$

(ⅱ) x와 ㉠의 x^3항이 곱해진 경우

$x^r=x^3$에서 $r=3$

㉠의 x^3항은

${}_5C_3\times 2^3\times x^3={}_5C_2\times 2^3\times x^3=10\times 8\times x^3=80x^3$

x와 ㉠의 x^3항을 곱하면

$x\times 80x^3=80x^4$

(ⅰ), (ⅱ)에서 구하는 x^4의 계수는

$80+80=160$

039 답 ③

$$(2x^3+3)\left(x+\frac{1}{x}\right)^5=2x^3\left(x+\frac{1}{x}\right)^5+3\left(x+\frac{1}{x}\right)^5$$

$\left(x+\frac{1}{x}\right)^5$의 전개식의 일반항은

$$_5\mathrm{C}_r\,x^{5-r}\left(\frac{1}{x}\right)^r={}_5\mathrm{C}_r\frac{x^{5-r}}{x^r} \quad\cdots\cdots\ \bigcirc$$

$(2x^3+3)\left(x+\frac{1}{x}\right)^5$의 전개식에서 상수항은 $2x^3$과 $\bigcirc$의 $\frac{1}{x^3}$항이 곱해진 경우, 3과 $\bigcirc$의 상수항이 곱해진 경우가 있다.

(i) $2x^3$과 $\bigcirc$의 $\frac{1}{x^3}$항이 곱해진 경우

$\dfrac{x^{5-r}}{x^r}=\dfrac{1}{x^3}$에서 $r-(5-r)=3$

$2r-5=3$ $\quad\therefore r=4$

$\bigcirc$의 $\frac{1}{x^3}$항은

$$_5\mathrm{C}_4\times\frac{1}{x^3}={}_5\mathrm{C}_1\times\frac{1}{x^3}=\frac{5}{x^3}$$

$2x^3$과 $\bigcirc$의 $\frac{1}{x^3}$항을 곱하면

$$2x^3\times\frac{5}{x^3}=10$$

(ii) 3과 $\bigcirc$의 상수항이 곱해진 경우

$\dfrac{x^{5-r}}{x^r}=1$에서 $5-r=r$ $\quad\therefore r=\dfrac{5}{2}$

그런데 r는 $0\le r\le5$인 정수이므로 $\bigcirc$의 상수항은 존재하지 않는다.

(i), (ii)에서 구하는 상수항은 10이다.

040 답 2

$(x-a)^3$의 전개식의 일반항은

$$_3\mathrm{C}_r\,x^{3-r}(-a)^r={}_3\mathrm{C}_r(-a)^r x^{3-r}$$

$(x+2)^4$의 전개식의 일반항은

$$_4\mathrm{C}_s\,x^{4-s}2^s={}_4\mathrm{C}_s2^s x^{4-s}$$

따라서 $(x-a)^3(x+2)^4$의 전개식의 일반항은

$$_3\mathrm{C}_r(-a)^r x^{3-r}\times{}_4\mathrm{C}_s2^s x^{4-s}={}_3\mathrm{C}_r\times{}_4\mathrm{C}_s(-a)^r2^s x^{7-r-s}$$

$x^{7-r-s}=x$에서 $r+s=6$

이때 r, s는 $0\le r\le3$, $0\le s\le4$인 정수이므로 r, s의 순서쌍 $(r,\ s)$는

$(2,\ 4)$, $(3,\ 3)$

x의 계수가 -64이므로

$$_3\mathrm{C}_2\times{}_4\mathrm{C}_4\times(-a)^2\times2^4+{}_3\mathrm{C}_3\times{}_4\mathrm{C}_3\times(-a)^3\times2^3=-64$$

$$3\times a^2\times16+4\times(-a^3)\times8=-64$$

$$32a^3-48a^2-64=0$$

$$2a^3-3a^2-4=0$$

$$(a-2)(2a^2+a+2)=0$$

$\therefore a=2$ ($\because a$는 실수)

041 답 7

$(1+x)^5$의 전개식의 일반항은

$$_5\mathrm{C}_r\,x^r$$

$(1+x^2)^n$의 전개식의 일반항은

$$_n\mathrm{C}_s(x^2)^s={}_n\mathrm{C}_s\,x^{2s}$$

따라서 $(1+x)^5(1+x^2)^n$의 전개식의 일반항은

$$_5\mathrm{C}_r\,x^r\times{}_n\mathrm{C}_s\,x^{2s}={}_5\mathrm{C}_r\times{}_n\mathrm{C}_s\,x^{r+2s}$$

$x^{r+2s}=x^2$에서

$r+2s=2$

이때 r, s는 $0\le r\le5$, $0\le s\le n$인 정수이므로 r, s의 순서쌍 $(r,\ s)$는

$(0,\ 1)$, $(2,\ 0)$

x^2의 계수가 17이므로

$$_5\mathrm{C}_0\times{}_n\mathrm{C}_1+{}_5\mathrm{C}_2\times{}_n\mathrm{C}_0=17$$

$n+10=17$ $\quad\therefore n=7$

042 답 −2016

$\dfrac{(x-2)^4(3x^2+2)^3}{x}$의 전개식에서 x^4의 계수는

$(x-2)^4(3x^2+2)^3$의 전개식에서 x^5의 계수와 같다.

$(x-2)^4$의 전개식의 일반항은

$$_4\mathrm{C}_r\,x^{4-r}(-2)^r={}_4\mathrm{C}_r(-2)^r x^{4-r}$$

$(3x^2+2)^3$의 전개식의 일반항은

$$_3\mathrm{C}_s(3x^2)^{3-s}2^s={}_3\mathrm{C}_s2^s3^{3-s} x^{6-2s}$$

따라서 $(x-2)^4(3x^2+2)^3$의 전개식의 일반항은

$$_4\mathrm{C}_r(-2)^r x^{4-r}\times{}_3\mathrm{C}_s2^s3^{3-s} x^{6-2s}={}_4\mathrm{C}_r\times{}_3\mathrm{C}_s(-2)^r2^s3^{3-s} x^{10-r-2s}$$

$x^{10-r-2s}=x^5$에서

$r+2s=5$

이때 r, s는 $0\le r\le4$, $0\le s\le3$인 정수이므로 r, s의 순서쌍 $(r,\ s)$는

$(1,\ 2)$, $(3,\ 1)$

따라서 $(x-2)^4(3x^2+2)^3$의 전개식에서 x^5의 계수는

$$_4\mathrm{C}_1\times{}_3\mathrm{C}_2\times(-2)^1\times2^2\times3^1+{}_4\mathrm{C}_3\times{}_3\mathrm{C}_1\times(-2)^3\times2^1\times3^2$$

$$=4\times3\times(-2)\times4\times3+4\times3\times(-8)\times2\times9$$

$$=-288+(-1728)=-2016$$

043 답 ②

$_1\mathrm{C}_1={}_2\mathrm{C}_2$이므로

$$\begin{aligned}
_1\mathrm{C}_1+{}_2\mathrm{C}_1+{}_3\mathrm{C}_1+{}_4\mathrm{C}_1+{}_5\mathrm{C}_1&={}_2\mathrm{C}_2+{}_2\mathrm{C}_1+{}_3\mathrm{C}_1+{}_4\mathrm{C}_1+{}_5\mathrm{C}_1\\
&={}_3\mathrm{C}_2+{}_3\mathrm{C}_1+{}_4\mathrm{C}_1+{}_5\mathrm{C}_1\\
&={}_4\mathrm{C}_2+{}_4\mathrm{C}_1+{}_5\mathrm{C}_1\\
&={}_5\mathrm{C}_2+{}_5\mathrm{C}_1\\
&={}_6\mathrm{C}_2
\end{aligned}$$

044 답 ③

$_1\mathrm{C}_0={}_2\mathrm{C}_0$이므로

$$\begin{aligned}
_1\mathrm{C}_0+{}_2\mathrm{C}_1+{}_3\mathrm{C}_2+{}_4\mathrm{C}_3+\cdots+{}_{10}\mathrm{C}_9&={}_2\mathrm{C}_0+{}_2\mathrm{C}_1+{}_3\mathrm{C}_2+{}_4\mathrm{C}_3+\cdots+{}_{10}\mathrm{C}_9\\
&={}_3\mathrm{C}_1+{}_3\mathrm{C}_2+{}_4\mathrm{C}_3+\cdots+{}_{10}\mathrm{C}_9\\
&={}_4\mathrm{C}_2+{}_4\mathrm{C}_3+\cdots+{}_{10}\mathrm{C}_9\\
&\qquad\vdots\\
&={}_{10}\mathrm{C}_8+{}_{10}\mathrm{C}_9\\
&={}_{11}\mathrm{C}_9\\
&={}_{11}\mathrm{C}_2
\end{aligned}$$

045 답 251

$_5C_1+_6C_2+_7C_3+_8C_4+_9C_5=A$라 하면

$_5C_0+A=_5C_0+_5C_1+_6C_2+_7C_3+_8C_4+_9C_5$

$\qquad =_6C_1+_6C_2+_7C_3+_8C_4+_9C_5$

$\qquad =_7C_2+_7C_3+_8C_4+_9C_5$

$\qquad =_8C_3+_8C_4+_9C_5$

$\qquad =_9C_4+_9C_5=_{10}C_5=252$

$\therefore A=252-_5C_0=252-1=251$

046 답 462

$(1+x)^n$의 전개식의 일반항은 $_nC_r x^r$

$4\le n\le10$인 경우에만 x^4항이 나오므로

$(1+x)^4$의 전개식에서 x^4의 계수는 $_4C_4$

$(1+x)^5$의 전개식에서 x^4의 계수는 $_5C_4$

$(1+x)^6$의 전개식에서 x^4의 계수는 $_6C_4$

$$\vdots$$

$(1+x)^{10}$의 전개식에서 x^4의 계수는 $_{10}C_4$

따라서 구하는 x^4의 계수는

$_4C_4+_5C_4+_6C_4+_7C_4+_8C_4+_9C_4+_{10}C_4$

$=_5C_5+_5C_4+_6C_4+_7C_4+_8C_4+_9C_4+_{10}C_4$

$=_6C_5+_6C_4+_7C_4+_8C_4+_9C_4+_{10}C_4$

$=_7C_5+_7C_4+_8C_4+_9C_4+_{10}C_4$

$=_8C_5+_8C_4+_9C_4+_{10}C_4$

$=_9C_5+_9C_4+_{10}C_4$

$=_{10}C_5+_{10}C_4$

$=_{11}C_5=462$

047 답 ③

$_{20}C_0-_{20}C_1+_{20}C_2-_{20}C_3+_{20}C_4-\cdots-_{20}C_{19}+_{20}C_{20}=0$이므로

$_{20}C_0-(_{20}C_1-_{20}C_2+_{20}C_3-_{20}C_4+\cdots+_{20}C_{19})+_{20}C_{20}=0$

$\therefore _{20}C_1-_{20}C_2+_{20}C_3-_{20}C_4+\cdots+_{20}C_{19}=_{20}C_0+_{20}C_{20}$

$\qquad\qquad\qquad\qquad\qquad\qquad =1+1=2$

048 답 8

$_nC_0+_nC_1+_nC_2+_nC_3+\cdots+_nC_n=2^n$이므로

$_nC_1+_nC_2+_nC_3+\cdots+_nC_n=2^n-1$

$_nC_1+_nC_2+_nC_3+\cdots+_nC_n=255$에서

$2^n-1=255$, $2^n=256=2^8$

$\therefore n=8$

049 답 ③

$_nC_0+_nC_1+_nC_2+_nC_3+\cdots+_nC_n=2^n$이므로

$_nC_1+_nC_2+_nC_3+\cdots+_nC_n=2^n-1$

따라서 주어진 부등식은

$100<2^n-1<1000$

$\therefore 101<2^n<1001$

이때 $2^6=64$, $2^7=128$, $2^8=256$, $2^9=512$, $2^{10}=1024$이므로 주어진 부등식을 만족시키는 자연수 n은 7, 8, 9의 3개이다.

050 답 8

$_{17}C_1+_{17}C_3+_{17}C_5+\cdots+_{17}C_{17}=2^{17-1}=2^{16}$

또 $_9C_0+_9C_1+_9C_2+_9C_3+_9C_4=_9C_9+_9C_8+_9C_7+_9C_6+_9C_5$이고

$(_9C_0+_9C_1+_9C_2+_9C_3+_9C_4)+(_9C_9+_9C_8+_9C_7+_9C_6+_9C_5)=2^9$

이므로

$2(_9C_0+_9C_1+_9C_2+_9C_3+_9C_4)=2^9$

$\therefore _9C_0+_9C_1+_9C_2+_9C_3+_9C_4=2^8$

따라서 $\dfrac{_{17}C_1+_{17}C_3+_{17}C_5+\cdots+_{17}C_{17}}{_9C_0+_9C_1+_9C_2+_9C_3+_9C_4}=\dfrac{2^{16}}{2^8}=2^8$이므로

$n=8$

051 답 128

원소의 개수가 1인 부분집합의 개수는 $_8C_1$

원소의 개수가 3인 부분집합의 개수는 $_8C_3$

원소의 개수가 5인 부분집합의 개수는 $_8C_5$

원소의 개수가 7인 부분집합의 개수는 $_8C_7$

따라서 구하는 부분집합의 개수는

$_8C_1+_8C_3+_8C_5+_8C_7=2^{8-1}=2^7=128$

052 답 ①

$(1+x)^n=_nC_0+_nC_1x+_nC_2x^2+\cdots+_nC_nx^n$이므로 이 식의 양변에

$x=7$, $n=9$를 대입하면

$8^9=_9C_0+_9C_1\times7+_9C_2\times7^2+_9C_3\times7^3+\cdots+_9C_9\times7^9$

$\therefore _9C_1\times7+_9C_2\times7^2+_9C_3\times7^3+\cdots+_9C_9\times7^9=2^{27}-_9C_0$

$\qquad\qquad\qquad\qquad\qquad\qquad\qquad\qquad =2^{27}-1$

053 답 ③

$31^{50}=(1+30)^{50}$

$\qquad =_{50}C_0+_{50}C_1\times30+_{50}C_2\times30^2+\cdots+_{50}C_{50}\times30^{50}$

$\qquad =1+1500+30^2(_{50}C_2+_{50}C_3\times30+\cdots+_{50}C_{50}\times30^{48})$

이때 $30^2(_{50}C_2+_{50}C_3\times30+\cdots+_{50}C_{50}\times30^{48})$은 900으로 나누어떨어지므로 31^{50}을 900으로 나누었을 때의 나머지는 1501을 900으로 나누었을 때의 나머지와 같다.

이때 $1501=900\times1+601$이므로 31^{50}을 900으로 나누었을 때의 나머지는 601이다.

054 답 10

$11^{12}=(1+10)^{12}$

$\qquad =_{12}C_0+_{12}C_1\times10+_{12}C_2\times10^2+_{12}C_3\times10^3+\cdots+_{12}C_{12}\times10^{12}$

$\qquad =1+12\times10+66\times100+10^3(_{12}C_3+_{12}C_4\times10+\cdots+_{12}C_{12}\times10^9)$

$\qquad =6721+10^3(_{12}C_3+_{12}C_4\times10+\cdots+_{12}C_{12}\times10^9)$

이때 $10^3(_{12}C_3+_{12}C_4\times10+\cdots+_{12}C_{12}\times10^9)$은 1000으로 나누어떨어지므로 11^{12}의 백의 자리의 숫자는 7, 십의 자리의 숫자는 2, 일의 자리의 숫자는 1이다.

따라서 $a=7$, $b=2$, $c=1$이므로

$a+b+c=10$

055 답 ①

구하는 경우의 수는 서로 다른 3개에서 중복을 허용하여 7개를 택하는 중복조합의 수와 같으므로

$_3H_7 = _9C_7 = _9C_2 = 36$

056 답 ②

주어진 다항식의 전개식에서 서로 다른 항의 개수가 120이므로

$_4H_n = _{n+3}C_n = _{n+3}C_3 = 120$

$\dfrac{(n+3)(n+2)(n+1)}{3 \times 2 \times 1} = 120$

$(n+3)(n+2)(n+1) = 720 = 10 \times 9 \times 8$

$\therefore n = 7$ ($\because$ n은 자연수)

057 답 84

$2 \le a \le b \le c \le 8$을 만족시키는 자연수 a, b, c는 순서가 정해져 있고 같은 수일 수도 있으므로 2부터 8까지 7개의 자연수 중에서 중복을 허용하여 3개의 수를 택하여 크기가 작은 것부터 차례대로 a, b, c에 대응시키면 된다.

따라서 구하는 순서쌍의 개수는 2, 3, 4, 5, 6, 7, 8의 7개의 숫자에서 중복을 허용하여 3개를 택하는 중복조합의 수와 같으므로

$_7H_3 = _9C_3 = 84$

058 답 28

먼저 3명에게 공책을 각각 2권씩 나누어 주고, 나머지 6권의 공책을 나누어 주면 된다.

따라서 구하는 경우의 수는 3명에서 중복을 허용하여 6명을 택하는 중복조합의 수와 같으므로

$_3H_6 = _8C_6 = _8C_2 = 28$

059 답 ④

x, y, z, w는 모두 자연수이므로 $X = x-1$, $Y = y-1$, $Z = z-1$, $W = w-1$이라 하면 X, Y, Z, W는 음이 아닌 정수이다.

$x = X+1$, $y = Y+1$, $z = Z+1$, $w = W+1$을 부등식 $6 \le x+y+z+w \le 8$에 대입하면

$6 \le (X+1)+(Y+1)+(Z+1)+(W+1) \le 8$

$\therefore 2 \le X+Y+Z+W \le 4$

즉, $X+Y+Z+W = 2$ 또는 $X+Y+Z+W = 3$ 또는 $X+Y+Z+W = 4$

(i) 방정식 $X+Y+Z+W = 2$를 만족시키는 음이 아닌 정수 X, Y, Z, W의 순서쌍 (X, Y, Z, W)의 개수는 4개의 문자 X, Y, Z, W에서 중복을 허용하여 2개를 택하는 중복조합의 수와 같으므로

$_4H_2 = _5C_2 = 10$

(ii) 방정식 $X+Y+Z+W = 3$을 만족시키는 음이 아닌 정수 X, Y, Z, W의 순서쌍 (X, Y, Z, W)의 개수는 4개의 문자 X, Y, Z, W에서 중복을 허용하여 3개를 택하는 중복조합의 수와 같으므로

$_4H_3 = _6C_3 = 20$

(iii) 방정식 $X+Y+Z+W = 4$를 만족시키는 음이 아닌 정수 X, Y, Z, W의 순서쌍 (X, Y, Z, W)의 개수는 4개의 문자 X, Y, Z, W에서 중복을 허용하여 4개를 택하는 중복조합의 수와 같으므로

$_4H_4 = _7C_4 = _7C_3 = 35$

(i), (ii), (iii)에서 구하는 순서쌍의 개수는

$10 + 20 + 35 = 65$

060 답 39

㈏에서 $f(1) \le f(2) \le f(3) \le f(4)$

㈎에서 $f(1) = 1$인 경우와 $f(3) = 3$인 경우가 있다.

(i) $f(1) = 1$인 경우

$1 \le f(2) \le f(3) \le f(4)$에서 $f(2)$, $f(3)$, $f(4)$의 값을 정하는 경우의 수는 집합 Y의 원소 1, 3, 5, 7, 9의 5개에서 중복을 허용하여 3개를 택하여 작은 수부터 차례대로 집합 X의 원소 2, 3, 4에 대응시키면 된다.

따라서 함수의 개수는

$_5H_3 = _7C_3 = 35$

(ii) $f(3) = 3$인 경우

$f(1) \le f(2) \le 3$에서 $f(1)$, $f(2)$의 값을 정하는 경우의 수는 집합 Y의 원소 1, 3의 2개에서 중복을 허용하여 2개를 택하여 작은 수부터 차례대로 집합 X의 원소 1, 2에 대응시키면 되므로 그 경우의 수는 $_2H_2 = _3C_2 = _3C_1 = 3$

$3 \le f(4)$에서 $f(4)$의 값이 될 수 있는 수는 3, 5, 7, 9의 4개

따라서 함수의 개수는

$3 \times 4 = 12$

(iii) $f(1) = 1$, $f(3) = 3$인 경우

$1 \le f(2) \le 3$에서 $f(2)$의 값이 될 수 있는 수는 1, 3의 2개

$3 \le f(4)$에서 $f(4)$의 값이 될 수 있는 수는 3, 5, 7, 9의 4개

따라서 함수의 개수는

$2 \times 4 = 8$

(i), (ii), (iii)에서 구하는 함수의 개수는

$35 + 12 - 8 = 39$

061 답 ③

$\left(xy + \dfrac{a}{y^2}\right)^6$의 전개식의 일반항은

$_6C_r (xy)^{6-r} \left(\dfrac{a}{y^2}\right)^r = _6C_r a^r \dfrac{x^{6-r}y^{6-r}}{y^{2r}}$

$\dfrac{x^{6-r}y^{6-r}}{y^{2r}} = \dfrac{x^3}{y^3}$에서 $r = 3$

$\dfrac{x^3}{y^3}$의 계수가 20이므로

$_6C_3 \times a^3 = 20$

$20a^3 = 20$, $a^3 = 1$

$\therefore a = 1$ ($\because$ a는 실수)

$\dfrac{x^{6-r}y^{6-r}}{y^{2r}} = x^4$에서 $r = 2$

따라서 x^4의 계수는

$_6C_2 \times a^2 = 15 \times 1^2 = 15$

062 답 $\dfrac{1}{4}$

$\left(\dfrac{x}{2}+a\right)^7$의 전개식의 일반항은

$_7C_r\left(\dfrac{x}{2}\right)^{7-r}a^r=_7C_r\left(\dfrac{1}{2}\right)^{7-r}a^r x^{7-r}$

$x^{7-r}=x^4$에서 $r=3$

x^4의 계수는

$_7C_3\times\left(\dfrac{1}{2}\right)^4\times a^3=35\times\dfrac{1}{16}\times a^3=\dfrac{35}{16}a^3$

한편 $x^{7-r}=x^3$에서 $r=4$

x^3의 계수는

$_7C_4\times\left(\dfrac{1}{2}\right)^3\times a^4=35\times\dfrac{1}{8}\times a^4=\dfrac{35}{8}a^4$

이때 x^4의 계수가 x^3의 계수의 2배이므로

$\dfrac{35}{16}a^3=2\times\dfrac{35}{8}a^4$

$a^3=4a^4$, $a^3(4a-1)=0$

$\therefore a=\dfrac{1}{4}$ $(\because a>0)$

063 답 ⑤

$(ax-y)^3$의 전개식의 일반항은

$_3C_r(ax)^{3-r}(-y)^r=_3C_r(-1)^r a^{3-r}x^{3-r}y^r$

$(x+y)^4$의 전개식의 일반항은 $_4C_s x^{4-s}y^s$

따라서 $(ax-y)^3(x+y)^4$의 전개식의 일반항은

$_3C_r(-1)^r a^{3-r}x^{3-r}y^r\times _4C_s x^{4-s}y^s$

$=_3C_r\times _4C_s(-1)^r a^{3-r}x^{7-r-s}y^{r+s}$

$x^{7-r-s}y^{r+s}=xy^6$에서

$r+s=6$

이때 r, s는 $0\le r\le 3$, $0\le s\le 4$인 정수이므로 r, s의 순서쌍 (r, s)는

$(2, 4)$, $(3, 3)$

xy^6의 계수가 8이므로

$_3C_2\times _4C_4\times(-1)^2\times a^1+_3C_3\times _4C_3\times(-1)^3=8$

$3a-4=8$ $\therefore a=4$

064 답 10

$(x^2+x+1)\left(x+\dfrac{1}{x}\right)^4=x^2\left(x+\dfrac{1}{x}\right)^4+x\left(x+\dfrac{1}{x}\right)^4+\left(x+\dfrac{1}{x}\right)^4$

$\left(x+\dfrac{1}{x}\right)^4$의 전개식의 일반항은

$_4C_r x^{4-r}\left(\dfrac{1}{x}\right)^r=_4C_r\dfrac{x^{4-r}}{x^r}$ ...... ㉠

$(x^2+x+1)\left(x+\dfrac{1}{x}\right)^4$의 전개식에서 x^2항은 x^2과 ㉠의 상수항이 곱해진 경우, x와 ㉠의 x항이 곱해진 경우, 1과 ㉠의 x^2항이 곱해진 경우가 있다.

(i) x^2과 ㉠의 상수항이 곱해진 경우

$\dfrac{x^{4-r}}{x^r}=1$에서 $4-r=r$ $\therefore r=2$

㉠의 상수항은 $_4C_2=6$

x^2과 ㉠의 상수항을 곱하면 $x^2\times 6=6x^2$

(ii) x와 ㉠의 x항이 곱해진 경우

$\dfrac{x^{4-r}}{x^r}=x$에서 $4-r-r=1$ $\therefore r=\dfrac{3}{2}$

그런데 r는 $0\le r\le 4$인 정수이므로 ㉠의 x항은 존재하지 않는다.

(iii) 1과 ㉠의 x^2항이 곱해진 경우

$\dfrac{x^{4-r}}{x^r}=x^2$에서 $4-r-r=2$ $\therefore r=1$

㉠의 x^2항은 $_4C_1\times x^2=4x^2$

1과 ㉠의 x^2항을 곱하면 $1\times 4x^2=4x^2$

(i), (ii), (iii)에서 구하는 x^2의 계수는 $6+4=10$

065 답 ③

$_3C_3=_4C_4$이므로

$_3C_3+_4C_3+_5C_3+_6C_3+\cdots+_{10}C_3=_4C_4+_4C_3+_5C_3+_6C_3+\cdots+_{10}C_3$

$=_5C_4+_5C_3+_6C_3+\cdots+_{10}C_3$

$=_6C_4+_6C_3+\cdots+_{10}C_3$

$\vdots$

$=_{10}C_4+_{10}C_3=_{11}C_4$

066 답 ④

ㄱ. $_{100}C_0+_{100}C_1+_{100}C_2+\cdots+_{100}C_{99}+_{100}C_{100}=2^{100}$이고

$_{100}C_{100}=1$이므로

$_{100}C_0+_{100}C_1+_{100}C_2+\cdots+_{100}C_{99}=2^{100}-1$

ㄴ. $_6C_0-_6C_1+_6C_2-_6C_3+\cdots+_6C_6=0$

ㄷ. $_{11}C_6+_{11}C_7+_{11}C_8+\cdots+_{11}C_{11}=_{11}C_5+_{11}C_4+_{11}C_3+\cdots+_{11}C_0$이고

$(_{11}C_0+_{11}C_1+_{11}C_2+\cdots+_{11}C_5)+(_{11}C_6+_{11}C_7+_{11}C_8+\cdots+_{11}C_{11})$

$=2^{11}$

이므로 $2(_{11}C_6+_{11}C_7+_{11}C_8+\cdots+_{11}C_{11})=2^{11}$

$\therefore _{11}C_6+_{11}C_7+_{11}C_8+\cdots+_{11}C_{11}=2^{10}$

따라서 보기 중 옳은 것은 ㄱ, ㄷ이다.

067 답 5

$_{2n+1}C_1=_{2n+1}C_{2n}$, $_{2n+1}C_3=_{2n+1}C_{2n-2}$, $\cdots$, $_{2n+1}C_n=_{2n+1}C_{n+1}$

이므로 주어진 부등식의 좌변에서

$_{2n+1}C_0+_{2n+1}C_1+_{2n+1}C_2+\cdots+_{2n+1}C_n$

$=_{2n+1}C_0+_{2n+1}C_{2n}+_{2n+1}C_2+_{2n+1}C_{2n-2}+\cdots+_{2n+1}C_{n+1}$

$=_{2n+1}C_0+_{2n+1}C_2+_{2n+1}C_4+\cdots+_{2n+1}C_{2n-2}+_{2n+1}C_{2n}$

$=2^{2n+1-1}=2^{2n}$

즉, 주어진 부등식의 좌변이 2^{2n}이므로

$2^{2n}<1500$

이때 $2^{10}=1024$, $2^{11}=2048$이므로 n의 최댓값은 5이다.

068 답 ④

$(1+x)^n=_nC_0+_nC_1 x+_nC_2 x^2+\cdots+_nC_n x^n$이므로 이 식의 양변에

$x=5$, $n=8$을 대입하면

$6^8=_8C_0+_8C_1\times 5+_8C_2\times 5^2+\cdots+_8C_8\times 5^8$

$\therefore N=6^8=2^8\times 3^8$

따라서 $N=2^8\times 3^8$의 양의 약수의 개수는

$(8+1)(8+1)=81$

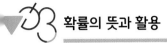

03 확률의 뜻과 활용 | 36~51쪽

001 답 ㄱ, ㄷ

$A=\{1, 2, 3\}$

ㄱ. $B=\{5\}$이므로 $A\cap B=\varnothing$

따라서 A와 B는 서로 배반사건이다.

ㄴ. $C=\{2, 4, 6\}$이므로 $A\cap C=\{2\}$

따라서 A와 C는 서로 배반사건이 아니다.

ㄷ. $D=\{4, 5\}$이므로 $A\cap D=\varnothing$

따라서 A와 D는 서로 배반사건이다.

따라서 보기 중 사건 A와 서로 배반사건인 것은 ㄱ, ㄷ이다.

002 답 ②

두 개의 주사위를 동시에 던질 때, 나오는 모든 경우의 수는

$6\times 6=36$

나오는 두 눈의 수의 곱이 홀수인 경우는 두 눈의 수가 모두 홀수이어야 하므로 그 경우의 수는

$3\times 3=9$

따라서 구하는 확률은 $\dfrac{9}{36}=\dfrac{1}{4}$

003 답 ②

answer에 있는 6개의 문자를 일렬로 나열하는 경우의 수는

$6!=720$

a와 r를 양 끝에 고정시키고 그 사이에 n, s, w, e를 일렬로 나열하는 경우의 수는 $4!=24$, a와 r끼리 자리를 바꾸는 경우의 수는 $2!=2$이므로 a와 r가 양 끝에 오는 경우의 수는

$24\times 2=48$

따라서 구하는 확률은 $\dfrac{48}{720}=\dfrac{1}{15}$

004 답 $\dfrac{1}{5}$

7명이 원탁에 둘러앉는 경우의 수는

$(7-1)!=6!=720$

여자 3명을 한 사람으로 생각하여 5명이 원탁에 둘러앉는 경우의 수는 $(5-1)!=4!=24$, 여자끼리 자리를 바꾸어 앉는 경우의 수는 $3!=6$이므로 여자끼리 이웃하게 앉는 경우의 수는

$24\times 6=144$

따라서 구하는 확률은 $\dfrac{144}{720}=\dfrac{1}{5}$

005 답 $\dfrac{1}{2}$

맨 앞자리에 올 수 있는 숫자는 2, 3, 5의 3가지이므로 만들 수 있는 다섯 자리의 자연수의 개수는

$3\times {}_4\Pi_4=3\times 4^4=768$

홀수이면 일의 자리에 올 수 있는 숫자는 3, 5의 2가지이므로 홀수의 개수는

$3\times {}_4\Pi_3\times 2=3\times 4^3\times 2=384$

따라서 구하는 확률은 $\dfrac{384}{768}=\dfrac{1}{2}$

006 답 ①

7개의 문자를 일렬로 나열하는 경우의 수는

$\dfrac{7!}{2!}=2520$

s와 t를 양 끝에 고정시키고 그 사이에 w, e, b, i, e를 일렬로 나열하는 경우의 수는 $\dfrac{5!}{2!}=60$, s와 t가 자리를 바꾸는 경우의 수는 $2!=2$이므로 s와 t가 적힌 카드가 양 끝에 오는 경우의 수는

$60\times 2=120$

따라서 구하는 확률은 $\dfrac{120}{2520}=\dfrac{1}{21}$

007 답 ④

공 5개 중에서 3개를 꺼내는 경우의 수는

${}_5C_3={}_5C_2=10$

흰 공 3개 중에서 2개, 검은 공 2개 중에서 1개를 꺼내는 경우의 수는

${}_3C_2\times {}_2C_1=3\times 2=6$

따라서 구하는 확률은 $\dfrac{6}{10}=\dfrac{3}{5}$

008 답 $\dfrac{2}{15}$

방정식 $x+y+z=8$을 만족시키는 음이 아닌 정수 x, y, z의 순서쌍 (x, y, z)의 개수는 3개의 문자 x, y, z에서 중복을 허용하여 8개를 택하는 경우의 수와 같으므로

${}_3H_8={}_{10}C_8={}_{10}C_2=45$

$y=3$이면 $x+3+z=8$에서 $x+z=5$

방정식 $x+z=5$를 만족시키는 음이 아닌 정수 x, z의 순서쌍 (x, z)의 개수는 2개의 문자 x, z에서 중복을 허용하여 5개를 택하는 경우의 수와 같으므로

${}_2H_5={}_6C_5={}_6C_1=6$

따라서 구하는 확률은 $\dfrac{6}{45}=\dfrac{2}{15}$

009 답 ㄷ

표본공간은 $\{1, 2, 3, 4, 6, 12\}$이므로

$A=\{1, 3\}$, $B=\{1\}$, $C=\{2, 3\}$

ㄱ. $A\cap B=\{1\}$이므로 A와 B는 서로 배반사건이 아니다.

ㄴ. $A\cap C=\{3\}$이므로 A와 C는 서로 배반사건이 아니다.

ㄷ. $B\cap C=\varnothing$이므로 B와 C는 서로 배반사건이다.

따라서 보기 중 서로 배반사건인 것은 ㄷ이다.

010 답 ④

표본공간은 $\{1, 2, 3, \cdots, 8\}$이므로

$A=\{1, 3, 5, 7\}$, $B=\{3, 6\}$

④ $A\cap B^C=A-B=\{1, 5, 7\}$이므로 $n(A\cap B^C)=3$

⑤ $A^C\cup B^C=(A\cap B)^C=\{1, 2, 4, 5, 6, 7, 8\}$이므로

$n(A^C\cup B^C)=7$

011 답 4

사건 A와 배반인 사건은 사건 A^C의 부분집합이고, 사건 B와 배반인 사건은 사건 B^C의 부분집합이므로 두 사건 A, B와 모두 배반인 사건은 $A^C \cap B^C$의 부분집합이다.
$A^C=\{-3, -2, 2, 3\}$, $B^C=\{-2, -1, 1, 3\}$이므로
$A^C \cap B^C=\{-2, 3\}$
따라서 구하는 사건의 개수는 집합 $\{-2, 3\}$의 부분집합의 개수와 같으므로 $2^2=4$

012 답 ④

2개의 주사위를 동시에 던질 때, 나오는 모든 경우의 수는
$6 \times 6 = 36$
나오는 두 눈의 수를 a, b라 하면 순서쌍 (a, b)에 대하여 $a+b$를 4로 나누었을 때의 나머지가 3인 경우는
(i) $a+b=3$인 경우
  $(1, 2)$, $(2, 1)$ ➡ 2가지
(ii) $a+b=7$인 경우
  $(1, 6)$, $(2, 5)$, $(3, 4)$, $(4, 3)$, $(5, 2)$, $(6, 1)$ ➡ 6가지
(iii) $a+b=11$인 경우
  $(5, 6)$, $(6, 5)$ ➡ 2가지
(i), (ii), (iii)에서 두 눈의 수의 합을 4로 나누었을 때의 나머지가 3인 경우의 수는
$2+6+2=10$
따라서 구하는 확률은 $\dfrac{10}{36}=\dfrac{5}{18}$

013 답 $\dfrac{1}{4}$

집합 A의 부분집합의 개수는
$2^6=64$
집합 A의 부분집합 중에서 원소 5, 7을 모두 포함하는 부분집합의 개수는
$2^{6-2}=2^4=16$
따라서 구하는 확률은 $\dfrac{16}{64}=\dfrac{1}{4}$

014 답 $\dfrac{3}{4}$

$360=2^3 \times 3^2 \times 5$이므로 360의 양의 약수의 개수는
$(3+1)(2+1)(1+1)=24$
짝수는 2를 소인수로 가지므로 360의 양의 약수 중에서 짝수의 개수는 $2^2 \times 3^2 \times 5$의 양의 약수의 개수와 같다.
즉, 360의 양의 약수 중에서 짝수의 개수는
$(2+1)(2+1)(1+1)=18$
따라서 구하는 확률은 $\dfrac{18}{24}=\dfrac{3}{4}$

015 답 $\dfrac{14}{25}$

나오는 모든 경우의 수는
$5 \times 5 = 25$

방정식 $ax^2+bx+1=0$의 판별식을 D라 하면 이 방정식이 실근을 가질 조건은
$D=b^2-4a \geq 0$ $\therefore 4a \leq b^2$
이 부등식을 만족시키는 경우는
(i) $a=1$일 때, $b=3, 5, 7, 9$ ➡ 4가지
(ii) $a=3$일 때, $b=5, 7, 9$ ➡ 3가지
(iii) $a=5$일 때, $b=5, 7, 9$ ➡ 3가지
(iv) $a=7$일 때, $b=7, 9$ ➡ 2가지
(v) $a=9$일 때, $b=7, 9$ ➡ 2가지
(i)~(v)에서 주어진 이차방정식이 실근을 갖는 경우의 수는
$4+3+3+2+2=14$
따라서 구하는 확률은 $\dfrac{14}{25}$

016 답 $\dfrac{1}{7}$

7명이 일렬로 서는 경우의 수는
$7!=5040$
3명의 남학생 중에서 2명이 양 끝에 서는 경우의 수는 $_3P_2=6$, 나머지 남학생 1명과 여학생 4명이 일렬로 서는 경우의 수는 $5!=120$이므로 양 끝에 남학생이 서는 경우의 수는
$6 \times 120 = 720$
따라서 구하는 확률은 $\dfrac{720}{5040}=\dfrac{1}{7}$

017 답 $\dfrac{1}{5}$

만들 수 있는 다섯 자리의 자연수의 개수는
$5!=120$
5의 배수이면 일의 자리에 올 수 있는 숫자가 5뿐이므로 5의 배수의 개수는
$4!=24$
따라서 구하는 확률은 $\dfrac{24}{120}=\dfrac{1}{5}$

018 답 ①

5명을 탑승하는 순서대로 일렬로 세우는 경우의 수는
$5!=120$
부부를 한 사람으로 생각하여 4명을 일렬로 세우는 경우의 수는 $4!=24$, 부부끼리 순서를 바꾸는 경우의 수는 $2!=2$이므로 부부가 연이어 탑승하는 경우의 수는
$24 \times 2 = 48$
따라서 구하는 확률은 $\dfrac{48}{120}=\dfrac{2}{5}$

019 답 $\dfrac{11}{20}$

만들 수 있는 네 자리의 자연수의 개수는
$_5P_4=120$
만들 수 있는 자연수가 3200보다 큰 경우는 32□□, 34□□, 35□□, 4□□□, 5□□□ 꼴이다.

(i) 32□□, 34□□, 35□□ 꼴의 자연수의 개수는

$3 \times {}_3P_2 = 18$

(ii) 4□□□ 꼴의 자연수의 개수는

${}_4P_3 = 24$

(iii) 5□□□ 꼴의 자연수의 개수는

${}_4P_3 = 24$

(i), (ii), (iii)에서 3200보다 큰 자연수의 개수는

$18 + 24 + 24 = 66$

따라서 구하는 확률은 $\dfrac{66}{120} = \dfrac{11}{20}$

020 답 ④

4명이 일렬로 서는 경우의 수는 $4! = 24$

키가 작은 학생부터 차례대로 A, B, C, D라 하면 앞에서 두 번째 자리에 서는 학생이 이웃한 두 학생보다 키가 큰 경우는

(i) 키가 가장 큰 D가 두 번째 자리에 서는 경우

나머지 자리에는 어느 학생이 서도 되므로 그 경우의 수는

$3! = 6$

(ii) 키가 두 번째로 큰 C가 두 번째 자리에 서는 경우

D와 C는 이웃하여 설 수 없으므로 D는 네 번째 자리에만 설 수 있다.

나머지 두 자리에 A, B가 서는 경우의 수는

$2! = 2$

(i), (ii)에서 앞에서 두 번째 학생이 이웃한 두 학생보다 키가 크도록 서는 경우의 수는

$6 + 2 = 8$

따라서 구하는 확률은 $\dfrac{8}{24} = \dfrac{1}{3}$

021 답 ②

6명이 원탁에 둘러앉는 경우의 수는

$(6-1)! = 5! = 120$

각 부부를 한 사람으로 생각하여 3명이 원탁에 둘러앉는 경우의 수는 $(3-1)! = 2! = 2$, 각 부부끼리 자리를 바꾸어 앉는 경우의 수는 $2! \times 2! \times 2! = 8$이므로 부부끼리 이웃하게 앉는 경우의 수는

$2 \times 8 = 16$

따라서 구하는 확률은 $\dfrac{16}{120} = \dfrac{2}{15}$

022 답 $\dfrac{1}{5}$

7개의 숫자를 원형으로 배열하는 경우의 수는

$(7-1)! = 6! = 720$

홀수 4개를 원형으로 배열하는 경우의 수는 $(4-1)! = 3! = 6$, 홀수 사이사이의 4개의 자리에서 3개를 택하여 짝수를 배열하는 경우의 수는 ${}_4P_3 = 24$이므로 짝수끼리 이웃하지 않게 배열하는 경우의 수는

$6 \times 24 = 144$

따라서 구하는 확률은 $\dfrac{144}{720} = \dfrac{1}{5}$

023 답 ①

6명이 원탁에 둘러앉는 경우의 수는

$(6-1)! = 5! = 120$

여자 3명이 원탁에 둘러앉는 경우의 수는 $(3-1)! = 2! = 2$, 여자 사이사이의 3개의 자리에 남자 3명이 앉는 경우의 수는 ${}_3P_3 = 3! = 6$ 이므로 여자와 남자가 교대로 앉는 경우의 수는

$2 \times 6 = 12$

따라서 구하는 확률은 $\dfrac{12}{120} = \dfrac{1}{10}$

024 답 $\dfrac{1}{5}$

6개의 영역에 6가지 색을 칠하는 경우의 수는

$(6-1)! = 5! = 120$

노란색을 칠한 맞은편에 보라색을 칠하고 나머지 4가지 색을 4개의 영역에 칠하는 경우의 수는

${}_4P_4 = 4! = 24$

따라서 구하는 확률은 $\dfrac{24}{120} = \dfrac{1}{5}$

025 답 ③

맨 앞자리에 올 수 있는 숫자는 1, 2, 3, 4의 4가지이므로 만들 수 있는 여섯 자리의 자연수의 개수는

$4 \times {}_5\Pi_5 = 4 \times 5^5 = 12500$

짝수이면 일의 자리에 올 수 있는 숫자는 0, 2, 4의 3가지이므로 짝수의 개수는

$4 \times {}_5\Pi_4 \times 3 = 4 \times 5^4 \times 3 = 7500$

따라서 구하는 확률은 $\dfrac{7500}{12500} = \dfrac{3}{5}$

026 답 $\dfrac{3}{8}$

X에서 Y로의 함수 f의 개수는 ${}_4\Pi_3 = 4^3 = 64$

X에서 Y로의 일대일함수 f의 개수는 ${}_4P_3 = 24$

따라서 구하는 확률은 $\dfrac{24}{64} = \dfrac{3}{8}$

027 답 ③

만들 수 있는 네 자리의 자연수의 개수는

${}_3\Pi_4 = 3^4 = 81$

만들 수 있는 자연수가 2200보다 큰 경우는 22□□, 23□□, 3□□□ 꼴이다.

(i) 22□□, 23□□ 꼴의 자연수의 개수는

$2 \times {}_3\Pi_2 = 2 \times 3^2 = 18$

(ii) 3□□□ 꼴의 자연수의 개수는

${}_3\Pi_3 = 3^3 = 27$

(i), (ii)에서 2200보다 큰 자연수의 개수는

$18 + 27 = 45$

따라서 네 자리의 자연수가 2200보다 클 확률은 $\dfrac{45}{81} = \dfrac{5}{9}$이므로

$p = 9$, $q = 5$ ∴ $p + q = 14$

028 답 $\dfrac{5}{32}$

4명의 학생에게 서로 다른 연필 5자루를 나누어 주는 경우의 수는

$_4\Pi_5 = 4^5 = 1024$

연필 5자루 중에서 2자루를 택하여 A와 B에게 먼저 1자루씩 나누어 주고, 2명의 학생 C, D에게 나머지 연필 3자루를 나누어 주는 경우의 수는

$_5P_2 \times _2\Pi_3 = 20 \times 2^3 = 160$

따라서 구하는 확률은 $\dfrac{160}{1024} = \dfrac{5}{32}$

029 답 $\dfrac{1}{7}$

brother에 있는 7개의 문자를 일렬로 나열하는 경우의 수는

$\dfrac{7!}{2!} = 2520$

자음 b, r, r, t, h를 한 문자 B로 생각하여 B, o, e를 일렬로 나열하는 경우의 수는 $3! = 6$, 자음 b, r, r, t, h끼리 자리를 바꾸는 경우의 수는 $\dfrac{5!}{2!} = 60$이므로 자음끼리 이웃하는 경우의 수는

$6 \times 60 = 360$

따라서 구하는 확률은 $\dfrac{360}{2520} = \dfrac{1}{7}$

030 답 $\dfrac{1}{3}$

여섯 개의 숫자를 일렬로 나열하는 경우의 수는

$\dfrac{6!}{3! \times 2!} = 60$

맨 앞에 2를 놓고 나머지 숫자 1, 1, 1, 2, 3을 일렬로 나열하는 경우의 수는

$\dfrac{5!}{3!} = 20$

따라서 구하는 확률은 $\dfrac{20}{60} = \dfrac{1}{3}$

031 답 $\dfrac{18}{35}$

A 지점에서 B 지점까지 최단 거리로 가는 경우의 수는

$\dfrac{7!}{4! \times 3!} = 35$

A 지점에서 P 지점을 거쳐 B 지점까지 최단 거리로 가는 경우의 수는

$\dfrac{4!}{2! \times 2!} \times \dfrac{3!}{2!} = 6 \times 3 = 18$

따라서 구하는 확률은 $\dfrac{18}{35}$

032 답 $\dfrac{1}{9}$

X에서 X로의 함수 f의 개수는 $_3\Pi_3 = 3^3 = 27$

$f(1) + f(2) + f(3) = 8$인 경우의 수는 2, 3, 3을 일렬로 나열하는 경우의 수와 같으므로

$\dfrac{3!}{2!} = 3$

따라서 구하는 확률은 $\dfrac{3}{27} = \dfrac{1}{9}$

033 답 ④

만들 수 있는 여섯 자리의 자연수의 개수는

$_2\Pi_6 = 2^6 = 64$

여섯 자리의 자연수의 각 자리의 숫자를 a, b, c, d, e, f라 할 때 3의 배수이려면 $a+b+c+d+e+f$가 3의 배수이어야 한다.

(ⅰ) $a+b+c+d+e+f = 6$인 경우
$a=b=c=d=e=f=1$ ➡ 1가지

(ⅱ) $a+b+c+d+e+f = 9$인 경우
$1+1+1+2+2+2=9$이므로 3개의 숫자 1과 3개의 숫자 2를 일렬로 나열하는 경우의 수는
$\dfrac{6!}{3! \times 3!} = 20$

(ⅲ) $a+b+c+d+e+f = 12$인 경우
$a=b=c=d=e=f=2$ ➡ 1가지

(ⅰ), (ⅱ), (ⅲ)에서 3의 배수의 개수는

$1+20+1 = 22$

따라서 구하는 확률은 $\dfrac{22}{64} = \dfrac{11}{32}$

034 답 ④

7개의 공 중에서 2개를 꺼내는 경우의 수는

$_7C_2 = 21$

흰 공 4개 중에서 1개, 검은 공 3개 중에서 1개를 꺼내는 경우의 수는

$_4C_1 \times _3C_1 = 12$

따라서 구하는 확률은 $\dfrac{12}{21} = \dfrac{4}{7}$

035 답 $\dfrac{4}{15}$

6명 중에서 4명을 뽑는 경우의 수는

$_6C_4 = _6C_2 = 15$

A는 포함되고 B는 포함되지 않을 경우의 수는 A, B를 제외한 나머지 4명의 학생 중에서 3명을 뽑고 A를 포함시키는 경우의 수와 같으므로

$_4C_3 = _4C_1 = 4$

따라서 구하는 확률은 $\dfrac{4}{15}$

036 답 $\dfrac{3}{14}$

집합 A의 부분집합의 개수는 $2^3 = 8$이므로 8개의 부분집합 중에서 2개를 택하는 경우의 수는

$_8C_2 = 28$

두 집합이 모두 집합 $\{b, c\}$의 부분집합인 경우의 수는 $\{b, c\}$의 부분집합 4개 중에서 2개를 택하는 경우의 수와 같으므로

$_4C_2 = 6$

따라서 구하는 확률은 $\dfrac{6}{28} = \dfrac{3}{14}$

037 답 ①

남학생의 수를 x라 하면 여학생의 수는 $10-x$이므로

$\dfrac{{}_x\mathrm{C}_1 \times {}_{10-x}\mathrm{C}_1}{{}_{10}\mathrm{C}_2} = \dfrac{8}{15}$, $\dfrac{x(10-x)}{45} = \dfrac{8}{15}$

$x^2 - 10x + 24 = 0$, $(x-4)(x-6) = 0$

$\therefore x = 4$ 또는 $x = 6$

따라서 남학생이 4명, 여학생이 6명 또는 남학생이 6명, 여학생이 4명이므로 구하는 학생 수의 차는 2이다.

038 답 ④

8개의 공 중에서 3개를 꺼내는 경우의 수는

${}_8\mathrm{C}_3 = 56$

가장 작은 수가 3인 경우의 수는 3이 적힌 공을 꺼내고, 4, 5, 6, 7, 8이 적힌 공 5개 중에서 2개를 꺼내는 경우의 수와 같으므로

$1 \times {}_5\mathrm{C}_2 = 10$

따라서 구하는 확률은 $\dfrac{10}{56} = \dfrac{5}{28}$

039 답 $\dfrac{3}{7}$

8개의 점 중에서 3개를 택하여 만들 수 있는 삼각형의 개수는

${}_8\mathrm{C}_3 = 56$

이등변삼각형이 되는 경우를 모양에 따라 나누어 생각하면

(i) 오른쪽 그림과 같이 점 A를 꼭짓점으로 하면서 ∠A가 둔각인 이등변삼각형 ABH와 합동인 삼각형은 나머지 점 B, $\cdots$, 점 H에 대하여 존재하므로 한 내각이 둔각인 이등변삼각형의 개수는 8

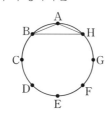

(ii) 오른쪽 그림과 같이 점 A를 꼭짓점으로 하면서 ∠A가 90°인 이등변삼각형 ACG와 합동인 삼각형은 나머지 점 B, $\cdots$, 점 H에 대하여 존재하므로 한 내각이 직각인 이등변삼각형의 개수는 8

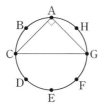

(iii) 오른쪽 그림과 같이 점 A를 꼭짓점으로 하면서 ∠A가 예각인 이등변삼각형 ADF와 합동인 삼각형은 나머지 점 B, $\cdots$, 점 H에 대하여 존재하므로 세 내각이 모두 예각인 이등변삼각형의 개수는 8

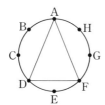

(i), (ii), (iii)에서 이등변삼각형의 개수는

$8 + 8 + 8 = 24$

따라서 구하는 확률은 $\dfrac{24}{56} = \dfrac{3}{7}$

040 답 $\dfrac{7}{12}$

방정식 $x + y + z = 7$을 만족시키는 음이 아닌 정수 x, y, z의 순서쌍 (x, y, z)의 개수는 3개의 문자 x, y, z에서 중복을 허용하여 7개를 택하는 경우의 수와 같으므로

${}_3\mathrm{H}_7 = {}_9\mathrm{C}_7 = {}_9\mathrm{C}_2 = 36$

$x \geq 2$인 경우는 먼저 x를 2개 택하고, 3개의 문자 x, y, z에서 중복을 허용하여 나머지 5개를 택하는 경우의 수와 같으므로

${}_3\mathrm{H}_5 = {}_7\mathrm{C}_5 = {}_7\mathrm{C}_2 = 21$

따라서 구하는 확률은 $\dfrac{21}{36} = \dfrac{7}{12}$

041 답 $\dfrac{1}{13}$

4명의 학생에게 음료수 12병을 나누어 주는 경우의 수는

${}_4\mathrm{H}_{12} = {}_{15}\mathrm{C}_{12} = {}_{15}\mathrm{C}_3 = 455$

모든 학생이 2병 이상 받으려면 먼저 모든 학생에게 2병씩 나누어 주고, 나머지 4병을 4명의 학생에게 나누어 주면 되므로 그 경우의 수는

${}_4\mathrm{H}_4 = {}_7\mathrm{C}_4 = {}_7\mathrm{C}_3 = 35$

따라서 구하는 확률은 $\dfrac{35}{455} = \dfrac{1}{13}$

042 답 $\dfrac{10}{21}$

3개의 숫자에서 중복을 허용하여 5개를 택하여 곱하는 경우의 수는

${}_3\mathrm{H}_5 = {}_7\mathrm{C}_5 = {}_7\mathrm{C}_2 = 21$

곱한 결과가 10의 배수이려면 2, 5는 반드시 뽑아야 하므로 3개의 숫자에서 나머지 3개를 택하는 경우의 수는

${}_3\mathrm{H}_3 = {}_5\mathrm{C}_3 = {}_5\mathrm{C}_2 = 10$

따라서 구하는 확률은 $\dfrac{10}{21}$

043 답 ③

함수 f의 개수는 ${}_4\Pi_3 = 4^3 = 64$

$i < j$이면 $f(i) \leq f(j)$에서 $f(1) \leq f(2) \leq f(3)$

이를 만족시키는 함수 f는 집합 B의 원소 1, 2, 3, 4의 4개에서 중복을 허용하여 3개를 택하여 작은 수부터 차례대로 집합 A의 원소 1, 2, 3에 대응시키면 되므로 함수 f의 개수는

${}_4\mathrm{H}_3 = {}_6\mathrm{C}_3 = 20$

따라서 구하는 확률은 $\dfrac{20}{64} = \dfrac{5}{16}$

044 답 $\dfrac{35}{216}$

한 개의 주사위를 3번 던져서 나오는 모든 경우의 수는

$6 \times 6 \times 6 = 216$

(i) $a_1 \leq a_2 \leq a_3$인 경우

6개의 숫자에서 중복을 허용하여 3개를 택하여 작은 수부터 차례대로 a_1, a_2, a_3에 대응시키면 되므로 그 경우의 수는

${}_6\mathrm{H}_3 = {}_8\mathrm{C}_3 = 56$

(ii) $a_1 \leq a_2 = a_3$인 경우

6개의 숫자에서 중복을 허용하여 2개를 택하여 작은 수부터 차례대로 a_1, a_2에 대응시키면 되므로 그 경우의 수는

${}_6\mathrm{H}_2 = {}_7\mathrm{C}_2 = 21$

(i), (ii)에서 $a_1 \leq a_2 < a_3$인 경우의 수는

$56 - 21 = 35$

따라서 구하는 확률은 $\dfrac{35}{216}$

045 답 3

주머니 속에 들어 있는 빨간 공의 개수를 n이라 하면 2개의 공이 모두 빨간 공일 확률이 $\frac{1}{7}$이므로

$$\frac{{}_n\mathrm{C}_2}{{}_7\mathrm{C}_2}=\frac{1}{7}, \quad \frac{n(n-1)}{42}=\frac{1}{7}$$

$n(n-1)=6=3\times2$ $\quad\therefore n=3$ ($\because n$은 자연수)

따라서 주머니 속에 들어 있는 빨간 공의 개수는 3이다.

046 답 $\frac{3}{4}$

오른쪽 그림과 같이 선분 AB를 지름으로 하는 반원을 그리면 반원 위의 점 P에 대하여 삼각형 PAB는 직각삼각형이므로 삼각형 PAB가 예각삼각형이려면 점 P가 색칠한 부분에 있어야 한다.

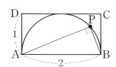

따라서 삼각형 PAB가 예각삼각형일 확률은

$$\frac{(\text{색칠한 부분의 넓이})}{(\square\text{ABCD의 넓이})}=\frac{2-\frac{1}{2}\pi}{2}=1-\frac{1}{4}\pi$$

따라서 $p=1$, $q=-\frac{1}{4}$이므로

$$p+q=\frac{3}{4}$$

047 답 ㄴ, ㄷ

ㄱ. [반례] $\mathrm{P}(A)=\frac{3}{4}$, $\mathrm{P}(B)=\frac{3}{4}$이면

$\mathrm{P}(A)+\mathrm{P}(B)=\frac{3}{2}$이므로 $\mathrm{P}(A)+\mathrm{P}(B)>1$

ㄴ. $0\le\mathrm{P}(A)\le1$, $0\le\mathrm{P}(B)\le1$이므로 $0\le\mathrm{P}(A)\mathrm{P}(B)\le1$

ㄷ. $\varnothing\subset(A\cup B)\subset S$이므로 $0\le\mathrm{P}(A\cup B)\le1$

따라서 보기 중 옳은 것은 ㄴ, ㄷ이다.

048 답 ①

$\mathrm{P}(A^c\cap B^c)=\mathrm{P}((A\cup B)^c)=1-\mathrm{P}(A\cup B)$이므로

$\frac{1}{2}=1-\mathrm{P}(A\cup B)$ $\quad\therefore \mathrm{P}(A\cup B)=\frac{1}{2}$

$\therefore \mathrm{P}(A\cap B)=\mathrm{P}(A)+\mathrm{P}(B)-\mathrm{P}(A\cup B)$

$$=\frac{1}{5}+\frac{2}{5}-\frac{1}{2}=\frac{1}{10}$$

049 답 ②

4의 배수가 적힌 카드를 뽑는 사건을 A, 6의 배수가 적힌 카드를 뽑는 사건을 B라 하면 $A\cap B$는 12의 배수가 적힌 카드를 뽑는 사건이므로

$$\mathrm{P}(A)=\frac{25}{100}=\frac{1}{4}, \quad \mathrm{P}(B)=\frac{16}{100}=\frac{4}{25}, \quad \mathrm{P}(A\cap B)=\frac{8}{100}=\frac{2}{25}$$

따라서 구하는 확률은

$\mathrm{P}(A\cup B)=\mathrm{P}(A)+\mathrm{P}(B)-\mathrm{P}(A\cap B)$

$$=\frac{1}{4}+\frac{4}{25}-\frac{2}{25}=\frac{33}{100}$$

050 답 $\frac{22}{35}$

파란 공이 1개만 나오는 사건을 A, 하나도 나오지 않는 사건을 B라 하자.

A는 파란 공 3개 중에서 1개, 빨간 공 4개 중에서 2개를 꺼내는 사건이므로

$$\mathrm{P}(A)=\frac{{}_3\mathrm{C}_1\times{}_4\mathrm{C}_2}{{}_7\mathrm{C}_3}=\frac{18}{35}$$

B는 빨간 공 4개 중에서 3개를 꺼내는 사건이므로

$$\mathrm{P}(B)=\frac{{}_4\mathrm{C}_3}{{}_7\mathrm{C}_3}=\frac{4}{35}$$

A와 B는 서로 배반사건이므로 구하는 확률은

$\mathrm{P}(A\cup B)=\mathrm{P}(A)+\mathrm{P}(B)$

$$=\frac{18}{35}+\frac{4}{35}=\frac{22}{35}$$

051 답 $\frac{9}{20}$

뽑은 2개의 제비 중에서 적어도 1개가 당첨 제비인 사건을 A라 하면 A^c은 당첨 제비가 아닌 제비만 2개 뽑는 사건이므로

$$\mathrm{P}(A^c)=\frac{{}_{12}\mathrm{C}_2}{{}_{16}\mathrm{C}_2}=\frac{66}{120}=\frac{11}{20}$$

따라서 구하는 확률은

$$\mathrm{P}(A)=1-\mathrm{P}(A^c)=1-\frac{11}{20}=\frac{9}{20}$$

052 답 ②

5개의 동전 중에서 뒷면이 2개 이상 나오는 사건을 A라 하면 A^c은 5개의 동전 중에서 뒷면이 0개 또는 1개 나오는 사건이므로

$$\mathrm{P}(A^c)=\frac{1+5}{2^5}=\frac{6}{32}=\frac{3}{16}$$

따라서 구하는 확률은

$$\mathrm{P}(A)=1-\mathrm{P}(A^c)=1-\frac{3}{16}=\frac{13}{16}$$

053 답 ②

주머니 속에 들어 있는 노란 구슬의 개수를 n이라 하면 2개의 구슬이 모두 노란 구슬일 확률이 $\frac{2}{10}=\frac{1}{5}$이므로

$$\frac{{}_n\mathrm{C}_2}{{}_{15}\mathrm{C}_2}=\frac{1}{5}, \quad \frac{n(n-1)}{210}=\frac{1}{5}$$

$n(n-1)=42=7\times6$ $\quad\therefore n=7$ ($\because n$은 자연수)

따라서 주머니 속에 들어 있는 노란 구슬의 개수는 7이다.

054 답 $\frac{4}{25}$

A 공장에서 생산한 장난감이 불량품일 확률은

$$a=\frac{5}{2000}=\frac{1}{400}$$

B 공장에서 생산한 장난감이 불량품일 확률은

$$b=\frac{2}{5000}=\frac{1}{2500}$$

$$\therefore \frac{b}{a}=\frac{\frac{1}{2500}}{\frac{1}{400}}=\frac{4}{25}$$

055 답 $\frac{5}{12}$

전체 학생 수는

$300+150+180+90=720$(명)

혈액형이 A형인 학생이 300명이므로 구하는 확률은

$$\frac{300}{720}=\frac{5}{12}$$

056 답 $\frac{\pi}{8}$

오른쪽 그림과 같이 선분 AB를 지름으로 하는 반원을 그리면 반원 위의 점 P에 대하여 삼각형 PAB는 직각삼각형이므로 삼각형 PAB가 둔각삼각형이려면 점 P가 색칠한 부분에 있어야 한다.

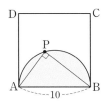

따라서 구하는 확률은

$$\frac{(색칠한\ 반원의\ 넓이)}{(\square ABCD의\ 넓이)}=\frac{\dfrac{25}{2}\pi}{100}=\frac{\pi}{8}$$

057 답 $\frac{5}{16}$

반지름의 길이가 4인 원의 넓이는 16π

색칠한 부분의 넓이는 $9\pi-4\pi=5\pi$

따라서 구하는 확률은

$$\frac{5\pi}{16\pi}=\frac{5}{16}$$

058 답 ⑤

이차방정식 $x^2-6ax+6a=0$의 판별식을 D라 할 때, 이 방정식이 실근을 가지려면

$$\frac{D}{4}=9a^2-6a\geq0,\ 3a(3a-2)\geq0$$

$\therefore a\leq0$ 또는 $a\geq\dfrac{2}{3}$

그런데 $-2\leq a\leq3$이므로 오른쪽 그림에서 구하는 확률은

$$\frac{\{0-(-2)\}+\left(3-\dfrac{2}{3}\right)}{3-(-2)}=\frac{13}{15}$$

059 답 ㄱ, ㄴ, ㄷ

ㄱ. $0\leq P(A)\leq1$, $0\leq P(B)\leq1$이므로

　$-1\leq P(A)-P(B)\leq1$

ㄴ. $A\subset(A\cup B)$이므로

　$P(A)\leq P(A\cup B)$

ㄷ. $0\leq P(A)\leq1$, $0\leq P(B)\leq1$이므로

　$0\leq P(A)P(B)\leq1$

　이때 $P(S)=1$이므로

　$P(A)P(B)\leq P(S)$

따라서 보기 중 옳은 것은 ㄱ, ㄴ, ㄷ이다.

060 답 ①

ㄱ. $P(S)=1$, $P(\varnothing)=0$이므로 $P(S)-P(\varnothing)=1$

ㄴ. [반례] $S=\{1, 2, 3, 4, 5\}$, $A=\{1, 2, 3, 4\}$, $B=\{4, 5\}$이면

　$A\cup B=S$이지만 $P(A)+P(B)=\dfrac{4}{5}+\dfrac{2}{5}=\dfrac{6}{5}\neq1$

ㄷ. [반례] $S=\{1, 2, 3, 4, 5, 6\}$, $A=\{3, 6\}$, $B=\{1, 2, 3, 6\}$

　이면 $P(A)+P(B)=\dfrac{2}{6}+\dfrac{4}{6}=1$이지만 $A\cap B=\{3, 6\}\neq\varnothing$

　이므로 두 사건 A, B는 서로 배반사건이 아니다.

따라서 보기 중 옳은 것은 ㄱ이다.

061 답 $\frac{4}{5}$

$P(A^c\cup B^c)=P((A\cap B)^c)=1-P(A\cap B)$이므로

$\dfrac{3}{5}=1-P(A\cap B)$ 　　$\therefore P(A\cap B)=\dfrac{2}{5}$

$\therefore P(A\cup B)=P(A)+P(B)-P(A\cap B)$

$$=\frac{1}{2}+\frac{7}{10}-\frac{2}{5}=\frac{4}{5}$$

062 답 $\frac{1}{2}$

A와 B가 서로 배반사건이므로 $P(A\cup B)=P(A)+P(B)$에서

$\dfrac{2}{3}=P(A)+\dfrac{1}{3}P(A)$, $\dfrac{4}{3}P(A)=\dfrac{2}{3}$

$\therefore P(A)=\dfrac{1}{2}$

063 답 ①

$P(A\cup B)-P(A\cap B)=P(A\cap B^c)+P(A^c\cap B)$

$$=\frac{1}{3}+\frac{1}{4}=\frac{7}{12}$$

이때 A와 B가 서로 배반사건이면 $P(A\cap B)=0$이므로

$P(A\cup B)=\dfrac{7}{12}$

$\therefore P(A^c\cap B^c)=P((A\cup B)^c)=1-P(A\cup B)$

$$=1-\frac{7}{12}=\frac{5}{12}$$

다른 풀이 A와 B가 서로 배반사건이면 $A\cap B=\varnothing$이므로

$A\cap B^c=A$, $A^c\cap B=B$

$\therefore P(A\cap B^c)=P(A)=\dfrac{1}{3}$, $P(A^c\cap B)=P(B)=\dfrac{1}{4}$

$P(A\cup B)=P(A)+P(B)$에서 $P(A\cup B)=\dfrac{1}{3}+\dfrac{1}{4}=\dfrac{7}{12}$

$\therefore P(A^c\cap B^c)=P((A\cup B)^c)=1-P(A\cup B)$

$$=1-\frac{7}{12}=\frac{5}{12}$$

064 답 ②

$P(A)=\dfrac{5}{2}P(A\cap B)$, $P(B)=3P(A\cap B)$이므로

$P(A\cup B)=P(A)+P(B)-P(A\cap B)$

$$=\frac{5}{2}P(A\cap B)+3P(A\cap B)-P(A\cap B)$$

$$=\frac{9}{2}P(A\cap B)$$

$\therefore \dfrac{P(A\cap B)}{P(A\cup B)}=\dfrac{2}{9}$

065 답 $\dfrac{13}{10}$

$P(A\cup B)=P(A)+P(B)-P(A\cap B)$에서

$P(A\cap B)=P(A)+P(B)-P(A\cup B)$

$\qquad\quad=\dfrac{3}{4}+\dfrac{4}{5}-P(A\cup B)$

$\qquad\quad=\dfrac{31}{20}-P(A\cup B)$

이므로 $P(A\cup B)$가 최소일 때 $P(A\cap B)$가 최대이고,

$P(A\cup B)$가 최대일 때 $P(A\cap B)$가 최소이다.

이때 $P(A\cup B)\geq P(A)$, $P(A\cup B)\geq P(B)$, $P(A\cup B)\leq1$이므로

$P(A\cup B)\geq\dfrac{3}{4}$, $P(A\cup B)\geq\dfrac{4}{5}$, $P(A\cup B)\leq1$

즉, $\dfrac{4}{5}\leq P(A\cup B)\leq1$이므로

$-1\leq-P(A\cup B)\leq-\dfrac{4}{5}$ $\quad\therefore\dfrac{11}{20}\leq\dfrac{31}{20}-P(A\cup B)\leq\dfrac{3}{4}$

따라서 $M=\dfrac{3}{4}$, $m=\dfrac{11}{20}$이므로 $M+m=\dfrac{13}{10}$

066 답 $\dfrac{3}{5}$

2의 배수가 적힌 카드가 나오는 사건을 A, 5의 배수가 적힌 카드가 나오는 사건을 B라 하면 $A\cap B$는 10의 배수인 사건이므로

$P(A)=\dfrac{15}{30}=\dfrac{1}{2}$, $P(B)=\dfrac{6}{30}=\dfrac{1}{5}$, $P(A\cap B)=\dfrac{3}{30}=\dfrac{1}{10}$

따라서 구하는 확률은

$P(A\cup B)=P(A)+P(B)-P(A\cap B)$

$\qquad\qquad=\dfrac{1}{2}+\dfrac{1}{5}-\dfrac{1}{10}=\dfrac{3}{5}$

067 답 ⑤

미술을 좋아하는 학생을 택하는 사건을 A, 음악을 좋아하는 학생을 택하는 사건을 B라 하면

$P(A)=0.55$, $P(B)=0.3$, $P(A\cap B)=\dfrac{24}{120}=0.2$

따라서 구하는 확률은

$P(A\cup B)=P(A)+P(B)-P(A\cap B)$

$\qquad\qquad=0.55+0.3-0.2=0.65$

068 답 $\dfrac{13}{28}$

꺼낸 2개의 공 중에서 1개가 3이 적힌 공인 사건을 A, 4가 적힌 공인 사건을 B라 하면

$P(A)=\dfrac{1\times{}_7C_1}{{}_8C_2}=\dfrac{7}{28}=\dfrac{1}{4}$, $P(B)=\dfrac{1\times{}_7C_1}{{}_8C_2}=\dfrac{7}{28}=\dfrac{1}{4}$,

$P(A\cap B)=\dfrac{1\times1}{{}_8C_2}=\dfrac{1}{28}$

따라서 구하는 확률은

$P(A\cup B)=P(A)+P(B)-P(A\cap B)$

$\qquad\qquad=\dfrac{1}{4}+\dfrac{1}{4}-\dfrac{1}{28}=\dfrac{13}{28}$

069 답 $\dfrac{11}{48}$

두 주머니에서 각각 한 개씩 공을 꺼내는 경우의 수는

${}_6C_1\times{}_8C_1=48$

두 공에 적힌 수의 합이 12 이상인 사건을 A, 6의 배수인 사건을 B라 하자.

이때 공에 적힌 두 수를 a, b라 하면 순서쌍 (a,b)에 대하여

$A=\{(4,8),(5,7),(5,8),(6,6),(6,7),(6,8)\}$,

$B=\{(1,5),(2,4),(3,3),(4,2),(5,1),(4,8),(5,7),(6,6)\}$,

$A\cap B=\{(4,8),(5,7),(6,6)\}$이므로

$P(A)=\dfrac{6}{48}=\dfrac{1}{8}$, $P(B)=\dfrac{8}{48}=\dfrac{1}{6}$, $P(A\cap B)=\dfrac{3}{48}=\dfrac{1}{16}$

따라서 구하는 확률은

$P(A\cup B)=P(A)+P(B)-P(A\cap B)$

$\qquad\qquad=\dfrac{1}{8}+\dfrac{1}{6}-\dfrac{1}{16}=\dfrac{11}{48}$

070 답 ④

꺼낸 2개의 공이 모두 흰색인 사건을 A, 모두 검은색인 사건을 B라 하자.

A는 흰 공 4개 중에서 2개를 꺼내는 사건이므로

$P(A)=\dfrac{{}_4C_2}{{}_9C_2}=\dfrac{6}{36}=\dfrac{1}{6}$

B는 검은 공 5개 중에서 2개를 꺼내는 사건이므로

$P(B)=\dfrac{{}_5C_2}{{}_9C_2}=\dfrac{10}{36}=\dfrac{5}{18}$

A와 B는 서로 배반사건이므로 구하는 확률은

$P(A\cup B)=P(A)+P(B)$

$\qquad\qquad=\dfrac{1}{6}+\dfrac{5}{18}=\dfrac{4}{9}$

071 답 $\dfrac{1}{4}$

선생님 1명이 맨 앞에 서는 사건을 A, 맨 뒤에 서는 사건을 B라 하자.

A는 학생 7명을 선생님 뒤에 일렬로 나열하는 사건이므로

$P(A)=\dfrac{7!}{8!}=\dfrac{1}{8}$

B는 학생 7명을 선생님 앞에 일렬로 나열하는 사건이므로

$P(B)=\dfrac{7!}{8!}=\dfrac{1}{8}$

A와 B는 서로 배반사건이므로 구하는 확률은

$P(A\cup B)=P(A)+P(B)$

$\qquad\qquad=\dfrac{1}{8}+\dfrac{1}{8}=\dfrac{1}{4}$

072 답 $\dfrac{1}{4}$

서로 다른 두 개의 주사위를 동시에 던질 때 나오는 모든 경우의 수는 $6\times6=36$

두 눈의 수의 합이 5인 사건을 A, 8인 사건을 B라 하자.

이때 나오는 두 눈의 수를 a, b라 하면 순서쌍 (a, b)에 대하여
$A=\{(1, 4), (2, 3), (3, 2), (4, 1)\}$,
$B=\{(2, 6), (3, 5), (4, 4), (5, 3), (6, 2)\}$이므로
$P(A)=\dfrac{4}{36}=\dfrac{1}{9}$, $P(B)=\dfrac{5}{36}$
A와 B는 서로 배반사건이므로 구하는 확률은
$$P(A\cup B)=P(A)+P(B)$$
$$=\dfrac{1}{9}+\dfrac{5}{36}=\dfrac{1}{4}$$

073 답 $\dfrac{5}{14}$

남학생이 여학생보다 많으려면 5명의 학생 중에서 남학생이 3명
또는 4명이어야 한다.
남학생이 3명인 사건을 A, 4명인 사건을 B라 하면
$$P(A)=\dfrac{{}_4C_3\times{}_5C_2}{{}_9C_5}=\dfrac{40}{126}=\dfrac{20}{63}$$
$$P(B)=\dfrac{{}_4C_4\times{}_5C_1}{{}_9C_5}=\dfrac{5}{126}$$
A와 B는 서로 배반사건이므로 구하는 확률은
$$P(A\cup B)=P(A)+P(B)$$
$$=\dfrac{20}{63}+\dfrac{5}{126}=\dfrac{5}{14}$$

074 답 ④

15개의 공 중에서 3의 배수가 적힌 공은 3, 6, 9, 12, 15의 5개이
므로 3의 배수가 아닌 수가 적힌 공은 10개이다.
꺼낸 2개의 공 중에서 적어도 1개가 3의 배수가 적힌 공인 사건을
A라 하면 A^c은 2개 모두 3의 배수가 아닌 수가 적힌 공인 사건이
므로
$$P(A^c)=\dfrac{{}_{10}C_2}{{}_{15}C_2}=\dfrac{45}{105}=\dfrac{3}{7}$$
따라서 구하는 확률은
$$P(A)=1-P(A^c)=1-\dfrac{3}{7}=\dfrac{4}{7}$$

075 답 $\dfrac{3}{5}$

6명이 원탁에 둘러앉는 경우의 수는
$(6-1)!=5!=120$
어린이 사이에 적어도 1명의 어른이 앉는 사건을 A라 하면 A^c은
어린이끼리 이웃하게 앉는 사건이다.
어린이를 한 사람으로 생각하여 5명이 원탁에 둘러앉는 경우의 수
는 $(5-1)!=4!=24$, 어린이끼리 자리를 바꾸어 앉는 경우의 수
는 $2!=2$이므로 어린이끼리 이웃하게 앉는 경우의 수는
$24\times2=48$
$$\therefore P(A^c)=\dfrac{48}{120}=\dfrac{2}{5}$$
따라서 구하는 확률은
$$P(A)=1-P(A^c)=1-\dfrac{2}{5}=\dfrac{3}{5}$$

076 답 $\dfrac{61}{125}$

함숫값이 2인 원소가 집합 X에 적어도 1개 있는 함수인 사건을
A라 하면 A^c은 함숫값이 2인 원소가 집합 X에 없는 함수인 사건
이므로
$$P(A^c)=\dfrac{{}_4\Pi_3}{{}_5\Pi_3}=\dfrac{4^3}{5^3}=\dfrac{64}{125}$$
따라서 구하는 확률은
$$P(A)=1-P(A^c)=1-\dfrac{64}{125}=\dfrac{61}{125}$$

077 답 7

$(n+3)$개의 공 중에서 2개의 공을 꺼낼 때, 적어도 1개가 흰 공인
사건을 A라 하면 A^c은 2개 모두 검은 공인 사건이므로
$$P(A^c)=\dfrac{{}_3C_2}{{}_{n+3}C_2}=\dfrac{6}{(n+3)(n+2)}$$
$P(A)=1-P(A^c)$에서
$$P(A^c)=1-P(A)=1-\dfrac{14}{15}=\dfrac{1}{15}$$이므로
$$\dfrac{6}{(n+3)(n+2)}=\dfrac{1}{15}$$
$(n+3)(n+2)=90=10\times9$
$\therefore n=7$ ($\because n$은 자연수)

078 답 $\dfrac{31}{32}$

서로 다른 6개의 동전을 동시에 던질 때, 나오는 모든 경우의 수
는 $2\times2\times2\times2\times2=64$
앞면이 나온 동전의 개수와 뒷면이 나온 동전의 개수의 차가 4 이
하인 사건을 A라 하면 A^c은 앞면이 나온 동전의 개수와 뒷면이
나온 동전의 개수의 차가 5 이상인 사건이다.
이때 동전의 개수의 차는 5가 될 수 없으므로 A^c은 개수의 차가
6, 즉 모두 앞면만 나오거나 모두 뒷면만 나오는 사건이다.
$$\therefore P(A^c)=\dfrac{1+1}{64}=\dfrac{2}{64}=\dfrac{1}{32}$$
따라서 구하는 확률은
$$P(A)=1-P(A^c)=1-\dfrac{1}{32}=\dfrac{31}{32}$$

079 답 ④

서로 다른 두 개의 주사위를 동시에 던질 때, 나오는 모든 경우의
수는 $6\times6=36$
나오는 두 눈의 수의 곱이 4의 배수가 아닌 사건을 A라 하면 A^c
은 곱이 4의 배수인 사건이다.
이때 나오는 두 눈의 수를 a, b라 하면 순서쌍 (a, b)에 대하여
ab가 4의 배수인 경우는
$(1, 4), (2, 2), (2, 4), (2, 6), (3, 4), (4, 1), (4, 2), (4, 3),$
$(4, 4), (4, 5), (4, 6), (5, 4), (6, 2), (6, 4), (6, 6)$ ➡ 15가지
$$\therefore P(A^c)=\dfrac{15}{36}=\dfrac{5}{12}$$
따라서 구하는 확률은
$$P(A)=1-P(A^c)=1-\dfrac{5}{12}=\dfrac{7}{12}$$

080 답 $\dfrac{65}{84}$

꺼낸 동전의 금액의 합이 200원 미만인 사건을 A라 하면 A^c은 금액의 합이 200원 이상인 사건이다.

A^c은 100원짜리 동전 2개와 다른 동전 1개를 꺼내거나 100원짜리 동전 1개와 50원짜리 동전 2개를 꺼내는 사건이므로

$$\mathrm{P}(A^c)=\frac{{}_2\mathrm{C}_2\times{}_7\mathrm{C}_1+{}_2\mathrm{C}_1\times{}_4\mathrm{C}_2}{{}_9\mathrm{C}_3}=\frac{19}{84}$$

따라서 구하는 확률은

$$\mathrm{P}(A)=1-\mathrm{P}(A^c)=1-\frac{19}{84}=\frac{65}{84}$$

081 답 $\dfrac{4}{9}$

한 개의 주사위를 3번 던질 때, 나오는 모든 경우의 수는

$$6\times6\times6=216$$

x, y, z가 $(x-y)(y-z)(z-x)=0$을 만족시키는 사건을 A라 하면 A^c은 $(x-y)(y-z)(z-x)\neq0$, 즉 $x\neq y$, $y\neq z$, $z\neq x$를 만족시키는 사건이다. 즉, A^c은 주사위의 눈의 수가 모두 다른 사건이므로

$$\mathrm{P}(A^c)=\frac{{}_6\mathrm{P}_3}{216}=\frac{120}{216}=\frac{5}{9}$$

따라서 구하는 확률은

$$\mathrm{P}(A)=1-\mathrm{P}(A^c)=1-\frac{5}{9}=\frac{4}{9}$$

082 답 ⑤

$A=\{2,\ 8,\ 10\}$, $B=\{2,\ 3,\ 5,\ 7\}$, $C=\{3,\ 9\}$

① $n(A)=3$

② $A\cap B=\{2\}$이므로 A와 B는 서로 배반사건이 아니다.

③ $A\cap C=\varnothing$이므로 A와 C는 서로 배반사건이다.

④ $B\cap C=\{3\}$이므로 B와 C는 서로 배반사건이 아니다.

⑤ $C^c=\{2,\ 5,\ 7,\ 8,\ 10\}$이므로 $A\subset C^c$

083 답 $\dfrac{1}{12}$

한 개의 주사위를 2번 던질 때, 나오는 모든 경우의 수는

$$6\times6=36$$

두 직선 $ax+2y=2$, $x-by=5$가 서로 수직이므로

$$a-2b=0\qquad\therefore\ a=2b$$

$a=2b$를 만족시키는 a, b의 순서쌍 $(a,\ b)$는

$(2,\ 1)$, $(4,\ 2)$, $(6,\ 3)$ ➡ 3가지

따라서 구하는 확률은 $\dfrac{3}{36}=\dfrac{1}{12}$

084 답 $\dfrac{5}{8}$

만의 자리에 올 수 있는 숫자는 1, 2, 3, 4의 4가지이므로 만들 수 있는 다섯 자리의 자연수의 개수는

$$4\times4!=96$$

짝수이면 일의 자리에 올 수 있는 숫자는 0, 2, 4이다.

(ⅰ) 일의 자리에 0이 오는 경우
나머지 자리에는 4개의 숫자를 일렬로 나열하면 되므로 자연수의 개수는 $4!=24$

(ⅱ) 일의 자리에 2가 오는 경우
만의 자리에 올 수 있는 숫자는 1, 3, 4의 3가지이고, 나머지 자리에는 3개의 숫자를 일렬로 나열하면 되므로 자연수의 개수는 $3\times3!=18$

(ⅲ) 일의 자리에 4가 오는 경우
만의 자리에 올 수 있는 숫자는 1, 2, 3의 3가지이고, 나머지 자리에는 3개의 숫자를 일렬로 나열하면 되므로 자연수의 개수는 $3\times3!=18$

(ⅰ), (ⅱ), (ⅲ)에서 짝수의 개수는

$$24+18+18=60$$

따라서 구하는 확률은 $\dfrac{60}{96}=\dfrac{5}{8}$

085 답 $\dfrac{3}{5}$

6명이 원탁에 둘러앉는 경우의 수는

$$(6-1)!=5!=120$$

남학생 4명이 원탁에 둘러앉는 경우의 수는 $(4-1)!=3!=6$, 남학생 4명 사이사이에 여학생 2명을 앉히는 경우의 수는 ${}_4\mathrm{P}_2=12$이므로 여학생끼리 이웃하지 않게 앉는 경우의 수는

$$6\times12=72$$

따라서 구하는 확률은 $\dfrac{72}{120}=\dfrac{3}{5}$

086 답 $\dfrac{24}{125}$

5개의 숫자에서 중복을 허용하여 4개를 택하여 만들 수 있는 네 자리의 자연수의 개수는

$${}_5\Pi_4=5^4=625$$

각 자리의 숫자가 모두 다르려면 5개의 숫자 중에서 서로 다른 4개를 택하여 자연수를 만들어야 하므로 자연수의 개수는

$${}_5\mathrm{P}_4=120$$

따라서 구하는 확률은 $\dfrac{120}{625}=\dfrac{24}{125}$

087 답 ③

X에서 X로의 함수의 개수는

$${}_4\Pi_4=4^4=256$$

치역의 모든 원소의 곱이 홀수인 함수의 개수는 치역의 원소가 모두 홀수인 함수, 즉 집합 X에서 집합 $\{3,\ 5\}$로의 함수의 개수와 같으므로

$${}_2\Pi_4=2^4=16$$

따라서 구하는 확률은 $\dfrac{16}{256}=\dfrac{1}{16}$

088 답 ①

destiny에 있는 7개의 문자를 일렬로 나열하는 경우의 수는

$$7!=5040$$

t, s, y를 같은 문자 T로 생각하여 d, e, T, i, n, T를 일렬로
나열한 후 첫 번째 T를 y로, 두 번째 T를 t로, 세 번째 T를 s로
바꾸면 되므로 그 경우의 수는

$$\frac{7!}{3!}=840$$

따라서 구하는 확률은 $\dfrac{840}{5040}=\dfrac{1}{6}$

089 답 $\dfrac{1}{10}$

5장의 카드 중에서 3장을 뽑는 경우의 수는

$_5C_3=_5C_2=10$

카드에 적힌 세 숫자의 곱이 홀수인 경우는 세 숫자가 모두 홀수
인 경우이므로 1, 3, 5가 적힌 카드를 뽑는 1가지이다.

따라서 구하는 확률은 $\dfrac{1}{10}$

090 답 $\dfrac{11}{63}$

9장의 카드 중에서 4장을 꺼내는 경우의 수는

$_9C_4=126$

꺼낸 카드에 적힌 수 중에서 가장 작은 수를 a, 가장 큰 수를 b라
할 때, $a+b$가 9인 경우는 다음과 같다.

(i) $a=1$, $b=8$인 경우

나머지 2장은 2, 3, 4, 5, 6, 7이 적힌 카드 중에서 꺼내야 하
므로 그 경우의 수는

$_6C_2=15$

(ii) $a=2$, $b=7$인 경우

나머지 2장은 3, 4, 5, 6이 적힌 카드 중에서 꺼내야 하므로 그
경우의 수는

$_4C_2=6$

(iii) $a=3$, $b=6$인 경우

나머지 2장은 4, 5가 적힌 카드 중에서 꺼내야 하므로 그 경우
의 수는

$_2C_2=1$

(i), (ii), (iii)에서 가장 큰 수와 가장 작은 수의 합이 9인 경우의 수
는

$15+6+1=22$

따라서 구하는 확률은 $\dfrac{22}{126}=\dfrac{11}{63}$

091 답 ⑤

한 개의 주사위를 네 번 던질 때, 나오는 모든 경우의 수는

$6\times6\times6\times6=1296$

네 점의 위치가 오른쪽 그림과 같을 때
선분 OA와 선분 BC가 만날 수 있으므
로 $0\le a-c\le a$, $b-d\le0\le b$이어야
한다.

$0\le a-c\le a$에서 $a\ge c$

$b-d\le0\le b$에서 $b\le d$

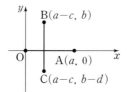

$a\ge c$인 경우는 6개의 숫자에서 중복을 허용하여 2개를 택한 후
큰 수부터 차례대로 a, c에 대응시키면 되므로 그 경우의 수는

$_6H_2=_7C_2=21$

$b\le d$인 경우도 마찬가지이므로 그 경우의 수는

$_6H_2=_7C_2=21$

따라서 구하는 확률은 $\dfrac{21\times21}{1296}=\dfrac{49}{144}$

092 답 7

흰 바둑돌의 개수를 n이라 하면 검은 바둑돌의 개수는 $10-n$이고,
서로 다른 색의 바둑돌이 나올 확률이 $\dfrac{7}{15}$이므로

$$\frac{_nC_1\times_{10-n}C_1}{_{10}C_2}=\frac{7}{15}, \quad \frac{n(10-n)}{45}=\frac{7}{15}$$

$n(10-n)=21$, $n^2-10n+21=0$

$(n-3)(n-7)=0$ ∴ $n=3$ 또는 $n=7$

이때 흰 바둑돌이 검은 바둑돌보다 많이 들어 있으므로 흰 바둑돌
의 개수는 7이다.

093 답 ①

오른쪽 그림에서 삼각형 PAO가 직각삼
각형이려면 선분 AO를 지름으로 하는
반원 위에 점 P가 있거나 ∠BOC=90°인
점 C를 잡을 때 선분 OC 위에 점 P가 있
어야 한다.

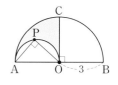

따라서 삼각형 PAO가 예각삼각형이 되려면 점 P가 색칠한 부분
에 있어야 하므로 구하는 확률은

$$\frac{(\text{색칠한 부분의 넓이})}{(\overline{AB}\text{를 지름으로 하는 반원의 넓이})}=\frac{\frac{9}{4}\pi-\frac{9}{8}\pi}{\frac{9}{2}\pi}=\frac{1}{4}$$

094 답 ③

ㄱ. 두 사건 A, B가 서로 배반사건이면 $A\cap B=\varnothing$이므로

$P(A\cup B)=P(A)+P(B)$

ㄴ. $\varnothing\subset(A\cap B)\subset S$이므로 $0\le P(A\cap B)\le1$

ㄷ. [반례] $S=\{1, 2, 3\}$, $A=\{1, 2\}$, $B=\{2, 3\}$이면

$A-B=\{1\}$

이때 $P(A)=\dfrac{2}{3}$, $P(B)=\dfrac{2}{3}$, $P(A-B)=\dfrac{1}{3}$이므로

$P(A-B)>P(A)-P(B)$

따라서 보기 중 옳은 것은 ㄱ, ㄴ이다.

095 답 $\dfrac{3}{8}$

$P(A)=P(A\cap B)+P(A\cap B^c)=\dfrac{1}{4}+\dfrac{3}{8}=\dfrac{5}{8}$

∴ $P(A^c)=1-P(A)=1-\dfrac{5}{8}=\dfrac{3}{8}$

096 답 $\frac{3}{10}$

$P(B)=2\times\frac{3}{10}=\frac{3}{5}$이므로 $P(B^c)=1-P(B)=1-\frac{3}{5}=\frac{2}{5}$

A와 B^c이 서로 배반사건이므로

$P(A\cup B^c)=P(A)+P(B^c)=\frac{3}{10}+\frac{2}{5}=\frac{7}{10}$

$\therefore P(B\cap A^c)=P((A\cup B^c)^c)=1-P(A\cup B^c)$

$\qquad\qquad\qquad =1-\frac{7}{10}=\frac{3}{10}$

다른 풀이 A와 B^c은 서로 배반사건이므로

$A\cap B^c=\varnothing$ $\qquad\therefore A\subset B$

이때 $P(A)=\frac{3}{10}$, $P(B)=\frac{3}{5}$이므로

$P(B\cap A^c)=P(B)-P(A)=\frac{3}{5}-\frac{3}{10}=\frac{3}{10}$

097 답 ①

$12x^2-7nx+n^2=0$을 풀면

$(4x-n)(3x-n)=0$ $\qquad\therefore x=\frac{n}{4}$ 또는 $x=\frac{n}{3}$

이때 이차방정식이 정수해를 가지려면 자연수 n이 4의 배수 또는 3의 배수이어야 한다.

n이 4의 배수인 사건을 A, 3의 배수인 사건을 B라 하면 $A\cap B$는 12의 배수인 사건이므로

$P(A)=\frac{5}{20}=\frac{1}{4}$, $P(B)=\frac{6}{20}=\frac{3}{10}$, $P(A\cap B)=\frac{1}{20}$

따라서 구하는 확률은

$P(A\cup B)=P(A)+P(B)-P(A\cap B)$

$\qquad\qquad =\frac{1}{4}+\frac{3}{10}-\frac{1}{20}=\frac{1}{2}$

098 답 ④

6개의 문자를 일렬로 나열하는 경우의 수는

$\frac{6!}{2!\times 3!}=60$

2개의 b가 이웃하는 사건을 A, 3개의 c가 모두 이웃하는 사건을 B라 하자.

A는 2개의 b를 하나의 문자로 생각하여 일렬로 나열하는 사건이므로 그 경우의 수는

$\frac{5!}{3!}=20$ $\qquad\therefore P(A)=\frac{20}{60}=\frac{1}{3}$

B는 3개의 c를 하나의 문자로 생각하여 일렬로 나열하는 사건이므로 그 경우의 수는

$\frac{4!}{2!}=12$ $\qquad\therefore P(B)=\frac{12}{60}=\frac{1}{5}$

$A\cap B$는 2개의 b를 하나의 문자로, 3개의 c를 또 다른 하나의 문자로 생각하여 일렬로 나열하는 사건이므로 그 경우의 수는

$3!=6$ $\qquad\therefore P(A\cap B)=\frac{6}{60}=\frac{1}{10}$

따라서 구하는 확률은

$P(A\cup B)=P(A)+P(B)-P(A\cap B)$

$\qquad\qquad =\frac{1}{3}+\frac{1}{5}-\frac{1}{10}=\frac{13}{30}$

099 답 $\frac{1}{7}$

뽑힌 2명 모두 1학년 학생인 사건을 A, 2학년 학생인 사건을 B라 하자.

A는 1학년 학생 2명을 모두 뽑는 사건이므로

$P(A)=\frac{{}_2C_2}{{}_8C_2}=\frac{1}{28}$

B는 2학년 학생 3명 중에서 2명을 뽑는 사건이므로

$P(B)=\frac{{}_3C_2}{{}_8C_2}=\frac{3}{28}$

A와 B는 서로 배반사건이므로 구하는 확률은

$P(A\cup B)=P(A)+P(B)=\frac{1}{28}+\frac{3}{28}=\frac{1}{7}$

100 답 6

집합 X의 원소 중에서 정수의 개수를 k라 하자.

택한 3개의 원소 중에서 적어도 1개는 정수인 사건을 A라 하면 A^c은 모두 정수가 아닌 사건이므로

$P(A^c)=\frac{{}_{10-k}C_3}{{}_{10}C_3}=\frac{{}_{10-k}C_3}{120}$

이때 $P(A)=\frac{29}{30}$이므로 $P(A^c)=1-\frac{29}{30}=\frac{1}{30}$에서

$\frac{{}_{10-k}C_3}{120}=\frac{1}{30}$, ${}_{10-k}C_3=4$

$\frac{(10-k)(9-k)(8-k)}{3\times 2\times 1}=4$

$(10-k)(9-k)(8-k)=4\times 3\times 2$

$\therefore k=6$ ($\because$ k는 자연수)

101 답 $\frac{21}{32}$

집합 X의 부분집합의 개수는 $2^6=64$

택한 부분집합의 원소의 개수가 3 이상인 사건을 A라 하면 A^c은 부분집합의 원소의 개수가 2 이하인 사건이다.

A^c은 집합 X의 원소 6개 중에서 0개를 택하거나 1개를 택하거나 2개를 택하여 만든 부분집합인 사건이므로

$P(A^c)=\frac{{}_6C_0+{}_6C_1+{}_6C_2}{64}=\frac{11}{32}$

따라서 구하는 확률은

$P(A)=1-P(A^c)=1-\frac{11}{32}=\frac{21}{32}$

102 답 ②

뽑은 공에 적힌 수가 3의 배수 사건을 A, 5의 배수 사건을 B라 하면 $A\cap B$는 15의 배수인 사건이므로

$P(A)=\frac{6}{20}=\frac{3}{10}$, $P(B)=\frac{4}{20}=\frac{1}{5}$, $P(A\cap B)=\frac{1}{20}$

$\therefore P(A\cup B)=P(A)+P(B)-P(A\cap B)$

$\qquad\qquad\quad =\frac{3}{10}+\frac{1}{5}-\frac{1}{20}=\frac{9}{20}$

따라서 구하는 확률은

$P(A^c\cap B^c)=P((A\cup B)^c)=1-P(A\cup B)$

$\qquad\qquad\qquad =1-\frac{9}{20}=\frac{11}{20}$

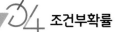

001 답 ①

$P(A^c \cap B^c) = P((A \cup B)^c) = 1 - P(A \cup B) = \dfrac{2}{5}$이므로

$P(A \cup B) = \dfrac{3}{5}$

$P(A \cup B) = P(A) + P(B) - P(A \cap B)$이므로

$\dfrac{3}{5} = \dfrac{1}{5} + \dfrac{1}{2} - P(A \cap B)$

$\therefore P(A \cap B) = \dfrac{1}{10}$

$\therefore P(B|A) = \dfrac{P(A \cap B)}{P(A)} = \dfrac{\frac{1}{10}}{\frac{1}{5}} = \dfrac{1}{2}$

002 답 $\dfrac{15}{26}$

택한 한 명이 여학생인 사건을 A, 담양을 선호하는 학생인 사건을 B라 하면

$P(A) = \dfrac{26}{60} = \dfrac{13}{30}$, $P(A \cap B) = \dfrac{15}{60} = \dfrac{1}{4}$

따라서 구하는 확률은

$P(B|A) = \dfrac{P(A \cap B)}{P(A)} = \dfrac{\frac{1}{4}}{\frac{13}{30}} = \dfrac{15}{26}$

003 답 $\dfrac{5}{14}$

첫 번째로 꺼낸 공이 흰 공인 사건을 A, 두 번째로 꺼낸 공이 흰 공인 사건을 B라 하면

$P(A) = \dfrac{5}{8}$, $P(B|A) = \dfrac{4}{7}$

따라서 구하는 확률은

$P(A \cap B) = P(A)P(B|A) = \dfrac{5}{8} \times \dfrac{4}{7} = \dfrac{5}{14}$

004 답 ③

이 야구팀이 낮에 열리는 경기를 하는 사건을 A, 경기에서 이기는 사건을 B라 하면

$P(A) = \dfrac{1}{5} = 0.2$, $P(A^c) = 1 - 0.2 = 0.8$

$P(B|A) = 0.5$, $P(B|A^c) = 0.6$

$\therefore P(A \cap B) = P(A)P(B|A) = 0.2 \times 0.5 = 0.1$,

$\quad P(A^c \cap B) = P(A^c)P(B|A^c) = 0.8 \times 0.6 = 0.48$

따라서 구하는 확률은

$P(B) = P(A \cap B) + P(A^c \cap B) = 0.1 + 0.48 = 0.58$

005 답 $\dfrac{5}{9}$

택한 한 명이 남학생인 사건을 A, 수시 모집에 응시하지 않은 학생인 사건을 B라 하면

$P(A) = \dfrac{60}{100} = \dfrac{3}{5}$, $P(A^c) = 1 - \dfrac{3}{5} = \dfrac{2}{5}$

$P(B|A) = \dfrac{1}{12}$, $P(B|A^c) = \dfrac{1}{10}$

$\therefore P(A \cap B) = P(A)P(B|A) = \dfrac{3}{5} \times \dfrac{1}{12} = \dfrac{1}{20}$,

$\quad P(A^c \cap B) = P(A^c)P(B|A^c) = \dfrac{2}{5} \times \dfrac{1}{10} = \dfrac{1}{25}$

따라서 구하는 확률은

$P(A|B) = \dfrac{P(A \cap B)}{P(B)} = \dfrac{P(A \cap B)}{P(A \cap B) + P(A^c \cap B)}$

$\qquad = \dfrac{\frac{1}{20}}{\frac{1}{20} + \frac{1}{25}} = \dfrac{5}{9}$

006 답 ④

$A = \{2, 3, 5\}$, $B = \{2, 4, 6\}$, $C = \{3, 6\}$이므로

$P(A) = \dfrac{3}{6} = \dfrac{1}{2}$, $P(B) = \dfrac{3}{6} = \dfrac{1}{2}$, $P(C) = \dfrac{2}{6} = \dfrac{1}{3}$

ㄱ. $A \cap B = \{2\}$이므로 $P(A \cap B) = \dfrac{1}{6}$

따라서 $P(A \cap B) \neq P(A)P(B)$이므로 두 사건 A, B는 서로 종속이다.

ㄴ. $A \cap C = \{3\}$이므로 $P(A \cap C) = \dfrac{1}{6}$

따라서 $P(A \cap C) = P(A)P(C)$이므로 두 사건 A, C는 서로 독립이다.

ㄷ. $B \cap C = \{6\}$이므로 $P(B \cap C) = \dfrac{1}{6}$

따라서 $P(B \cap C) = P(B)P(C)$이므로 두 사건 B, C는 서로 독립이다.

따라서 보기 중 서로 독립인 사건인 것은 ㄴ, ㄷ이다.

007 답 ㄷ

ㄱ. [반례] 표본공간을 $S = \{1, 2, 3\}$이라 하고 $A = \{1\}$이라 하면

$P(A) = \dfrac{1}{3}$, $P(A^c) = \dfrac{2}{3}$, $P(A \cap A^c) = 0$

$\therefore P(A \cap A^c) \neq P(A)P(A^c)$

따라서 두 사건 A, A^c은 서로 종속이다.

ㄴ. [반례] 표본공간을 $S = \{1, 2, 3\}$이라 하고 $A = \{1\}$, $B = \{2\}$라 하면

$P(A) = P(B) = \dfrac{1}{3}$, $P(A \cap B) = 0$

$\therefore P(A \cap B) \neq P(A)P(B)$

따라서 $A \cap B = \varnothing$이므로 두 사건 A, B가 서로 배반사건이지만 A, B는 서로 종속이다.

ㄷ. 두 사건 A, B가 서로 독립이면 $P(A \cap B) = P(A)P(B)$이므로

$P(A \cap B^c) = P(A) - P(A \cap B)$

$\qquad\qquad\quad = P(A) - P(A)P(B)$

$\qquad\qquad\quad = P(A)\{1 - P(B)\}$

$\qquad\qquad\quad = P(A)P(B^c)$

따라서 두 사건 A, B가 서로 독립이면 두 사건 A, B^c도 서로 독립이다.

따라서 보기 중 옳은 것은 ㄷ이다.

008 답 $\dfrac{1}{6}$

두 사건 A, B가 서로 독립이므로

$P(A \cap B) = P(A)P(B)$

이때 $P(A \cup B) = P(A) + P(B) - P(A \cap B)$이므로

$P(A \cup B) = P(A) + P(B) - P(A)P(B)$

$\dfrac{4}{9} = \dfrac{1}{3} + P(B) - \dfrac{1}{3}P(B)$

$\dfrac{2}{3}P(B) = \dfrac{1}{9}$　　$\therefore P(B) = \dfrac{1}{6}$

009 답 ⑤

갑과 을이 성공하는 사건을 각각 A, B라 하면

$P(A) = \dfrac{3}{4}$, $P(B) = \dfrac{2}{3}$

이때 두 사건 A, B가 서로 독립이므로

$P(A \cap B) = P(A)P(B)$

따라서 구하는 확률은

$P(A \cup B) = P(A) + P(B) - P(A \cap B)$

$\quad\quad\quad\quad = P(A) + P(B) - P(A)P(B)$

$\quad\quad\quad\quad = \dfrac{3}{4} + \dfrac{2}{3} - \dfrac{3}{4} \times \dfrac{2}{3} = \dfrac{11}{12}$

010 답 ⑤

한 발 이상 10점 과녁에 맞히는 사건을 A라 하면 한 발도 10점 과녁을 맞히지 못하는 사건은 A^c이므로

$P(A^c) = {}_3C_0 \left(\dfrac{3}{4}\right)^0 \left(\dfrac{1}{4}\right)^3 = \dfrac{1}{64}$

$\therefore P(A) = 1 - P(A^c) = 1 - \dfrac{1}{64} = \dfrac{63}{64}$

011 답 $\dfrac{5}{16}$

한 개의 동전을 던질 때, 앞면이 나올 확률은 $\dfrac{1}{2}$, 뒷면이 나올 확률은 $\dfrac{1}{2}$이다.

동전의 앞면이 나오는 횟수를 x, 뒷면이 나오는 횟수를 y라 하면 동전을 6번 던지므로

$x + y = 6$　　……　㉠

원점에서 출발한 점 P가 다시 원점으로 돌아와야 하므로

$x - y = 0$　　……　㉡

㉠, ㉡을 연립하여 풀면 $x = 3$, $y = 3$

따라서 앞면이 3번, 뒷면이 3번 나와야 하므로 구하는 확률은

${}_6C_3 \left(\dfrac{1}{2}\right)^3 \left(\dfrac{1}{2}\right)^3 = \dfrac{5}{16}$

012 답 $\dfrac{4}{5}$

$P(A \cup B) = P(A) + P(B) - P(A \cap B)$이므로

$\dfrac{3}{5} = \dfrac{2}{5} + P(B) - \dfrac{3}{10}$　　$\therefore P(B) = \dfrac{1}{2}$

$P(B^c) = 1 - P(B) = 1 - \dfrac{1}{2} = \dfrac{1}{2}$

$P(A^c \cap B^c) = P((A \cup B)^c) = 1 - P(A \cup B)$

$\quad\quad\quad\quad\quad = 1 - \dfrac{3}{5} = \dfrac{2}{5}$

$\therefore P(A^c | B^c) = \dfrac{P(A^c \cap B^c)}{P(B^c)} = \dfrac{\dfrac{2}{5}}{\dfrac{1}{2}} = \dfrac{4}{5}$

013 답 ④

$P(A \cup B) = P(A) + P(B) - P(A \cap B)$이므로

$0.5 = 0.3 + 0.4 - P(A \cap B)$

$\therefore P(A \cap B) = 0.2$

$\therefore P(A | B) = \dfrac{P(A \cap B)}{P(B)} = \dfrac{0.2}{0.4} = 0.5$

014 답 $\dfrac{3}{10}$

A, B가 서로 배반사건이므로 $A \cap B = \varnothing$

즉, $B \subset A^c$이므로 $B \cap A^c = B$

$\therefore P(B \cap A^c) = P(B) = \dfrac{1}{5}$

$P(A^c) = 1 - P(A) = 1 - \dfrac{1}{3} = \dfrac{2}{3}$이므로

$P(B | A^c) = \dfrac{P(B \cap A^c)}{P(A^c)} = \dfrac{\dfrac{1}{5}}{\dfrac{2}{3}} = \dfrac{3}{10}$

015 답 $\dfrac{1}{2}$

$P(A^c | B) = \dfrac{P(A^c \cap B)}{P(B)} = \dfrac{P(B) - P(A \cap B)}{P(B)}$이므로

$\dfrac{1}{3} = \dfrac{\dfrac{3}{4} - P(A \cap B)}{\dfrac{3}{4}}$, $\dfrac{3}{4} - P(A \cap B) = \dfrac{1}{4}$

$\therefore P(A \cap B) = \dfrac{1}{2}$

016 답 $\dfrac{5}{3}$

$P(A | B) = \dfrac{P(A \cap B)}{P(B)} = \dfrac{P(A \cap B)}{\dfrac{1}{3}} = 3P(A \cap B)$이므로

$P(A | B)$는 $P(A \cap B)$가 최대일 때 최댓값을 갖고, $P(A \cap B)$가 최소일 때 최솟값을 갖는다.

(i) $P(B) < P(A)$이므로 $P(A \cap B)$가 최대일 때는 $A \cap B = B$일 때이다.

　　따라서 $P(A \cap B)$의 최댓값은 $P(B) = \dfrac{1}{3}$이다.

　　$\therefore M = 3P(A \cap B) = 3 \times \dfrac{1}{3} = 1$

(ii) $P(A \cup B) = P(A) + P(B) - P(A \cap B)$

$\quad\quad\quad\quad\quad = \dfrac{8}{9} + \dfrac{1}{3} - P(A \cap B) = \dfrac{11}{9} - P(A \cap B)$

　　이므로 $P(A \cap B)$가 최소일 때는 $P(A \cup B)$가 최대일 때, 즉 $P(A \cup B) = 1$일 때이다.

따라서 $1=\dfrac{11}{9}-\mathrm{P}(A\cap B)$에서 $\mathrm{P}(A\cap B)=\dfrac{2}{9}$이므로

$\mathrm{P}(A\cap B)$의 최솟값은 $\dfrac{2}{9}$이다.

$\therefore m=3\mathrm{P}(A\cap B)=3\times\dfrac{2}{9}=\dfrac{2}{3}$

(i), (ii)에서 $M+m=1+\dfrac{2}{3}=\dfrac{5}{3}$

017 답 $\dfrac{5}{6}$

택한 한 명이 2학년 학생인 사건을 A, 남학생인 사건을 B라 하면

$\mathrm{P}(A)=\dfrac{24}{40}=\dfrac{3}{5}$, $\mathrm{P}(A\cap B)=\dfrac{20}{40}=\dfrac{1}{2}$

따라서 구하는 확률은

$\mathrm{P}(B|A)=\dfrac{\mathrm{P}(A\cap B)}{\mathrm{P}(A)}=\dfrac{\dfrac{1}{2}}{\dfrac{3}{5}}=\dfrac{5}{6}$

018 답 ③

택한 한 명이 버스로 등교하는 학생인 사건을 A, 여학생인 사건을 B라 하면

$\mathrm{P}(A)=0.6$, $\mathrm{P}(A\cap B)=0.25$

따라서 구하는 확률은

$\mathrm{P}(B|A)=\dfrac{\mathrm{P}(A\cap B)}{\mathrm{P}(A)}=\dfrac{0.25}{0.6}=\dfrac{5}{12}$

019 답 ④

당첨 제비를 한 개 뽑는 사건을 A, 1등 당첨 제비를 한 개 뽑는 사건을 B라 하면

$\mathrm{P}(A)=\dfrac{{}_5\mathrm{C}_1\times{}_5\mathrm{C}_2}{{}_{10}\mathrm{C}_3}=\dfrac{50}{120}=\dfrac{5}{12}$, $\mathrm{P}(A\cap B)=\dfrac{{}_2\mathrm{C}_1\times{}_5\mathrm{C}_2}{{}_{10}\mathrm{C}_3}=\dfrac{20}{120}=\dfrac{1}{6}$

따라서 구하는 확률은

$\mathrm{P}(B|A)=\dfrac{\mathrm{P}(A\cap B)}{\mathrm{P}(A)}=\dfrac{\dfrac{1}{6}}{\dfrac{5}{12}}=\dfrac{2}{5}$

020 답 2

택한 한 명이 남자인 사건을 A, B 영화를 선호하는 사건을 B라 하면

$\mathrm{P}(A)=\dfrac{14+x}{38+x}$, $\mathrm{P}(A\cap B)=\dfrac{x}{38+x}$

택한 한 명이 남자일 때, 그 사람이 B 영화를 선호할 확률은

$\mathrm{P}(B|A)=\dfrac{\mathrm{P}(A\cap B)}{\mathrm{P}(A)}=\dfrac{\dfrac{x}{38+x}}{\dfrac{14+x}{38+x}}=\dfrac{x}{14+x}$

즉, $\dfrac{x}{14+x}=\dfrac{1}{8}$이므로 $8x=14+x$ $\therefore x=2$

021 답 $\dfrac{7}{8}$

택한 초콜릿이 화이트 초콜릿인 사건을 A, 땅콩이 들어 있는 초콜릿인 사건을 B라 하면

$\mathrm{P}(A)=\dfrac{2}{3}$, $\mathrm{P}(B)=\dfrac{3}{4}$, $\mathrm{P}(A^c\cap B^c)=\dfrac{1}{6}$

이때 $\mathrm{P}(A^c\cap B^c)=\mathrm{P}((A\cup B)^c)=1-\mathrm{P}(A\cup B)$이므로

$\dfrac{1}{6}=1-\mathrm{P}(A\cup B)$

$\therefore \mathrm{P}(A\cup B)=\dfrac{5}{6}$

$\mathrm{P}(A\cup B)=\mathrm{P}(A)+\mathrm{P}(B)-\mathrm{P}(A\cap B)$이므로

$\dfrac{5}{6}=\dfrac{2}{3}+\dfrac{3}{4}-\mathrm{P}(A\cap B)$

$\therefore \mathrm{P}(A\cap B)=\dfrac{7}{12}$

따라서 구하는 확률은

$\mathrm{P}(B|A)=\dfrac{\mathrm{P}(A\cap B)}{\mathrm{P}(A)}=\dfrac{\dfrac{7}{12}}{\dfrac{2}{3}}=\dfrac{7}{8}$

022 답 ③

첫 번째에 당첨권을 뽑지 못하는 사건을 A, 두 번째에 당첨권을 뽑지 못하는 사건을 B라 하면

$\mathrm{P}(A)=\dfrac{10}{15}=\dfrac{2}{3}$, $\mathrm{P}(B|A)=\dfrac{9}{14}$

따라서 구하는 확률은

$\mathrm{P}(A\cap B)=\mathrm{P}(A)\mathrm{P}(B|A)=\dfrac{2}{3}\times\dfrac{9}{14}=\dfrac{3}{7}$

023 답 ③

택한 한 명이 남자인 사건을 A, 40대인 사건을 B라 하면

$\mathrm{P}(A)=0.8$, $\mathrm{P}(B|A)=0.6$

따라서 구하는 확률은

$\mathrm{P}(A\cap B)=\mathrm{P}(A)\mathrm{P}(B|A)=0.8\times0.6=0.48$

024 답 $\dfrac{1}{6}$

노란색 필통을 택하는 사건을 A, 빨간색 볼펜을 꺼내는 사건을 B라 하면

$\mathrm{P}(A)=\dfrac{1}{2}$, $\mathrm{P}(B|A)=\dfrac{4}{4+8}=\dfrac{1}{3}$

따라서 구하는 확률은

$\mathrm{P}(A\cap B)=\mathrm{P}(A)\mathrm{P}(B|A)=\dfrac{1}{2}\times\dfrac{1}{3}=\dfrac{1}{6}$

025 답 7

첫 번째에 100원짜리 동전을 꺼내는 사건을 A, 두 번째에 500원짜리 동전을 꺼내는 사건을 B라 하면

$\mathrm{P}(A)=\dfrac{4}{n+4}$, $\mathrm{P}(B|A)=\dfrac{n}{n+3}$

따라서 첫 번째는 100원짜리 동전을, 두 번째는 500원짜리 동전을 꺼낼 확률은

$\mathrm{P}(A\cap B)=\mathrm{P}(A)\mathrm{P}(B|A)=\dfrac{4}{n+4}\times\dfrac{n}{n+3}$

즉, $\dfrac{4}{n+4}\times\dfrac{n}{n+3}=\dfrac{2}{7}$이므로

$(n+3)(n+4)=14n$, $n^2-7n+12=0$

$(n-3)(n-4)=0$ $\therefore n=3$ 또는 $n=4$

따라서 모든 n의 값의 합은 $3+4=7$

026 답 $\dfrac{5}{8}$

진아가 망고 푸딩을 꺼내 먹는 사건을 A, 지원이가 망고 푸딩을 꺼내는 사건을 B라 하면

$P(A)=\dfrac{5}{8}$, $P(A^c)=1-\dfrac{5}{8}=\dfrac{3}{8}$

$P(B|A)=\dfrac{4}{7}$, $P(B|A^c)=\dfrac{5}{7}$

$\therefore P(A\cap B)=P(A)P(B|A)=\dfrac{5}{8}\times\dfrac{4}{7}=\dfrac{5}{14}$,

$P(A^c\cap B)=P(A^c)P(B|A^c)=\dfrac{3}{8}\times\dfrac{5}{7}=\dfrac{15}{56}$

따라서 구하는 확률은

$P(B)=P(A\cap B)+P(A^c\cap B)=\dfrac{5}{14}+\dfrac{15}{56}=\dfrac{5}{8}$

027 답 ④

택한 한 명이 암에 걸린 사람인 사건을 A, 암에 걸렸다고 진단 받는 사건을 B라 하면

$P(A)=0.1$, $P(A^c)=1-0.1=0.9$

$P(B|A)=0.8$, $P(B|A^c)=0.05$

$\therefore P(A\cap B)=P(A)P(B|A)=0.1\times0.8=0.08$,

$P(A^c\cap B)=P(A^c)P(B|A^c)=0.9\times0.05=0.045$

따라서 구하는 확률은

$P(B)=P(A\cap B)+P(A^c\cap B)=0.08+0.045=0.125$

028 답 $\dfrac{7}{20}$

화요일에 비가 오는 사건을 A, 수요일에 비가 오는 사건을 B라 하면

$P(A)=\dfrac{1}{2}$, $P(A^c)=1-\dfrac{1}{2}=\dfrac{1}{2}$

$P(B|A)=\dfrac{1}{2}$, $P(B|A^c)=\dfrac{1}{5}$

$\therefore P(A\cap B)=P(A)P(B|A)=\dfrac{1}{2}\times\dfrac{1}{2}=\dfrac{1}{4}$,

$P(A^c\cap B)=P(A^c)P(B|A^c)=\dfrac{1}{2}\times\dfrac{1}{5}=\dfrac{1}{10}$

따라서 구하는 확률은

$P(B)=P(A\cap B)+P(A^c\cap B)=\dfrac{1}{4}+\dfrac{1}{10}=\dfrac{7}{20}$

029 답 $\dfrac{19}{30}$

A 주머니를 택하는 사건을 A, 서로 다른 색의 공을 꺼내는 사건을 B라 하면

$P(A)=\dfrac{1}{2}$, $P(A^c)=1-\dfrac{1}{2}=\dfrac{1}{2}$

$P(B|A)=\dfrac{{}_2C_1\times{}_2C_1}{{}_4C_2}=\dfrac{2}{3}$, $P(B|A^c)=\dfrac{{}_3C_1\times{}_2C_1}{{}_5C_2}=\dfrac{3}{5}$

$\therefore P(A\cap B)=P(A)P(B|A)=\dfrac{1}{2}\times\dfrac{2}{3}=\dfrac{1}{3}$,

$P(A^c\cap B)=P(A^c)P(B|A^c)=\dfrac{1}{2}\times\dfrac{3}{5}=\dfrac{3}{10}$

따라서 구하는 확률은

$P(B)=P(A\cap B)+P(A^c\cap B)=\dfrac{1}{3}+\dfrac{3}{10}=\dfrac{19}{30}$

030 답 ③

흰 옷을 택하는 사건을 A, 로봇이 흰 옷이라고 판별하는 사건을 B라 하면

$P(A)=\dfrac{4}{10}=\dfrac{2}{5}$, $P(A^c)=1-\dfrac{2}{5}=\dfrac{3}{5}$

$P(B|A)=1-p$, $P(B|A^c)=p$

$\therefore P(A\cap B)=P(A)P(B|A)=\dfrac{2}{5}(1-p)$,

$P(A^c\cap B)=P(A^c)P(B|A^c)=\dfrac{3}{5}p$

따라서 로봇이 흰 옷이라고 판별할 확률은

$P(B)=P(A\cap B)+P(A^c\cap B)=\dfrac{2}{5}(1-p)+\dfrac{3}{5}p=\dfrac{2}{5}+\dfrac{1}{5}p$

즉, $\dfrac{2}{5}+\dfrac{1}{5}p=\dfrac{11}{25}$이므로 $p=\dfrac{1}{5}$

031 답 $\dfrac{21}{29}$

택한 한 명이 중국어를 선택한 학생인 사건을 A, 안경을 쓴 학생인 사건을 B라 하면

$P(A^c)=0.4$, $P(A)=1-0.4=0.6$

$P(B|A^c)=0.4$, $P(B|A)=0.7$

$\therefore P(A\cap B)=P(A)P(B|A)=0.6\times0.7=0.42$,

$P(A^c\cap B)=P(A^c)P(B|A^c)=0.4\times0.4=0.16$

따라서 구하는 확률은

$P(A|B)=\dfrac{P(A\cap B)}{P(B)}=\dfrac{P(A\cap B)}{P(A\cap B)+P(A^c\cap B)}$

$=\dfrac{0.42}{0.42+0.16}=\dfrac{0.42}{0.58}=\dfrac{21}{29}$

032 답 $\dfrac{7}{8}$

갑이 당첨 제비를 뽑지 못하는 사건을 A, 을이 당첨 제비를 뽑는 사건을 B라 하면

$P(A)=\dfrac{7}{9}$, $P(A^c)=1-\dfrac{7}{9}=\dfrac{2}{9}$

$P(B|A)=\dfrac{2}{8}=\dfrac{1}{4}$, $P(B|A^c)=\dfrac{1}{8}$

$\therefore P(A\cap B)=P(A)P(B|A)=\dfrac{7}{9}\times\dfrac{1}{4}=\dfrac{7}{36}$,

$P(A^c\cap B)=P(A^c)P(B|A^c)=\dfrac{2}{9}\times\dfrac{1}{8}=\dfrac{1}{36}$

따라서 구하는 확률은

$P(A|B)=\dfrac{P(A\cap B)}{P(B)}=\dfrac{P(A\cap B)}{P(A\cap B)+P(A^c\cap B)}$

$=\dfrac{\dfrac{7}{36}}{\dfrac{7}{36}+\dfrac{1}{36}}=\dfrac{7}{8}$

033 답 ①

택한 한 명이 우대 고객인 사건을 A, 보험에 재가입하지 않은 고객인 사건을 B라 하면

$P(A)=\dfrac{3}{10}$, $P(A^c)=1-\dfrac{3}{10}=\dfrac{7}{10}$

$P(B|A)=1-\dfrac{80}{100}=\dfrac{1}{5}$, $P(B|A^c)=1-\dfrac{40}{100}=\dfrac{3}{5}$

$$\therefore P(A \cap B) = P(A)P(B|A) = \frac{3}{10} \times \frac{1}{5} = \frac{3}{50},$$

$$P(A^c \cap B) = P(A^c)P(B|A^c) = \frac{7}{10} \times \frac{3}{5} = \frac{21}{50}$$

따라서 구하는 확률은

$$P(A|B) = \frac{P(A \cap B)}{P(B)} = \frac{P(A \cap B)}{P(A \cap B) + P(A^c \cap B)}$$

$$= \frac{\dfrac{3}{50}}{\dfrac{3}{50} + \dfrac{21}{50}} = \frac{1}{8}$$

034 달 $\dfrac{7}{17}$

A 상자를 택하는 사건을 A, 흰 구슬 2개를 꺼내는 사건을 B라 하면

$$P(A) = \frac{1}{2}, \ P(A^c) = 1 - \frac{1}{2} = \frac{1}{2}$$

$$P(B|A) = \frac{{}_3C_2}{{}_6C_2} = \frac{1}{5}, \ P(B|A^c) = \frac{{}_4C_2}{{}_7C_2} = \frac{2}{7}$$

$$\therefore P(A \cap B) = P(A)P(B|A) = \frac{1}{2} \times \frac{1}{5} = \frac{1}{10},$$

$$P(A^c \cap B) = P(A^c)P(A^c|B) = \frac{1}{2} \times \frac{2}{7} = \frac{1}{7}$$

따라서 구하는 확률은

$$P(A|B) = \frac{P(A \cap B)}{P(B)} = \frac{P(A \cap B)}{P(A \cap B) + P(A^c \cap B)}$$

$$= \frac{\dfrac{1}{10}}{\dfrac{1}{10} + \dfrac{1}{7}} = \frac{7}{17}$$

035 달 30

검은색 볼펜을 꺼내는 사건을 A, 서로 같은 색 볼펜을 꺼내는 사건을 B라 하면

$$P(A) = \frac{n}{100}, \ P(A^c) = 1 - \frac{n}{100} = \frac{100-n}{100}$$

$$P(B|A) = \frac{100-2n}{100}, \ P(B|A^c) = \frac{2n}{100}$$

$$P(A \cap B) = P(A)P(B|A) = \frac{n}{100} \times \frac{100-2n}{100} = \frac{100n-2n^2}{10000}$$

$$P(A^c \cap B) = P(A^c)P(B|A^c) = \frac{100-n}{100} \times \frac{2n}{100} = \frac{200n-2n^2}{10000}$$

$$\therefore P(A|B) = \frac{P(A \cap B)}{P(B)} = \frac{P(A \cap B)}{P(A \cap B) + P(A^c \cap B)}$$

$$= \frac{\dfrac{100n-2n^2}{10000}}{\dfrac{100n-2n^2}{10000} + \dfrac{200n-2n^2}{10000}} = \frac{n-50}{2n-150}$$

즉, $\dfrac{n-50}{2n-150} = \dfrac{2}{9}$이므로 $9n-450 = 4n-300$

$5n = 150$ $\therefore n = 30$

036 달 ⑤

동전의 앞면을 H, 뒷면을 T라 하면 표본공간은
{HH, HT, TH, TT}이고 $A = \{TH, TT\}$, $B = \{HT, TT\}$, $C = \{HT, TH\}$이므로

$$P(A) = P(B) = P(C) = \frac{2}{4} = \frac{1}{2}$$

ㄱ. $A \cap B = \{TT\}$이므로 $P(A \cap B) = \dfrac{1}{4}$

    따라서 $P(A \cap B) = P(A)P(B)$이므로 두 사건 A, B는 서로 독립이다.

ㄴ. $A \cap C = \{TH\}$이므로 $P(A \cap C) = \dfrac{1}{4}$

    따라서 $P(A \cap C) = P(A)P(C)$이므로 두 사건 A, C는 서로 독립이다.

ㄷ. $B \cap C = \{HT\}$이므로 $P(B \cap C) = \dfrac{1}{4}$

    따라서 $P(B \cap C) = P(B)P(C)$이므로 두 사건 B, C는 서로 독립이다.

따라서 보기 중 서로 독립인 사건은 ㄱ, ㄴ, ㄷ이다.

037 달 ㄱ, ㄷ

$$P(A) = P(B) = P(C) = P(D) = \frac{2}{4} = \frac{1}{2}, \ P(E) = \frac{3}{4}$$

ㄱ. $A \cap B = \{1\}$이므로 $P(A \cap B) = \dfrac{1}{4}$

    따라서 $P(A \cap B) = P(A)P(B)$이므로 두 사건 A, B는 서로 독립이다.

ㄴ. $A \cap C = \varnothing$이므로 $P(A \cap C) = 0$

    따라서 $P(A \cap C) \neq P(A)P(C)$이므로 두 사건 A, C는 서로 종속이다.

ㄷ. $A \cap D = \{3\}$이므로 $P(A \cap D) = \dfrac{1}{4}$

    따라서 $P(A \cap D) = P(A)P(D)$이므로 두 사건 A, D는 서로 독립이다.

ㄹ. $A \cap E = \{3\}$이므로 $P(A \cap E) = \dfrac{1}{4}$

    따라서 $P(A \cap E) \neq P(A)P(E)$이므로 두 사건 A, E는 서로 종속이다.

따라서 보기 중 사건 A와 서로 독립인 사건은 ㄱ, ㄷ이다.

038 달 ④

$$P(A) = \frac{25}{50} = \frac{1}{2}, \ P(B) = \frac{10}{50} = \frac{1}{5}$$

ㄱ. $A \cap B$는 10의 배수가 적힌 카드가 나오는 사건이므로

$$P(A \cap B) = \frac{5}{50} = \frac{1}{10}$$

ㄴ. $P(A \cup B) = P(A) + P(B) - P(A \cap B) = \dfrac{1}{2} + \dfrac{1}{5} - \dfrac{1}{10} = \dfrac{3}{5}$

ㄷ. $P(A \cap B) = P(A)P(B)$이므로 두 사건 A, B는 서로 독립이다.

따라서 보기 중 옳은 것은 ㄱ, ㄷ이다.

039 달 3

$S = \{1, 2, 3, 4, 6, 12\}$이므로

$$P(A) = \frac{3}{6} = \frac{1}{2}, \ P(A \cap B) = \frac{2}{6} = \frac{1}{3}$$

이때 두 사건 A, B가 서로 독립이면 $P(A \cap B) = P(A)P(B)$이므로 $\dfrac{1}{3} = \dfrac{1}{2}P(B)$ $\therefore P(B) = \dfrac{2}{3}$

따라서 $n(B) = 4$이고, $\{3, 4\} \subset B$, $2 \notin B$이어야 하므로 주어진 조건을 만족시키는 사건 B는 $\{1, 3, 4, 6\}$, $\{1, 3, 4, 12\}$, $\{3, 4, 6, 12\}$의 3개이다.

040 답 10

$P(A) = \dfrac{15+k}{40}$, $P(B) = \dfrac{16}{40} = \dfrac{2}{5}$, $P(A \cap B) = \dfrac{k}{40}$

이때 두 사건 A, B가 서로 독립이려면 $P(A \cap B) = P(A)P(B)$
이어야 하므로

$\dfrac{k}{40} = \dfrac{15+k}{40} \times \dfrac{2}{5}$

$5k = 30 + 2k$, $3k = 30$ $\therefore k = 10$

041 답 ㄱ, ㄴ, ㄷ

ㄱ. 두 사건 A, B가 서로 독립이면 사건 B가 일어나거나 일어나
지 않는 것이 사건 A가 일어날 확률에 영향을 주지 않으므로
$P(A \mid B^c) = P(A)$

ㄴ. 두 사건 A, B가 서로 배반사건이면 $A \cap B = \varnothing$이므로
$P(A \cap B) = 0$
$\therefore P(A \cup B) = P(A) + P(B)$

ㄷ. 두 사건 A, B가 서로 독립이면 $P(A \cap B) = P(A)P(B)$이고
두 사건 A^c, B도 서로 독립이므로
$P(A^c \cap B) = P(A^c)P(B)$
$\therefore P(B) = P(A \cap B) + P(A^c \cap B)$
$\qquad\qquad = P(A)P(B) + P(A^c)P(B)$

따라서 보기 중 옳은 것은 ㄱ, ㄴ, ㄷ이다.

042 답 ㄱ, ㄷ

ㄱ. $P(A \mid B) = P(A)$, $P(A \mid B^c) = P(A)$이므로
$P(A \mid B) = P(A \mid B^c)$

ㄴ. 두 사건 A, B가 서로 독립이면 두 사건 A^c, B도 서로 독립
이므로
$P(A^c \mid B) = P(A^c) = 1 - P(A)$

ㄷ. 두 사건 A, B가 서로 독립이면 $P(B \mid A) = P(B)$이고 두 사
건 A^c, B^c도 서로 독립이므로
$P(B^c \mid A^c) = P(B^c)$
$\therefore P(B^c \mid A^c) = P(B^c) = 1 - P(B) = 1 - P(B \mid A)$

따라서 보기 중 옳은 것은 ㄱ, ㄷ이다.

[다른 풀이] 두 사건 A, B가 서로 독립이면
$P(A \cap B) = P(A)P(B)$

ㄴ. $P(A^c \mid B) = \dfrac{P(A^c \cap B)}{P(B)} = \dfrac{P(B) - P(A \cap B)}{P(B)}$
$\qquad\quad = \dfrac{P(B) - P(A)P(B)}{P(B)} = 1 - P(A)$

ㄷ. $P(B \mid A) = P(B)$이므로
$P(B^c \mid A^c) = \dfrac{P(A^c \cap B^c)}{P(A^c)} = \dfrac{1 - P(A \cup B)}{P(A^c)}$
$\qquad\quad = \dfrac{1 - \{P(A) + P(B) - P(A \cap B)\}}{1 - P(A)}$
$\qquad\quad = \dfrac{1 - \{P(A) + P(B) - P(A)P(B)\}}{1 - P(A)}$
$\qquad\quad = \dfrac{1 - P(A) - \{1 - P(A)\}P(B)}{1 - P(A)}$
$\qquad\quad = 1 - P(B) = 1 - P(B \mid A)$
$\therefore P(B^c \mid A^c) = 1 - P(B \mid A)$

043 답 ②

두 사건 A, B가 서로 독립이면
$P(A \cap B) = \boxed{\text{㈎ } P(A)P(B)}$
$A^c \cap B^c = (\boxed{\text{㈏ } A \cup B})^c$이므로
$P(A^c \cap B^c) = P((\boxed{\text{㈏ } A \cup B})^c) = 1 - P(A \cup B)$
$\qquad\qquad = 1 - \{\boxed{\text{㈐ } P(A)} + P(B) - P(A \cap B)\}$
$\qquad\qquad = 1 - \{\boxed{\text{㈐ } P(A)} + P(B) - \boxed{\text{㈎ } P(A)P(B)}\}$
$\qquad\qquad = \{1 - \boxed{\text{㈐ } P(A)}\}\{1 - P(B)\}$
$\qquad\qquad = P(A^c)P(B^c)$

따라서 두 사건 A, B가 서로 독립이면 두 사건 A^c, B^c도 서로
독립이다.

044 답 ④

ㄱ. $P(A \mid B) = P(B \mid A)$이면
$\dfrac{P(A \cap B)}{P(B)} = \dfrac{P(A \cap B)}{P(A)}$
$\therefore P(A) = P(B)$ 또는 $P(A \cap B) = 0$
그런데 이는 $A = B$를 의미하지는 않는다.

ㄴ. $P(A \mid B) = P(A \mid B^c)$에서
$\dfrac{P(A \cap B)}{P(B)} = \dfrac{P(A \cap B^c)}{P(B^c)}$
$\dfrac{P(A \cap B)}{P(B)} = \dfrac{P(A) - P(A \cap B)}{1 - P(B)}$
$P(A \cap B)\{1 - P(B)\} = P(B)\{P(A) - P(A \cap B)\}$
$\therefore P(A \cap B) = P(A)P(B)$
따라서 두 사건 A, B는 서로 독립이다.

ㄷ. $P(A^c \cap B) = P(B) - P(A \cap B)$이므로
$P(A^c \cap B) = P(B) - P(A)P(B)$이면
$P(A \cap B) = P(A)P(B)$
따라서 두 사건 A, B는 서로 독립이다.

따라서 보기 중 옳은 것은 ㄴ, ㄷ이다.

045 답 $\dfrac{2}{3}$

두 사건 A, B가 서로 독립이므로 $P(A \cap B) = P(A)P(B)$에서
$\dfrac{1}{6} = \dfrac{1}{2}P(B)$ $\therefore P(B) = \dfrac{1}{3}$
$\therefore P(A \cup B) = P(A) + P(B) - P(A \cap B)$
$\qquad\qquad = \dfrac{1}{2} + \dfrac{1}{3} - \dfrac{1}{6} = \dfrac{2}{3}$

046 답 ④

두 사건 A, B가 서로 독립이므로
$P(A \cap B) = P(A)P(B)$
$P(A \cap B) = P(A) - \dfrac{1}{2}P(B)$에서
$P(A)P(B) = P(A) - \dfrac{1}{2}P(B)$
$\dfrac{2}{3}P(B) = \dfrac{2}{3} - \dfrac{1}{2}P(B)$
$\dfrac{7}{6}P(B) = \dfrac{2}{3}$ $\therefore P(B) = \dfrac{4}{7}$

047 답 $\dfrac{1}{12}$

두 사건 A, B가 서로 독립이면 두 사건 A, B^c도 서로 독립이다.

$P(A\cup B)=P(A)+P(B)-P(A\cap B)$에서

$P(A\cup B)=P(A)+P(B)-P(A)P(B)$

$\dfrac{5}{6}=\dfrac{1}{3}+P(B)-\dfrac{1}{3}P(B)$

$\dfrac{2}{3}P(B)=\dfrac{1}{2}$ $\quad\therefore P(B)=\dfrac{3}{4}$

$\therefore P(B^c)=1-\dfrac{3}{4}=\dfrac{1}{4}$

$\therefore P(A\cap B^c)=P(A)P(B^c)=\dfrac{1}{3}\times\dfrac{1}{4}=\dfrac{1}{12}$

048 답 $\dfrac{1}{4}$

두 사건 A, B가 서로 독립이면 두 사건 A^c, B와 두 사건 A, B^c도 각각 서로 독립이다.

$P(B\,|\,A^c)=P(B)=\dfrac{1}{6}$에서

$P(B^c)=1-\dfrac{1}{6}=\dfrac{5}{6}$

$P(A\cap B^c)+P(A^c\cap B)=\dfrac{1}{3}$에서

$P(A)P(B^c)+P(A^c)P(B)=\dfrac{1}{3}$

$P(A)\times\dfrac{5}{6}+\{1-P(A)\}\times\dfrac{1}{6}=\dfrac{1}{3}$

$\dfrac{2}{3}P(A)=\dfrac{1}{6}$ $\quad\therefore P(A)=\dfrac{1}{4}$

049 답 ①

두 사건 A, B가 서로 독립이면 두 사건 A, B^c도 서로 독립이다.

$P(A\cap B^c)=P(A)P(B^c)=\dfrac{1}{12}$에서

$\dfrac{1}{4}P(B^c)=\dfrac{1}{12}$ $\quad\therefore P(B^c)=\dfrac{1}{3}$

$\therefore P(B)=1-\dfrac{1}{3}=\dfrac{2}{3}$ $\quad\cdots\cdots$ ㉠

$P(B^c\cap C^c)=P((B\cup C)^c)=1-P(B\cup C)=\dfrac{2}{9}$에서

$P(B\cup C)=\dfrac{7}{9}$

두 사건 B, C가 서로 배반사건이면 $P(B\cap C)=0$이므로

$P(B\cup C)=P(B)+P(C)$

$\dfrac{7}{9}=P(B)+P(C)$, $\dfrac{7}{9}=\dfrac{2}{3}+P(C)$ $(\because$ ㉠$)$

$\therefore P(C)=\dfrac{1}{9}$

050 답 $\dfrac{3}{4}$

두 사건 A, B가 서로 독립이면 두 사건 A^c, B와 두 사건 A^c, B^c도 각각 서로 독립이다.

$P(A\cup B^c)=P((A^c\cap B)^c)=1-P(A^c\cap B)=\dfrac{1}{2}$에서

$P(A^c\cap B)=\dfrac{1}{2}$ $\quad\therefore P(A^c)P(B)=\dfrac{1}{2}$ $\quad\cdots\cdots$ ㉠

$P(A\cup B)=P((A^c\cap B^c)^c)=1-P(A^c\cap B^c)=\dfrac{5}{6}$에서

$P(A^c\cap B^c)=\dfrac{1}{6}$ $\quad\therefore P(A^c)P(B^c)=\dfrac{1}{6}$ $\quad\cdots\cdots$ ㉡

㉠, ㉡에서 $\dfrac{P(B)}{P(B^c)}=3$이므로

$P(B)=3\{1-P(B)\}$ $\quad\therefore P(B)=\dfrac{3}{4}$

다른 풀이 두 사건 A, B가 서로 독립이면 두 사건 A, B^c도 서로 독립이다.

$P(A\cup B^c)=\dfrac{1}{2}$에서

$P(A)+P(B^c)-P(A\cap B^c)=\dfrac{1}{2}$

$P(A)+P(B^c)-P(A)P(B^c)=\dfrac{1}{2}$

$P(A)+\{1-P(B)\}-P(A)\{1-P(B)\}=\dfrac{1}{2}$

$\therefore P(A)P(B)=P(B)-\dfrac{1}{2}$ $\quad\cdots\cdots$ ㉠

$P(A\cup B)=\dfrac{5}{6}$에서

$P(A)+P(B)-P(A\cap B)=\dfrac{5}{6}$

$P(A)+P(B)-P(A)P(B)=\dfrac{5}{6}$

$P(A)+P(B)-\left\{P(B)-\dfrac{1}{2}\right\}=\dfrac{5}{6}$ $(\because$ ㉠$)$

$\therefore P(A)=\dfrac{1}{3}$

이를 ㉠에 대입하면 $\dfrac{1}{3}P(B)=P(B)-\dfrac{1}{2}$

$\dfrac{2}{3}P(B)=\dfrac{1}{2}$ $\quad\therefore P(B)=\dfrac{3}{4}$

051 답 $\dfrac{11}{15}$

A와 B가 그림을 완성하는 사건을 각각 A, B라 하면

$P(A)=\dfrac{3}{5}$, $P(B)=\dfrac{1}{3}$

이때 두 사건 A, B가 서로 독립이므로

$P(A\cap B)=P(A)P(B)$

따라서 구하는 확률은

$P(A\cup B)=P(A)+P(B)-P(A\cap B)$

$\qquad\qquad=P(A)+P(B)-P(A)P(B)$

$\qquad\qquad=\dfrac{3}{5}+\dfrac{1}{3}-\dfrac{3}{5}\times\dfrac{1}{3}=\dfrac{11}{15}$

052 답 $\dfrac{3}{4}$

A와 B가 예선을 통과하는 사건을 각각 A, B라 하면

$P(A)=\dfrac{1}{3}$, $P(A^c)=1-\dfrac{1}{3}=\dfrac{2}{3}$, $P(A^c\cap B)=\dfrac{1}{2}$

이때 두 사건 A^c, B가 서로 독립이므로

$P(A^c\cap B)=P(A^c)P(B)$

$\dfrac{1}{2}=\dfrac{2}{3}P(B)$ $\quad\therefore P(B)=\dfrac{3}{4}$

053 답 ②

두 수의 합이 홀수이려면 한 수는 홀수, 다른 한 수는 짝수이어야 한다.

두 정육면체 A, B의 바닥에 놓인 면에 적힌 수가 홀수인 사건을 각각 A, B라 하면 두 사건 A, B가 서로 독립이므로 두 사건 A, B^c과 두 사건 A^c, B도 서로 독립이다.

(i) 정육면체 A는 홀수, 정육면체 B는 짝수일 확률은
$$P(A \cap B^c) = P(A)P(B^c) = \frac{3}{6} \times \frac{2}{6} = \frac{1}{6}$$

(ii) 정육면체 A는 짝수, 정육면체 B는 홀수일 확률은
$$P(A^c \cap B) = P(A^c)P(B) = \frac{3}{6} \times \frac{4}{6} = \frac{1}{3}$$

(i), (ii)에서 구하는 확률은
$$\frac{1}{6} + \frac{1}{3} = \frac{1}{2}$$

054 답 ①

A, B, C 세 사람이 게임에서 이기는 사건을 A, B, C라 하면
$$P(A) = \frac{2}{3}, \ P(B) = \frac{3}{5}, \ P(C) = p, \ P(A \cap B^c \cap C^c) = \frac{1}{5}$$

세 사건 A, B, C가 서로 독립이므로 세 사건 A, B^c, C^c도 서로 독립이다.

$P(A \cap B^c \cap C^c) = P(A)P(B^c)P(C^c)$이므로
$$\frac{1}{5} = \frac{2}{3} \times \left(1 - \frac{3}{5}\right) \times (1-p), \ \frac{1}{5} = \frac{4}{15}(1-p)$$

$1 - p = \frac{3}{4}$ $\therefore p = \frac{1}{4}$

따라서 구하는 확률은
$$P(A \cap B \cap C) = P(A)P(B)P(C) = \frac{2}{3} \times \frac{3}{5} \times \frac{1}{4} = \frac{1}{10}$$

055 답 $\frac{4}{81}$

동규가 이기는 경우를 ○, 지는 경우를 ×로 나타내자.

이때 동규가 이길 확률이 $\frac{1}{3}$이고 두 사람이 비기는 경우는 없으므로 승규가 이길 확률은 $\frac{2}{3}$이다.

(i) 동규가 승자로 결정되는 경우
× ○ × ○ ○이어야 하므로 그 확률은
$$\frac{2}{3} \times \frac{1}{3} \times \frac{2}{3} \times \frac{1}{3} \times \frac{1}{3} = \frac{4}{243}$$

(ii) 승규가 승자로 결정되는 경우
○ × ○ × ×이어야 하므로 그 확률은
$$\frac{1}{3} \times \frac{2}{3} \times \frac{1}{3} \times \frac{2}{3} \times \frac{2}{3} = \frac{8}{243}$$

(i), (ii)에서 구하는 확률은
$$\frac{4}{243} + \frac{8}{243} = \frac{4}{81}$$

056 답 $\frac{80}{81}$

6의 약수의 눈이 1개 이상 나오는 사건을 A라 하면 A^c은 6의 약수의 눈이 하나도 나오지 않는 사건이다.

한 개의 주사위를 던져서 6의 약수의 눈이 나오지 않을 확률이 $\frac{1}{3}$이므로
$$P(A^c) = {}_4C_4 \left(\frac{1}{3}\right)^4 \left(\frac{2}{3}\right)^0 = \frac{1}{81}$$

따라서 구하는 확률은
$$P(A) = 1 - \frac{1}{81} = \frac{80}{81}$$

057 답 ①

한 개의 동전과 한 개의 주사위를 동시에 던져서 동전은 뒷면이 나오고 주사위는 4 이하의 눈이 나올 확률은
$$\frac{1}{2} \times \frac{2}{3} = \frac{1}{3}$$

따라서 구하는 확률은
$${}_3C_2 \left(\frac{1}{3}\right)^2 \left(\frac{2}{3}\right)^1 = \frac{2}{9}$$

058 답 ④

어느 질병에 걸린 환자 한 명이 완치될 확률은 $\frac{80}{100} = \frac{4}{5}$이므로

(i) 4명 중에서 3명이 완치될 확률은
$${}_4C_3 \left(\frac{4}{5}\right)^3 \left(\frac{1}{5}\right)^1 = \frac{256}{625}$$

(ii) 4명 모두 완치될 확률은
$${}_4C_4 \left(\frac{4}{5}\right)^4 \left(\frac{1}{5}\right)^0 = \frac{256}{625}$$

(i), (ii)에서 구하는 확률은
$$\frac{256}{625} + \frac{256}{625} = \frac{512}{625}$$

059 답 $\frac{80}{2187}$

A팀이 이길 확률이 $\frac{2}{3}$이고 두 팀이 비기는 경우는 없으므로 B팀이 이길 확률은 $\frac{1}{3}$이다.

5차전까지 A팀이 3승 2패로 앞설 확률은
$${}_5C_3 \left(\frac{2}{3}\right)^3 \left(\frac{1}{3}\right)^2 = \frac{80}{243}$$

7차전에서 B팀이 최종 우승하기 위해서는 6차전과 7차전을 모두 B팀이 이겨야 하므로 B팀이 최종 우승할 확률은
$$\frac{80}{243} \times \frac{1}{3} \times \frac{1}{3} = \frac{80}{2187}$$

060 답 $\frac{1}{4}$

(i) 예선 3문제를 모두 맞힐 확률은
$${}_3C_3 \left(\frac{1}{2}\right)^3 \left(\frac{1}{2}\right)^0 = \frac{1}{8}$$

(ii) 예선 3문제 중 2문제를 맞히고, 추가 문제를 맞힐 확률은
$${}_3C_2 \left(\frac{1}{2}\right)^2 \left(\frac{1}{2}\right)^1 \times \frac{1}{3} = \frac{1}{8}$$

(i), (ii)에서 구하는 확률은
$$\frac{1}{8} + \frac{1}{8} = \frac{1}{4}$$

061 답 764

세 명의 기술자 A, B, C 중에서 한 명을 임의로 택할 확률은 각각 $\frac{1}{3}$이다.

(i) 기술자 A를 택할 때, 불량품이 4개 이상일 확률은

$$\frac{1}{3} \times \{_5C_4 0.1^4 \times 0.9^1 + _5C_5 0.1^5 \times 0.9^0\} = \frac{1}{3} \times 0.1^4 \times 4.6$$

(ii) 기술자 B를 택할 때, 불량품이 4개 이상일 확률은

$$\frac{1}{3} \times \{_5C_4 0.1^4 \times 0.9^1 + _5C_5 0.1^5 \times 0.9^0\} = \frac{1}{3} \times 0.1^4 \times 4.6$$

(iii) 기술자 C를 택할 때, 불량품이 4개 이상일 확률은

$$\frac{1}{3} \times \{_5C_4 0.2^4 \times 0.8^1 + _5C_5 0.2^5 \times 0.8^0\} = \frac{1}{3} \times 0.2^4 \times 4.2$$

(i), (ii), (iii)에서 불량품이 4개 이상일 확률은

$$\frac{1}{3} \times 0.1^4 \times 4.6 + \frac{1}{3} \times 0.1^4 \times 4.6 + \frac{1}{3} \times 0.2^4 \times 4.2$$

$$= \frac{0.1^4}{30} \times (46 + 46 + 16 \times 42) = \frac{0.1^4}{30} \times 764$$

$$\therefore A = 764$$

062 답 $\frac{9}{28}$

꺼낸 2장의 카드에 적힌 숫자가 서로 같을 확률은

$$\frac{_4C_2 + _3C_2}{_7C_2} = \frac{6+3}{21} = \frac{3}{7}$$

(i) 카드에 적힌 숫자가 서로 같고 주사위를 2번 던져서 짝수의 눈이 2번 나올 확률은

$$\frac{3}{7} \times _2C_2\left(\frac{1}{2}\right)^2\left(\frac{1}{2}\right)^0 = \frac{3}{28}$$

(ii) 카드에 적힌 숫자가 서로 다르고 주사위를 3번 던져서 짝수의 눈이 2번 나올 확률은

$$\left(1 - \frac{3}{7}\right) \times _3C_2\left(\frac{1}{2}\right)^2\left(\frac{1}{2}\right)^1 = \frac{3}{14}$$

(i), (ii)에서 구하는 확률은

$$\frac{3}{28} + \frac{3}{14} = \frac{9}{28}$$

063 답 $\frac{5}{16}$

A가 이기는 횟수를 x, 지는 횟수를 y라 하면 가위바위보를 5번하므로

$$x+y=5 \qquad \cdots\cdots \bigcirc$$

위로 한 칸 가는 것을 $+1$, 아래로 한 칸 가는 것을 -1로 생각하면 가위바위보를 5번 하여 A가 밑에서 9번째 계단에 있으므로

$$x \times 1 + y \times (-1) = -1$$

$$\therefore x-y=-1 \qquad \cdots\cdots \bigcirc$$

$\bigcirc$, $\bigcirc$을 연립하여 풀면

$$x=2, y=3$$

가위바위보를 1번 하여 A가 이길 확률은 $\frac{1}{2}$이고, A가 2번 이기고 3번 져야 하므로 구하는 확률은

$$_5C_2\left(\frac{1}{2}\right)^2\left(\frac{1}{2}\right)^3 = \frac{5}{16}$$

064 답 $\frac{15}{64}$

동전의 앞면이 나오는 횟수를 x, 뒷면이 나오는 횟수를 y라 하면 오른쪽으로 4칸, 위쪽으로 2칸 이동해야 하므로

$$x=4, y=2$$

따라서 구하는 확률은

$$_6C_4\left(\frac{1}{2}\right)^4\left(\frac{1}{2}\right)^2 = \frac{15}{64}$$

065 답 $\frac{50}{243}$

주사위를 5번 던져서 5의 약수의 눈이 나오는 횟수를 a, 5의 약수가 아닌 눈이 나오는 횟수를 b라 하면 점 P가 이동하는 점의 좌표는 (a, b)

이때 $a+b=5$이고 a, b는 $0 \le a \le 5$, $0 \le b \le 5$인 정수이므로 (a, b)를 모두 구하면

$(0, 5), (1, 4), (2, 3), (3, 2), (4, 1), (5, 0)$

이때 이 점 중에서 도형 $|x-3|+|y-1|=1$ 위의 점은 $(3, 2)$와 $(4, 1)$이다.

(i) 점 P가 점 $(3, 2)$로 이동하는 경우

5의 약수의 눈이 3번, 5의 약수가 아닌 눈이 2번 나와야 하므로 그 확률은

$$_5C_3\left(\frac{1}{3}\right)^3\left(\frac{2}{3}\right)^2 = \frac{40}{243}$$

(ii) 점 P가 점 $(4, 1)$로 이동하는 경우

5의 약수의 눈이 4번, 5의 약수가 아닌 눈이 1번 나와야 하므로 그 확률은

$$_5C_4\left(\frac{1}{3}\right)^4\left(\frac{2}{3}\right)^1 = \frac{10}{243}$$

(i), (ii)에서 구하는 확률은

$$\frac{40}{243} + \frac{10}{243} = \frac{50}{243}$$

066 답 ④

상자를 3번 던지므로

$m+n=3$이고, m, n은 $0 \le m \le 3$, $0 \le n \le 3$인 정수이므로

$|m-n|=1$ 또는 $|m-n|=3$

그런데 $i^{|m-n|}=i$이려면 $|m-n|=1$이어야 하므로

$m-n=-1$ 또는 $m-n=1$

(i) $m-n=-1$인 경우

$m=1$, $n=2$, 즉 2가 1번, 2가 아닌 숫자가 2번 나와야 하므로 그 확률은

$$_3C_1\left(\frac{1}{4}\right)^1\left(\frac{3}{4}\right)^2 = \frac{27}{64}$$

(ii) $m-n=1$인 경우

$m=2$, $n=1$, 즉 2가 2번, 2가 아닌 숫자가 1번 나와야 하므로 그 확률은

$$_3C_2\left(\frac{1}{4}\right)^2\left(\frac{3}{4}\right)^1 = \frac{9}{64}$$

(i), (ii)에서 구하는 확률은

$$\frac{27}{64} + \frac{9}{64} = \frac{9}{16}$$

067 답 $\frac{1}{2}$

$\mathrm{P}(B|A)=\dfrac{\mathrm{P}(A\cap B)}{\mathrm{P}(A)}$ 에서

$\dfrac{1}{3}=\dfrac{\mathrm{P}(A\cap B)}{\dfrac{1}{4}}$

$\therefore \mathrm{P}(A\cap B)=\dfrac{1}{12}$

$\mathrm{P}(A\cup B)=\mathrm{P}(A)+\mathrm{P}(B)-\mathrm{P}(A\cap B)$

$\qquad\qquad =\dfrac{1}{4}+\dfrac{1}{3}-\dfrac{1}{12}=\dfrac{1}{2}$

이므로

$\mathrm{P}(A^c\cap B^c)=\mathrm{P}((A\cup B)^c)$

$\qquad\qquad\quad =1-\mathrm{P}(A\cup B)$

$\qquad\qquad\quad =1-\dfrac{1}{2}=\dfrac{1}{2}$

068 답 $\frac{7}{20}$

택한 한 명이 남학생인 사건을 A, 피아노를 선호하는 학생인 사건을 B라 하면

$\mathrm{P}(A)=\dfrac{15}{50}=\dfrac{3}{10}$, $\mathrm{P}(B)=\dfrac{36}{50}=\dfrac{18}{25}$, $\mathrm{P}(A\cap B)=\dfrac{9}{50}$

이때 $\mathrm{P}_1=\mathrm{P}(B|A)$, $\mathrm{P}_2=\mathrm{P}(A|B)$이므로

$\mathrm{P}_1=\mathrm{P}(B|A)=\dfrac{\mathrm{P}(A\cap B)}{\mathrm{P}(A)}=\dfrac{\dfrac{9}{50}}{\dfrac{3}{10}}=\dfrac{3}{5}$

$\mathrm{P}_2=\mathrm{P}(A|B)=\dfrac{\mathrm{P}(A\cap B)}{\mathrm{P}(B)}=\dfrac{\dfrac{9}{50}}{\dfrac{18}{25}}=\dfrac{1}{4}$

$\therefore \mathrm{P}_1-\mathrm{P}_2=\dfrac{3}{5}-\dfrac{1}{4}=\dfrac{7}{20}$

069 답 $\frac{2}{5}$

택한 2장의 카드가 모두 숫자가 적힌 카드인 사건을 A, 모두 숫자 1이 적힌 카드인 사건을 B라 하면

$\mathrm{P}(A)=\dfrac{{}_6\mathrm{C}_2}{{}_{10}\mathrm{C}_2}=\dfrac{15}{45}=\dfrac{1}{3}$, $\mathrm{P}(A\cap B)=\dfrac{{}_4\mathrm{C}_2}{{}_{10}\mathrm{C}_2}=\dfrac{6}{45}=\dfrac{2}{15}$

따라서 구하는 확률은

$\mathrm{P}(B|A)=\dfrac{\mathrm{P}(A\cap B)}{\mathrm{P}(A)}=\dfrac{\dfrac{2}{15}}{\dfrac{1}{3}}=\dfrac{2}{5}$

070 답 $\frac{1}{6}$

택한 한 명이 1학년 학생인 사건을 A, 여학생인 사건을 B라 하면

$\mathrm{P}(A)=\dfrac{30}{100}=\dfrac{3}{10}$, $\mathrm{P}(B|A)=\dfrac{5}{9}$

따라서 구하는 확률은

$\mathrm{P}(A\cap B)=\mathrm{P}(A)\mathrm{P}(B|A)$

$\qquad\qquad\quad =\dfrac{3}{10}\times\dfrac{5}{9}=\dfrac{1}{6}$

071 답 ③

첫 번째에 파란 공을 꺼내는 사건을 A, 두 번째에 파란 공을 꺼내는 사건을 B라 하면

$\mathrm{P}(A)=\dfrac{3}{10}$, $\mathrm{P}(A^c)=1-\dfrac{3}{10}=\dfrac{7}{10}$

$\mathrm{P}(B|A)=\dfrac{2}{9}$, $\mathrm{P}(B|A^c)=\dfrac{3}{9}=\dfrac{1}{3}$

$\therefore \mathrm{P}(A\cap B)=\mathrm{P}(A)\mathrm{P}(B|A)=\dfrac{3}{10}\times\dfrac{2}{9}=\dfrac{1}{15}$,

$\qquad \mathrm{P}(A^c\cap B)=\mathrm{P}(A^c)\mathrm{P}(B|A^c)=\dfrac{7}{10}\times\dfrac{1}{3}=\dfrac{7}{30}$

따라서 구하는 확률은

$\mathrm{P}(B)=\mathrm{P}(A\cap B)+\mathrm{P}(A^c\cap B)$

$\qquad\quad =\dfrac{1}{15}+\dfrac{7}{30}=\dfrac{3}{10}$

072 답 4

공장 A에서 생산한 제품을 택하는 사건을 A, 제품이 불량품인 사건을 B라 하면

$\mathrm{P}(A)=\dfrac{3}{5}$, $\mathrm{P}(A^c)=1-\dfrac{3}{5}=\dfrac{2}{5}$

$\mathrm{P}(B|A)=\dfrac{p}{100}$, $\mathrm{P}(B|A^c)=\dfrac{2}{100}=\dfrac{1}{50}$

$\therefore \mathrm{P}(A\cap B)=\mathrm{P}(A)\mathrm{P}(B|A)=\dfrac{3}{5}\times\dfrac{p}{100}=\dfrac{3p}{500}$,

$\qquad \mathrm{P}(A^c\cap B)=\mathrm{P}(A^c)\mathrm{P}(B|A^c)=\dfrac{2}{5}\times\dfrac{1}{50}=\dfrac{1}{125}$

따라서 제품이 불량품일 확률은

$\mathrm{P}(B)=\mathrm{P}(A\cap B)+\mathrm{P}(A^c\cap B)$

$\qquad\quad =\dfrac{3p}{500}+\dfrac{1}{125}=\dfrac{3p+4}{500}$

즉, $\dfrac{3p+4}{500}=\dfrac{4}{125}$이므로

$3p+4=16$ $\qquad \therefore p=4$

073 답 ③

이 팀이 치르는 경기가 홈 경기인 사건을 A, 이 팀이 승리하는 사건을 B라 하면

$\mathrm{P}(A)=0.4$, $\mathrm{P}(A^c)=1-0.4=0.6$

$\mathrm{P}(B|A)=0.8$, $\mathrm{P}(B|A^c)=0.6$

$\therefore \mathrm{P}(A\cap B)=\mathrm{P}(A)\mathrm{P}(B|A)=0.4\times0.8=0.32$,

$\qquad \mathrm{P}(A^c\cap B)=\mathrm{P}(A^c)\mathrm{P}(B|A^c)=0.6\times0.6=0.36$

따라서 구하는 확률은

$\mathrm{P}(A|B)=\dfrac{\mathrm{P}(A\cap B)}{\mathrm{P}(B)}=\dfrac{\mathrm{P}(A\cap B)}{\mathrm{P}(A\cap B)+\mathrm{P}(A^c\cap B)}$

$\qquad\qquad =\dfrac{0.32}{0.32+0.36}=\dfrac{0.32}{0.68}=\dfrac{8}{17}$

074 답 ⑤

동전의 앞면을 H, 뒷면을 T라 하면

$A=\{\mathrm{HHH,\ TTT}\}$

$B=\{\mathrm{HTT,\ THT,\ TTH,\ TTT}\}$

$A\cap B=\{\mathrm{TTT}\}$

ㄱ. $P(A)=\dfrac{2}{2^3}=\dfrac{1}{4}$

ㄴ. $P(A\cap B)=\dfrac{1}{2^3}=\dfrac{1}{8}$

ㄷ. $P(B)=\dfrac{4}{2^3}=\dfrac{1}{2}$이므로 $P(A\cap B)=P(A)P(B)$

따라서 두 사건 A, B는 서로 독립이다.

따라서 보기 중 옳은 것은 ㄱ, ㄴ, ㄷ이다.

075 탑 ㄱ, ㄴ, ㄷ

ㄱ. $B\subset A$이면 $A\cap B=B$이므로

$$P(A\,|\,B)=\dfrac{P(A\cap B)}{P(B)}=\dfrac{P(B)}{P(B)}=1$$

ㄴ. 두 사건 A, B가 서로 배반사건이면 $A\cap B=\varnothing$이므로

$$P(A\cap B)=0$$

$$\therefore P(A\,|\,B)=\dfrac{P(A\cap B)}{P(B)}=0$$

ㄷ. 두 사건 A, B가 서로 독립이면 $P(A\cap B)=P(A)P(B)$이므로

$$\begin{aligned}\{1-P(A)\}\{1-P(B)\}&=1-P(A)-P(B)+P(A)P(B)\\&=1-P(A)-P(B)+P(A\cap B)\\&=1-\{P(A)+P(B)-P(A\cap B)\}\\&=1-P(A\cup B)\end{aligned}$$

따라서 보기 중 옳은 것은 ㄱ, ㄴ, ㄷ이다.

076 탑 ①

두 사건 A, B가 서로 독립이므로

$$P(B\,|\,A)=P(B)$$

또 주어진 조건에서 $P(B\,|\,A)=P(A)$이므로

$$P(A)=P(B) \quad\cdots\cdots \ \textcircled{\small ㄱ}$$

$P(A\cup B)=\dfrac{5}{9}$에서

$$P(A)+P(B)-P(A\cap B)=\dfrac{5}{9}$$

$$P(A)+P(B)-P(A)P(B)=\dfrac{5}{9}$$

$$P(A)+P(A)-P(A)P(A)=\dfrac{5}{9} \ (\because \textcircled{\small ㄱ})$$

$$2P(A)-\{P(A)\}^2=\dfrac{5}{9}$$

$$9\{P(A)\}^2-18P(A)+5=0$$

$$\{3P(A)-1\}\{3P(A)-5\}=0$$

$$\therefore P(A)=\dfrac{1}{3} \ (\because 0<P(A)<1)$$

$$\therefore P(A)=P(B)=\dfrac{1}{3}$$

$$\therefore P(A\cap B)=P(A)P(B)=\dfrac{1}{9}$$

077 탑 $\dfrac{1}{2}$

두 수의 합이 짝수이려면 두 수 모두 짝수이거나 두 수 모두 홀수이어야 한다.

두 주머니 A, B에서 꺼낸 카드에 적힌 수가 짝수인 사건을 각각 A, B라 하면 두 사건 A, B는 서로 독립이므로 두 사건 A^c, B^c도 서로 독립이다.

(i) 주머니 A에서 짝수, 주머니 B에서 짝수가 적힌 카드를 꺼낼 확률은

$$\begin{aligned}P(A\cap B)&=P(A)P(B)\\&=\dfrac{1}{6}\times\dfrac{1}{2}=\dfrac{1}{12}\end{aligned}$$

(ii) 주머니 A에서 홀수, 주머니 B에서 홀수가 적힌 카드를 꺼낼 확률은

$$\begin{aligned}P(A^c\cap B^c)&=P(A^c)P(B^c)\\&=\dfrac{5}{6}\times\dfrac{1}{2}=\dfrac{5}{12}\end{aligned}$$

(i), (ii)에서 구하는 확률은

$$\dfrac{1}{12}+\dfrac{5}{12}=\dfrac{1}{2}$$

078 탑 $\dfrac{3}{8}$

4번째 경기에서 우승팀이 결정되려면 우승팀은 3번의 경기에서 2번 이기고 마지막 4번째 경기에서도 이겨야 한다.

이때 한 번의 경기에서 A팀이 이길 확률이 $\dfrac{1}{2}$이고 두 팀이 비기는 경우는 없으므로 B팀이 이길 확률도 $\dfrac{1}{2}$이다.

(i) A팀이 우승팀이 될 확률은

$$_3C_2\left(\dfrac{1}{2}\right)^2\left(\dfrac{1}{2}\right)\times\dfrac{1}{2}=\dfrac{3}{16}$$

(ii) B팀이 우승팀이 될 확률은

$$_3C_2\left(\dfrac{1}{2}\right)^2\left(\dfrac{1}{2}\right)\times\dfrac{1}{2}=\dfrac{3}{16}$$

(i), (ii)에서 구하는 확률은

$$\dfrac{3}{16}+\dfrac{3}{16}=\dfrac{3}{8}$$

079 탑 $\dfrac{10}{27}$

주사위를 5번 던져서 3의 배수의 눈이 나오는 횟수를 x, 3의 배수가 아닌 눈이 나오는 횟수를 y라 하면

$$x+y=5$$

$$\therefore y=5-x \quad\cdots\cdots \ \textcircled{\small ㄱ}$$

점 P가 꼭짓점 A에 있으려면 $2x+y$가 3의 배수가 되어야 하므로

$2x+y=3k$ (단, k는 자연수)

이 식에 $\textcircled{\small ㄱ}$을 대입하면

$$2x+5-x=3k$$

$$\therefore x+5=3k$$

이때 x는 $0\le x\le 5$인 정수이므로

$x=1$ 또는 $x=4$

(i) 3의 배수의 눈이 1번 나올 확률은

$$_5C_1\left(\dfrac{1}{3}\right)^1\left(\dfrac{2}{3}\right)^4=\dfrac{80}{243}$$

(ii) 3의 배수의 눈이 4번 나올 확률은

$$_5C_4\left(\dfrac{1}{3}\right)^4\left(\dfrac{2}{3}\right)^1=\dfrac{10}{243}$$

(i), (ii)에서 구하는 확률은

$$\dfrac{80}{243}+\dfrac{10}{243}=\dfrac{10}{27}$$

이산확률변수와 이항분포

70~83쪽

001 답 **9**

확률의 총합은 1이므로

$P(X=1)+P(X=2)+P(X=3)=1$

$\frac{1}{a}+\frac{3}{a}+\frac{5}{a}=1$, $\frac{9}{a}=1$ ∴ $a=9$

002 답 $\frac{1}{4}$

확률의 총합은 1이므로

$2k+k+3k+12k+6k=1$, $24k=1$

∴ $k=\frac{1}{24}$

∴ $P(X \le 0)=P(X=-2)+P(X=-1)+P(X=0)$

$=2k+k+3k=6k=6\times\frac{1}{24}=\frac{1}{4}$

003 답 $\frac{25}{28}$

확률변수 X가 가질 수 있는 값은 0, 1, 2이고, 그 확률은 각각

$P(X=0)=\frac{{}_3C_0 \times {}_5C_2}{{}_8C_2}=\frac{5}{14}$

$P(X=1)=\frac{{}_3C_1 \times {}_5C_1}{{}_8C_2}=\frac{15}{28}$

$P(X=2)=\frac{{}_3C_2 \times {}_5C_0}{{}_8C_2}=\frac{3}{28}$

확률변수 X의 확률분포를 표로 나타내면 다음과 같다.

X	0	1	2	합계
$P(X=x)$	$\frac{5}{14}$	$\frac{15}{28}$	$\frac{3}{28}$	1

∴ $P(X \le 1)=P(X=0)+P(X=1)$

$=\frac{5}{14}+\frac{15}{28}=\frac{25}{28}$

004 답 $\frac{7}{6}$

확률의 총합은 1이므로

$\frac{1}{6}+\frac{1}{12}+\frac{1}{3}+a=1$ ∴ $a=\frac{5}{12}$

따라서 확률변수 X에 대하여

$E(X)=0\times\frac{1}{6}+1\times\frac{1}{12}+2\times\frac{1}{3}+3\times\frac{5}{12}=2$,

$E(X^2)=0^2\times\frac{1}{6}+1^2\times\frac{1}{12}+2^2\times\frac{1}{3}+3^2\times\frac{5}{12}=\frac{31}{6}$이므로

$V(X)=E(X^2)-\{E(X)\}^2$

$=\frac{31}{6}-2^2=\frac{7}{6}$

005 답 $\frac{8}{15}$

확률변수 X가 가질 수 있는 값은 0, 1, 2이고, 그 확률은 각각

$P(X=0)=\frac{{}_2C_0 \times {}_8C_2}{{}_{10}C_2}=\frac{28}{45}$

$P(X=1)=\frac{{}_2C_1 \times {}_8C_1}{{}_{10}C_2}=\frac{16}{45}$

$P(X=2)=\frac{{}_2C_2 \times {}_8C_0}{{}_{10}C_2}=\frac{1}{45}$

확률변수 X의 확률분포를 표로 나타내면 다음과 같다.

X	0	1	2	합계
$P(X=x)$	$\frac{28}{45}$	$\frac{16}{45}$	$\frac{1}{45}$	1

따라서 확률변수 X에 대하여

$E(X)=0\times\frac{28}{45}+1\times\frac{16}{45}+2\times\frac{1}{45}=\frac{2}{5}$,

$E(X^2)=0^2\times\frac{28}{45}+1^2\times\frac{16}{45}+2^2\times\frac{1}{45}=\frac{4}{9}$이므로

$V(X)=E(X^2)-\{E(X)\}^2$

$=\frac{4}{9}-\left(\frac{2}{5}\right)^2=\frac{64}{225}$

∴ $\sigma(X)=\sqrt{V(X)}=\sqrt{\frac{64}{225}}=\frac{8}{15}$

006 답 ②

복권 한 장으로 받을 수 있는 당첨금을 X만 원이라 할 때, 확률변수 X의 확률분포를 표로 나타내면 다음과 같다.

X	0	20	50	100	합계
$P(X=x)$	$\frac{13}{20}$	$\frac{1}{5}$	$\frac{1}{10}$	$\frac{1}{20}$	1

따라서 확률변수 X에 대하여

$E(X)=0\times\frac{13}{20}+20\times\frac{1}{5}+50\times\frac{1}{10}+100\times\frac{1}{20}=14$

즉, 구하는 기댓값은 14만 원이다.

007 답 **5**

$E(X)=1$이므로 $E(Y)=-1$에서

$E(aX+b)=-1$, $aE(X)+b=-1$

∴ $a+b=-1$ ……㉠

$V(X)=9$이므로 $V(Y)=36$에서

$V(aX+b)=36$, $a^2V(X)=36$

$9a^2=36$, $a^2=4$ ∴ $a=2$ (∵ $a>0$)

이를 ㉠에 대입하면 $2+b=-1$

∴ $b=-3$

∴ $a-b=2-(-3)=5$

008 답 $\sqrt{15}$

확률의 총합은 1이므로

$\frac{3}{10}+a+\frac{3}{10}=1$ ∴ $a=\frac{2}{5}$

따라서 확률변수 X에 대하여

$E(X)=0\times\frac{3}{10}+1\times\frac{2}{5}+2\times\frac{3}{10}=1$,

$E(X^2)=0^2\times\frac{3}{10}+1^2\times\frac{2}{5}+2^2\times\frac{3}{10}=\frac{8}{5}$이므로

$V(X)=E(X^2)-\{E(X)\}^2$

$=\frac{8}{5}-1^2=\frac{3}{5}$

∴ $\sigma(X)=\sqrt{V(X)}=\sqrt{\frac{3}{5}}=\frac{\sqrt{15}}{5}$

∴ $\sigma(5X-1)=|5|\sigma(X)=5\times\frac{\sqrt{15}}{5}=\sqrt{15}$

009 답 ③

확률변수 X가 가질 수 있는 값은 0, 1, 2이고, 그 확률은 각각

$P(X=0)=\dfrac{{}_3C_0\times{}_4C_2}{{}_7C_2}=\dfrac{2}{7}$

$P(X=1)=\dfrac{{}_3C_1\times{}_4C_1}{{}_7C_2}=\dfrac{4}{7}$

$P(X=2)=\dfrac{{}_3C_2\times{}_4C_0}{{}_7C_2}=\dfrac{1}{7}$

확률변수 X의 확률분포를 표로 나타내면 다음과 같다.

X	0	1	2	합계
$P(X=x)$	$\dfrac{2}{7}$	$\dfrac{4}{7}$	$\dfrac{1}{7}$	1

따라서 확률변수 X에 대하여

$E(X)=0\times\dfrac{2}{7}+1\times\dfrac{4}{7}+2\times\dfrac{1}{7}=\dfrac{6}{7}$,

$E(X^2)=0^2\times\dfrac{2}{7}+1^2\times\dfrac{4}{7}+2^2\times\dfrac{1}{7}=\dfrac{8}{7}$이므로

$V(X)=E(X^2)-\{E(X)\}^2$

$\qquad=\dfrac{8}{7}-\left(\dfrac{6}{7}\right)^2=\dfrac{20}{49}$

$\therefore V(Y)=V(7X+3)=7^2V(X)$

$\qquad\qquad=49\times\dfrac{20}{49}=20$

010 답 ⑤

확률변수 X는 이항분포 $B\left(3,\dfrac{3}{4}\right)$을 따르므로 X의 확률질량함수는

$P(X=x)={}_3C_x\left(\dfrac{3}{4}\right)^x\left(\dfrac{1}{4}\right)^{3-x}$ ($x=0,\ 1,\ 2,\ 3$)

$\therefore P(X\geq1)=1-P(X=0)$

$\qquad\qquad=1-{}_3C_0\left(\dfrac{3}{4}\right)^0\left(\dfrac{1}{4}\right)^3=\dfrac{63}{64}$

011 답 541

$E(X)=90$에서 $np=90$ $\quad\cdots\cdots$ ㉠

$\sigma(X)=5\sqrt{3}$에서 $\sqrt{np(1-p)}=5\sqrt{3}$

$\therefore np(1-p)=75$

이 식에 ㉠을 대입하면

$90(1-p)=75$, $1-p=\dfrac{5}{6}$ $\qquad\therefore p=\dfrac{1}{6}$

이를 ㉠에 대입하면

$\dfrac{1}{6}n=90$ $\qquad\therefore n=540$

$\therefore n+6p=540+6\times\dfrac{1}{6}=541$

012 답 ⑤

한 번의 시행에서 5의 약수의 눈이 나올 확률이 $\dfrac{1}{3}$이므로 확률변수 X는 이항분포 $B\left(9,\dfrac{1}{3}\right)$을 따른다.

$\therefore E(X)=9\times\dfrac{1}{3}=3$, $V(X)=9\times\dfrac{1}{3}\times\dfrac{2}{3}=2$

따라서 $V(X)=E(X^2)-\{E(X)\}^2$에서

$E(X^2)=V(X)+\{E(X)\}^2=2+3^2=11$

013 답 98

한 번의 시행에서 불량품이 나올 확률이 $\dfrac{2}{100}=\dfrac{1}{50}$이므로 확률변수 X는 이항분포 $B\left(50,\dfrac{1}{50}\right)$을 따른다.

따라서 $V(X)=50\times\dfrac{1}{50}\times\dfrac{49}{50}=\dfrac{49}{50}$이므로

$V(10X+1)=10^2V(X)=100\times\dfrac{49}{50}=98$

014 답 ④

확률의 총합은 1이므로

$P(X=1)+P(X=2)+P(X=3)+P(X=4)=1$

$4k+5k+6k+7k=1$, $22k=1$ $\qquad\therefore k=\dfrac{1}{22}$

015 답 $\dfrac{1}{2}$

확률의 총합은 1이므로

$\dfrac{1}{2}a^2+\dfrac{3}{4}a+\dfrac{1}{4}a+\dfrac{1}{2}a^2+\dfrac{1}{2}a=1$

$2a^2+3a-2=0$, $(a+2)(2a-1)=0$

$\therefore a=-2$ 또는 $a=\dfrac{1}{2}$

이때 $0\leq P(X=x)\leq1$이므로 $a=\dfrac{1}{2}$

016 답 ①

확률의 총합은 1이므로

$P(X=0)+P(X=1)+P(X=2)+\cdots+P(X=99)=1$

$\dfrac{k}{2\times3}+\dfrac{k}{3\times4}+\dfrac{k}{4\times5}+\cdots+\dfrac{k}{101\times102}=1$

$k\left\{\left(\dfrac{1}{2}-\dfrac{1}{3}\right)+\left(\dfrac{1}{3}-\dfrac{1}{4}\right)+\left(\dfrac{1}{4}-\dfrac{1}{5}\right)+\cdots+\left(\dfrac{1}{101}-\dfrac{1}{102}\right)\right\}=1$

$k\left(\dfrac{1}{2}-\dfrac{1}{102}\right)=1$, $\dfrac{25}{51}k=1$ $\qquad\therefore 25k=51$

017 답 ⑤

확률의 총합은 1이므로

$a+\dfrac{1}{4}+2a+\dfrac{1}{4}=1$, $3a=\dfrac{1}{2}$ $\qquad\therefore a=\dfrac{1}{6}$

$\therefore P(0\leq X<2)=P(X=0)+P(X=1)$

$\qquad\qquad=\dfrac{1}{4}+2a=\dfrac{1}{4}+2\times\dfrac{1}{6}=\dfrac{7}{12}$

018 답 $\dfrac{8}{9}$

확률의 총합은 1이므로

$\dfrac{1}{9}+a+\dfrac{2}{3}=1$ $\qquad\therefore a=\dfrac{2}{9}$

$\therefore P(X\geq5a)=P\left(X\geq\dfrac{10}{9}\right)$

$\qquad\qquad=P(X=2)+P(X=3)$

$\qquad\qquad=a+\dfrac{2}{3}=\dfrac{2}{9}+\dfrac{2}{3}=\dfrac{8}{9}$

05 이산확률변수와 이항분포

019 답 ③

확률의 총합은 1이므로
$$P(X=1)+P(X=2)+P(X=3)=1$$
$$\left(\frac{1}{5}+k\right)+\left(\frac{2}{5}+k\right)+k=1$$
$$\therefore k=\frac{2}{15}$$
따라서 확률변수 X의 확률질량함수는
$$P(X=x)=\begin{cases}\dfrac{1}{5}x+\dfrac{2}{15} & (x=1,\,2) \\[2mm] \dfrac{2}{15} & (x=3)\end{cases}$$
$$\therefore P(X=1\text{ 또는 }X=3)=P(X=1)+P(X=3)$$
$$=\left(\frac{1}{5}+\frac{2}{15}\right)+\frac{2}{15}=\frac{7}{15}$$

020 답 $\dfrac{2-\sqrt{2}}{3}$

$$P(X=x)=\frac{k}{\sqrt{x}+\sqrt{x+1}}=\frac{k(\sqrt{x}-\sqrt{x+1})}{(\sqrt{x}+\sqrt{x+1})(\sqrt{x}-\sqrt{x+1})}$$
$$=k(\sqrt{x+1}-\sqrt{x})$$
확률의 총합은 1이므로
$$P(X=1)+P(X=2)+P(X=3)+\cdots+P(X=15)=1$$
$$k\{(\sqrt{2}-\sqrt{1})+(\sqrt{3}-\sqrt{2})+(\sqrt{4}-\sqrt{3})+\cdots+(\sqrt{16}-\sqrt{15})\}=1$$
$$k(\sqrt{16}-\sqrt{1})=1,\ 3k=1 \qquad \therefore k=\frac{1}{3}$$
따라서 확률변수 X의 확률질량함수는
$$P(X=x)=\frac{1}{3(\sqrt{x}+\sqrt{x+1})}$$
$$=\frac{\sqrt{x+1}-\sqrt{x}}{3}\ (x=1,\,2,\,3,\,\cdots,\,15)$$
$$\therefore P(X^2-9X+8=0)=P(X=1\text{ 또는 }X=8)$$
$$=P(X=1)+P(X=8)$$
$$=\frac{\sqrt{2}-\sqrt{1}}{3}+\frac{\sqrt{9}-\sqrt{8}}{3}=\frac{2-\sqrt{2}}{3}$$

021 답 ①

$\dfrac{3}{P(X=k)}=\dfrac{k}{P(X=k+1)}$에서
$$P(X=k+1)=\frac{k}{3}P(X=k)$$
$P(X=1)=a$라 하면
$$P(X=2)=\frac{1}{3}P(X=1)=\frac{1}{3}a$$
$$P(X=3)=\frac{2}{3}P(X=2)=\frac{2}{3}\times\frac{1}{3}a=\frac{2}{9}a$$
$$P(X=4)=\frac{3}{3}P(X=3)=\frac{2}{9}a$$
확률의 총합은 1이므로
$$P(X=1)+P(X=2)+P(X=3)+P(X=4)=1$$
$$a+\frac{1}{3}a+\frac{2}{9}a+\frac{2}{9}a=1$$
$$\frac{16}{9}a=1 \qquad \therefore a=\frac{9}{16}$$
$$\therefore P(X\geq3)=P(X=3)+P(X=4)$$
$$=\frac{2}{9}a+\frac{2}{9}a=\frac{4}{9}a=\frac{4}{9}\times\frac{9}{16}=\frac{1}{4}$$

022 답 ⑤

확률변수 X가 가질 수 있는 값은 0, 1, 2, 3이고, 그 확률은 각각
$$P(X=0)=\frac{_4C_0\times{_3C_3}}{_7C_3}=\frac{1}{35},\ P(X=1)=\frac{_4C_1\times{_3C_2}}{_7C_3}=\frac{12}{35},$$
$$P(X=2)=\frac{_4C_2\times{_3C_1}}{_7C_3}=\frac{18}{35},\ P(X=3)=\frac{_4C_3\times{_3C_0}}{_7C_3}=\frac{4}{35}$$
확률변수 X의 확률분포를 표로 나타내면 다음과 같다.

X	0	1	2	3	합계
$P(X=x)$	$\dfrac{1}{35}$	$\dfrac{12}{35}$	$\dfrac{18}{35}$	$\dfrac{4}{35}$	1

$$\therefore P(X\geq2)=P(X=2)+P(X=3)=\frac{18}{35}+\frac{4}{35}=\frac{22}{35}$$

023 답 ②

확률변수 X가 가질 수 있는 값은 2, 3, 4, $\cdots$, 8이다.
바닥에 놓인 면에 적힌 두 수를 a, b라 하면 순서쌍 $(a,\,b)$에 대하여
(i) 두 수의 합이 5인 경우
   $(1,\,4)$, $(2,\,3)$, $(3,\,2)$, $(4,\,1)$ ➡ 4가지
(ii) 두 수의 합이 6인 경우
   $(2,\,4)$, $(3,\,3)$, $(4,\,2)$ ➡ 3가지
(i), (ii)에서
$$P(X=5)=\frac{4}{4\times4}=\frac{1}{4},\ P(X=6)=\frac{3}{4\times4}=\frac{3}{16}$$
$$\therefore P(X=5\text{ 또는 }X=6)=P(X=5)+P(X=6)$$
$$=\frac{1}{4}+\frac{3}{16}=\frac{7}{16}$$

참고 확률변수 X의 확률분포를 표로 나타내면 다음과 같다.

X	2	3	4	5	6	7	8	합계
$P(X=x)$	$\dfrac{1}{16}$	$\dfrac{1}{8}$	$\dfrac{3}{16}$	$\dfrac{1}{4}$	$\dfrac{3}{16}$	$\dfrac{1}{8}$	$\dfrac{1}{16}$	1

024 답 $\dfrac{1}{2}$

확률변수 X가 가질 수 있는 값은 2, 4, 6이다.
뽑힌 카드에 적힌 두 수를 a, $b\,(a<b)$라 하면 순서쌍 $(a,\,b)$에 대하여
(i) 두 수의 차가 4인 경우
   $(2,\,6)$, $(4,\,8)$ ➡ 2가지
(ii) 두 수의 차가 6인 경우
   $(2,\,8)$ ➡ 1가지
(i), (ii)에서
$$P(X=4)=\frac{2}{_4C_2}=\frac{1}{3},\ P(X=6)=\frac{1}{_4C_2}=\frac{1}{6}$$
$$\therefore P(X>3)=P(X=4)+P(X=6)=\frac{1}{3}+\frac{1}{6}=\frac{1}{2}$$

참고 확률변수 X의 확률분포를 표로 나타내면 다음과 같다.

X	2	4	6	합계
$P(X=x)$	$\dfrac{1}{2}$	$\dfrac{1}{3}$	$\dfrac{1}{6}$	1

025 답 ⑤

확률변수 X가 가질 수 있는 값은 1, 2, 3, 4, 5, 6이다.
$X^2-8X+15\leq0$에서 $(X-3)(X-5)\leq0$ $\therefore 3\leq X\leq5$

나오는 두 눈의 수를 a, b라 하면 순서쌍 (a, b)에 대하여

(ⅰ) 두 수 중에서 크지 않은 수가 3인 경우

$(3, 3)$, $(3, 4)$, $(4, 3)$, $(3, 5)$, $(5, 3)$, $(3, 6)$, $(6, 3)$

➡ 7가지

(ⅱ) 두 수 중에서 크지 않은 수가 4인 경우

$(4, 4)$, $(4, 5)$, $(5, 4)$, $(4, 6)$, $(6, 4)$ ➡ 5가지

(ⅲ) 두 수 중에서 크지 않은 수가 5인 경우

$(5, 5)$, $(5, 6)$, $(6, 5)$ ➡ 3가지

(ⅰ), (ⅱ), (ⅲ)에서

$P(X=3)=\dfrac{7}{6\times 6}=\dfrac{7}{36}$, $P(X=4)=\dfrac{5}{6\times 6}=\dfrac{5}{36}$,

$P(X=5)=\dfrac{3}{6\times 6}=\dfrac{1}{12}$

$\therefore P(X^2-8X+15\leq 0)=P(3\leq X\leq 5)$

$=P(X=3)+P(X=4)+P(X=5)$

$=\dfrac{7}{36}+\dfrac{5}{36}+\dfrac{1}{12}=\dfrac{5}{12}$

참고 확률변수 X의 확률분포를 표로 나타내면 다음과 같다.

X	1	2	3	4	5	6	합계
$P(X=x)$	$\dfrac{11}{36}$	$\dfrac{1}{4}$	$\dfrac{7}{36}$	$\dfrac{5}{36}$	$\dfrac{1}{12}$	$\dfrac{1}{36}$	1

026 답 2

확률변수 X가 가질 수 있는 값은 1, 2, 3, 4이고, 그 확률은 각각

$P(X=1)=\dfrac{{}_7C_1\times {}_3C_3}{{}_{10}C_4}=\dfrac{1}{30}$, $P(X=2)=\dfrac{{}_7C_2\times {}_3C_2}{{}_{10}C_4}=\dfrac{3}{10}$,

$P(X=3)=\dfrac{{}_7C_3\times {}_3C_1}{{}_{10}C_4}=\dfrac{1}{2}$, $P(X=4)=\dfrac{{}_7C_4\times {}_3C_0}{{}_{10}C_4}=\dfrac{1}{6}$

확률변수 X의 확률분포를 표로 나타내면 다음과 같다.

X	1	2	3	4	합계
$P(X=x)$	$\dfrac{1}{30}$	$\dfrac{3}{10}$	$\dfrac{1}{2}$	$\dfrac{1}{6}$	1

이때 $P(X=1)+P(X=2)=\dfrac{1}{30}+\dfrac{3}{10}=\dfrac{1}{3}$이므로

$P(X\leq 2)=\dfrac{1}{3}$ $\therefore k=2$

027 답 $\dfrac{8}{7}$

확률의 총합은 1이므로

$\dfrac{3}{7}+\dfrac{2}{7}+a+\dfrac{1}{7}=1$ $\therefore a=\dfrac{1}{7}$

따라서 확률변수 X에 대하여

$E(X)=1\times\dfrac{3}{7}+2\times\dfrac{2}{7}+3\times\dfrac{1}{7}+4\times\dfrac{1}{7}=2$,

$E(X^2)=1^2\times\dfrac{3}{7}+2^2\times\dfrac{2}{7}+3^2\times\dfrac{1}{7}+4^2\times\dfrac{1}{7}=\dfrac{36}{7}$이므로

$V(X)=E(X^2)-\{E(X)\}^2=\dfrac{36}{7}-2^2=\dfrac{8}{7}$

028 답 ②

확률의 총합은 1이므로

$2a^2+2a+a^2=1$, $3a^2+2a-1=0$

$(a+1)(3a-1)=0$ $\therefore a=-1$ 또는 $a=\dfrac{1}{3}$

이때 $0\leq P(X=x)\leq 1$이므로 $a=\dfrac{1}{3}$

따라서 확률변수 X에 대하여

$E(X)=0\times\dfrac{2}{9}+1\times\dfrac{2}{3}+2\times\dfrac{1}{9}=\dfrac{8}{9}$

029 답 ①

확률의 총합은 1이므로

$P(X=1)+P(X=2)+P(X=3)+P(X=4)=1$

$k+4k+9k+16k=1$, $30k=1$ $\therefore k=\dfrac{1}{30}$

확률변수 X의 확률분포를 표로 나타내면 다음과 같다.

X	1	2	3	4	합계
$P(X=x)$	$\dfrac{1}{30}$	$\dfrac{2}{15}$	$\dfrac{3}{10}$	$\dfrac{8}{15}$	1

따라서 확률변수 X에 대하여

$E(X)=1\times\dfrac{1}{30}+2\times\dfrac{2}{15}+3\times\dfrac{3}{10}+4\times\dfrac{8}{15}=\dfrac{10}{3}$,

$E(X^2)=1^2\times\dfrac{1}{30}+2^2\times\dfrac{2}{15}+3^2\times\dfrac{3}{10}+4^2\times\dfrac{8}{15}=\dfrac{59}{5}$이므로

$V(X)=E(X^2)-\{E(X)\}^2=\dfrac{59}{5}-\left(\dfrac{10}{3}\right)^2=\dfrac{31}{45}$

030 답 ④

확률의 총합은 1이므로

$b+\dfrac{1}{4}+\dfrac{1}{2}=1$ $\therefore b=\dfrac{1}{4}$

$E(X)=1$에서

$-a\times\dfrac{1}{4}+0\times\dfrac{1}{4}+a\times\dfrac{1}{2}=1$, $\dfrac{1}{4}a=1$ $\therefore a=4$

따라서 확률변수 X에 대하여

$E(X^2)=(-4)^2\times\dfrac{1}{4}+0^2\times\dfrac{1}{4}+4^2\times\dfrac{1}{2}=12$이므로

$V(X)=E(X^2)-\{E(X)\}^2=12-1^2=11$

$\therefore \sigma(X)=\sqrt{V(X)}=\sqrt{11}$

031 답 $\dfrac{4\sqrt{6}}{15}$

확률변수 X가 가질 수 있는 값은 0, 1, 2이고, 그 확률은 각각

$P(X=0)=\dfrac{{}_4C_0\times {}_6C_2}{{}_{10}C_2}=\dfrac{1}{3}$, $P(X=1)=\dfrac{{}_4C_1\times {}_6C_1}{{}_{10}C_2}=\dfrac{8}{15}$,

$P(X=2)=\dfrac{{}_4C_2\times {}_6C_0}{{}_{10}C_2}=\dfrac{2}{15}$

확률변수 X의 확률분포를 표로 나타내면 다음과 같다.

X	0	1	2	합계
$P(X=x)$	$\dfrac{1}{3}$	$\dfrac{8}{15}$	$\dfrac{2}{15}$	1

따라서 확률변수 X에 대하여

$E(X)=0\times\dfrac{1}{3}+1\times\dfrac{8}{15}+2\times\dfrac{2}{15}=\dfrac{4}{5}$,

$E(X^2)=0^2\times\dfrac{1}{3}+1^2\times\dfrac{8}{15}+2^2\times\dfrac{2}{15}=\dfrac{16}{15}$이므로

$V(X)=E(X^2)-\{E(X)\}^2=\dfrac{16}{15}-\left(\dfrac{4}{5}\right)^2=\dfrac{32}{75}$

$\therefore \sigma(X)=\sqrt{V(X)}=\sqrt{\dfrac{32}{75}}=\dfrac{4\sqrt{6}}{15}$

032 답 ②

확률변수 X가 가질 수 있는 값은 0, 1, 2, 3이다.

(i) 나머지가 0인 경우는 4의 1가지
(ii) 나머지가 1인 경우는 1, 5의 2가지
(iii) 나머지가 2인 경우는 2, 6의 2가지
(iv) 나머지가 3인 경우는 3의 1가지

(i)~(iv)에서

$P(X=0)=\dfrac{1}{6}$, $P(X=1)=\dfrac{2}{6}=\dfrac{1}{3}$,

$P(X=2)=\dfrac{2}{6}=\dfrac{1}{3}$, $P(X=3)=\dfrac{1}{6}$

확률변수 X의 확률분포를 표로 나타내면 다음과 같다.

X	0	1	2	3	합계
$P(X=x)$	$\dfrac{1}{6}$	$\dfrac{1}{3}$	$\dfrac{1}{3}$	$\dfrac{1}{6}$	1

따라서 확률변수 X에 대하여

$E(X)=0\times\dfrac{1}{6}+1\times\dfrac{1}{3}+2\times\dfrac{1}{3}+3\times\dfrac{1}{6}=\dfrac{3}{2}$,

$E(X^2)=0^2\times\dfrac{1}{6}+1^2\times\dfrac{1}{3}+2^2\times\dfrac{1}{3}+3^2\times\dfrac{1}{6}=\dfrac{19}{6}$이므로

$V(X)=E(X^2)-\{E(X)\}^2$
$=\dfrac{19}{6}-\left(\dfrac{3}{2}\right)^2=\dfrac{11}{12}$

033 답 ③

확률변수 X가 가질 수 있는 값은 1, 2, 3이다.

뽑힌 카드에 적힌 두 수를 a, $b\,(a<b)$라 하면 순서쌍 (a, b)에 대하여

(i) 두 수 중에서 작은 수가 1인 경우
　　$(1, 2)$, $(1, 3)$, $(1, 4)$ ➡ 3가지
(ii) 두 수 중에서 작은 수가 2인 경우
　　$(2, 3)$, $(2, 4)$ ➡ 2가지
(iii) 두 수 중에서 작은 수가 3인 경우
　　$(3, 4)$ ➡ 1가지

(i), (ii), (iii)에서

$P(X=1)=\dfrac{3}{_4C_2}=\dfrac{1}{2}$, $P(X=2)=\dfrac{2}{_4C_2}=\dfrac{1}{3}$,

$P(X=3)=\dfrac{1}{_4C_2}=\dfrac{1}{6}$

확률변수 X의 확률분포를 표로 나타내면 다음과 같다.

X	1	2	3	합계
$P(X=x)$	$\dfrac{1}{2}$	$\dfrac{1}{3}$	$\dfrac{1}{6}$	1

따라서 확률변수 X에 대하여

$E(X)=1\times\dfrac{1}{2}+2\times\dfrac{1}{3}+3\times\dfrac{1}{6}=\dfrac{5}{3}$,

$E(X^2)=1^2\times\dfrac{1}{2}+2^2\times\dfrac{1}{3}+3^2\times\dfrac{1}{6}=\dfrac{10}{3}$이므로

$V(X)=E(X^2)-\{E(X)\}^2$
$=\dfrac{10}{3}-\left(\dfrac{5}{3}\right)^2=\dfrac{5}{9}$

$\therefore \sigma(X)=\sqrt{V(X)}=\sqrt{\dfrac{5}{9}}=\dfrac{\sqrt5}{3}$

034 답 $\dfrac{13}{2}$

확률변수 X가 가질 수 있는 값은 4, 6, 8, 10이다.

(i) 두 수의 합이 4이려면 A에서 2, B에서 2가 나와야 하므로 그 확률은
$$P(X=4)=\dfrac{3}{4}\times\dfrac{1}{4}=\dfrac{3}{16}$$

(ii) 두 수의 합이 6이려면 A에서 2, B에서 4가 나오거나 A에서 4, B에서 2가 나와야 하므로 그 확률은
$$P(X=6)=\dfrac{3}{4}\times\dfrac{1}{2}+\dfrac{1}{4}\times\dfrac{1}{4}=\dfrac{7}{16}$$

(iii) 두 수의 합이 8이려면 A에서 2, B에서 6이 나오거나 A에서 4, B에서 4가 나와야 하므로 그 확률은
$$P(X=8)=\dfrac{3}{4}\times\dfrac{1}{4}+\dfrac{1}{4}\times\dfrac{1}{2}=\dfrac{5}{16}$$

(iv) 두 수의 합이 10이려면 A에서 4, B에서 6이 나와야 하므로 그 확률은
$$P(X=10)=\dfrac{1}{4}\times\dfrac{1}{4}=\dfrac{1}{16}$$

확률변수 X의 확률분포를 표로 나타내면 다음과 같다.

X	4	6	8	10	합계
$P(X=x)$	$\dfrac{3}{16}$	$\dfrac{7}{16}$	$\dfrac{5}{16}$	$\dfrac{1}{16}$	1

따라서 확률변수 X에 대하여

$E(X)=4\times\dfrac{3}{16}+6\times\dfrac{7}{16}+8\times\dfrac{5}{16}+10\times\dfrac{1}{16}=\dfrac{13}{2}$

035 답 ①

0, 1, 2가 적힌 공이 각각 a개, b개, c개라 하면
$a+b+c=6$ ……… ㉠

확률변수 X가 가질 수 있는 값은 0, 1, 2이고, 그 확률은 각각

$P(X=0)=\dfrac{a}{6}$, $P(X=1)=\dfrac{b}{6}$, $P(X=2)=\dfrac{c}{6}$

확률변수 X의 확률분포를 표로 나타내면 다음과 같다.

X	0	1	2	합계
$P(X=x)$	$\dfrac{a}{6}$	$\dfrac{b}{6}$	$\dfrac{c}{6}$	1

$E(X)=\dfrac{3}{2}$에서

$0\times\dfrac{a}{6}+1\times\dfrac{b}{6}+2\times\dfrac{c}{6}=\dfrac{3}{2}$

$\therefore b+2c=9$ ……… ㉡

$V(X)=\dfrac{7}{12}$에서

$\left(0^2\times\dfrac{a}{6}+1^2\times\dfrac{b}{6}+2^2\times\dfrac{c}{6}\right)-\left(\dfrac{3}{2}\right)^2=\dfrac{7}{12}$

$\therefore b+4c=17$ ……… ㉢

㉡, ㉢을 연립하여 풀면

$b=1$, $c=4$

이를 ㉠에 대입하면

$a+1+4=6$

$\therefore a=1$

따라서 숫자 0이 적힌 공은 1개이다.

036 답 ①

행운권 1장으로 받을 수 있는 상금을 X원이라 할 때, 확률변수 X의 확률분포를 표로 나타내면 다음과 같다.

X	0	500	10000	100000	합계
$\mathrm{P}(X=x)$	$\dfrac{389}{500}$	$\dfrac{1}{5}$	$\dfrac{1}{50}$	$\dfrac{1}{500}$	1

따라서 확률변수 X에 대하여

$\mathrm{E}(X)=0\times\dfrac{389}{500}+500\times\dfrac{1}{5}+10000\times\dfrac{1}{50}+100000\times\dfrac{1}{500}$

$\qquad\quad=500$

즉, 구하는 기댓값은 500원이다.

037 답 350원

동전의 앞면을 H, 뒷면을 T라 할 때, 게임을 한 번 하여 나오는 모든 경우를 표로 나타내면 다음과 같다.

500원	100원	100원	받은 금액(원)
H	H	H	0
H	H	T	100
H	T	H	100
H	T	T	200
T	H	H	500
T	H	T	600
T	T	H	600
T	T	T	700

게임을 한 번 하여 받을 수 있는 금액을 X원이라 할 때, 확률변수 X가 가질 수 있는 값은 0, 100, 200, 500, 600, 700이고, 그 확률은 각각

$\mathrm{P}(X=0)=\dfrac{1}{8}$, $\mathrm{P}(X=100)=\dfrac{2}{8}=\dfrac{1}{4}$, $\mathrm{P}(X=200)=\dfrac{1}{8}$,

$\mathrm{P}(X=500)=\dfrac{1}{8}$, $\mathrm{P}(X=600)=\dfrac{2}{8}=\dfrac{1}{4}$, $\mathrm{P}(X=700)=\dfrac{1}{8}$

확률변수 X의 확률분포를 표로 나타내면 다음과 같다.

X	0	100	200	500	600	700	합계
$\mathrm{P}(X=x)$	$\dfrac{1}{8}$	$\dfrac{1}{4}$	$\dfrac{1}{8}$	$\dfrac{1}{8}$	$\dfrac{1}{4}$	$\dfrac{1}{8}$	1

따라서 확률변수 X에 대하여

$\mathrm{E}(X)=0\times\dfrac{1}{8}+100\times\dfrac{1}{4}+200\times\dfrac{1}{8}+500\times\dfrac{1}{8}+600\times\dfrac{1}{4}+700\times\dfrac{1}{8}$

$\qquad\quad=350$

즉, 구하는 기댓값은 350원이다.

038 답 ③

게임을 한 번 하여 받을 수 있는 금액을 X원이라 할 때, 확률변수 X가 가질 수 있는 값은 4900, -2800이고, 그 확률은 각각

$\mathrm{P}(X=4900)=\dfrac{4}{4+a}$, $\mathrm{P}(X=-2800)=\dfrac{a}{4+a}$

확률변수 X의 확률분포를 표로 나타내면 다음과 같다.

X	4900	-2800	합계
$\mathrm{P}(X=x)$	$\dfrac{4}{4+a}$	$\dfrac{a}{4+a}$	1

이때 $\mathrm{E}(X)=1600$이므로

$4900\times\dfrac{4}{4+a}+(-2800)\times\dfrac{a}{4+a}=1600$

$\dfrac{196-28a}{4+a}=16$, $196-28a=64+16a$

$44a=132$ $\qquad\therefore\ a=3$

039 답 6

$\mathrm{E}(X)=2$이므로 $\mathrm{E}(Y)=8$에서

$\mathrm{E}(aX+b)=8$, $a\mathrm{E}(X)+b=8$

$\therefore\ 2a+b=8$ $\qquad\cdots\cdots\ \bigcirc$

$\mathrm{V}(X)=5$이므로 $\mathrm{V}(Y)=45$에서

$\mathrm{V}(aX+b)=45$, $a^2\mathrm{V}(X)=45$

$5a^2=45$, $a^2=9$ $\qquad\therefore\ a=3\ (\because\ a>0)$

이를 $\bigcirc$에 대입하면 $6+b=8$ $\qquad\therefore\ b=2$

$\therefore\ ab=3\times2=6$

040 답 ④

$\mathrm{V}(X)=\mathrm{E}(X^2)-\{\mathrm{E}(X)\}^2=27-5^2=2$이므로

$\sigma(X)=\sqrt{\mathrm{V}(X)}=\sqrt{2}$

$\therefore\ \sigma(Y)=\sigma(-3X+1)=|-3|\sigma(X)=3\sqrt{2}$

041 답 31

$\mathrm{E}(2X+3)=13$에서

$2\mathrm{E}(X)+3=13$ $\qquad\therefore\ \mathrm{E}(X)=5$

$\mathrm{V}(2X+3)=24$에서

$2^2\mathrm{V}(X)=24$ $\qquad\therefore\ \mathrm{V}(X)=6$

따라서 $\mathrm{V}(X)=\mathrm{E}(X^2)-\{\mathrm{E}(X)\}^2$에서

$\mathrm{E}(X^2)=\mathrm{V}(X)+\{\mathrm{E}(X)\}^2=6+5^2=31$

042 답 60

$\mathrm{E}(X)=m$, $\sigma(X)=\sigma$이므로

$\mathrm{E}(T)=\mathrm{E}\left(10\times\dfrac{X-m}{\sigma}+50\right)=\dfrac{10}{\sigma}\mathrm{E}(X)-\dfrac{10m}{\sigma}+50$

$\qquad\quad=\dfrac{10}{\sigma}\times m-\dfrac{10m}{\sigma}+50=50$

$\sigma(T)=\sigma\left(10\times\dfrac{X-m}{\sigma}+50\right)=\left|\dfrac{10}{\sigma}\right|\sigma(X)$

$\qquad\quad=\dfrac{10}{\sigma}\times\sigma=10$

따라서 확률변수 T의 평균과 표준편차의 합은

$\mathrm{E}(T)+\sigma(T)=50+10=60$

043 답 ③

$\mathrm{E}(X)=a$, $\mathrm{E}(X^2)=2a+3$에서

$\mathrm{V}(X)=\mathrm{E}(X^2)-\{\mathrm{E}(X)\}^2=2a+3-a^2$

$\therefore\ \mathrm{V}(Y)=\mathrm{V}(2X-1)=2^2\mathrm{V}(X)$

$\qquad\qquad=4(2a+3-a^2)=-4a^2+8a+12$

$\qquad\qquad=-4(a-1)^2+16$

따라서 $\mathrm{V}(Y)$는 $a=1$일 때 최댓값이 16이므로 $\sigma(Y)$의 최댓값은 $\sqrt{16}=4$

044 답 $-\dfrac{7}{3}$

$V(X)=\dfrac{4}{9}$에서

$V(Y)=V(3X+9)=3^2V(X)=9\times\dfrac{4}{9}=4$

$E(Y)=a$라 하면 $E(Y^2)=4a$이므로

$V(Y)=E(Y^2)-\{E(Y)\}^2=4a-a^2=4$

즉, $a^2-4a+4=0$에서

$(a-2)^2=0$ $\therefore a=2$

$E(Y)=2$이므로

$E(3X+9)=2,\ 3E(X)+9=2$

$\therefore E(X)=-\dfrac{7}{3}$

045 답 ①

확률의 총합은 1이므로

$a+2a+a=1,\ 4a=1$ $\therefore a=\dfrac{1}{4}$

따라서 확률변수 X에 대하여

$E(X)=0\times\dfrac{1}{4}+1\times\dfrac{1}{2}+2\times\dfrac{1}{4}=1,$

$E(X^2)=0^2\times\dfrac{1}{4}+1^2\times\dfrac{1}{2}+2^2\times\dfrac{1}{4}=\dfrac{3}{2}$이므로

$V(X)=E(X^2)-\{E(X)\}^2=\dfrac{3}{2}-1^2=\dfrac{1}{2}$

$\therefore \sigma(X)=\sqrt{V(X)}=\sqrt{\dfrac{1}{2}}=\dfrac{\sqrt2}{2}$

$\therefore \sigma(4X-3)=|4|\sigma(X)=4\times\dfrac{\sqrt2}{2}=2\sqrt2$

046 답 **20**

확률변수 X에 대하여

$E(X)=1\times\dfrac{2}{5}+2\times\dfrac{1}{5}+3\times\dfrac{2}{5}=2,$

$E(X^2)=1^2\times\dfrac{2}{5}+2^2\times\dfrac{1}{5}+3^2\times\dfrac{2}{5}=\dfrac{24}{5}$이므로

$V(X)=E(X^2)-\{E(X)\}^2=\dfrac{24}{5}-2^2=\dfrac{4}{5}$

$\therefore V(5X+3)=5^2V(X)=25\times\dfrac{4}{5}=20$

047 답 ②

확률변수 X의 확률분포를 표로 나타내면 다음과 같다.

X	1	2	3	4	5	합계
$P(X=x)$	$\dfrac{1}{10}$	$\dfrac{3}{20}$	$\dfrac{1}{5}$	$\dfrac{1}{4}$	$\dfrac{3}{10}$	1

따라서 확률변수 X에 대하여

$E(X)=1\times\dfrac{1}{10}+2\times\dfrac{3}{20}+3\times\dfrac{1}{5}+4\times\dfrac{1}{4}+5\times\dfrac{3}{10}=\dfrac{7}{2}$

$\therefore E(2X+5)=2E(X)+5=2\times\dfrac{7}{2}+5=12$

048 답 ③

$P(X<3)=\dfrac{9}{10}$에서 $P(X=1)+P(X=2)=\dfrac{9}{10}$이므로

$\dfrac{3}{10}+a=\dfrac{9}{10}$ $\therefore a=\dfrac{3}{5}$

또 $P(X<3)=\dfrac{9}{10}$에서 $P(X=3)=\dfrac{1}{10}$이므로

$b=\dfrac{1}{10}$

따라서 확률변수 X에 대하여

$E(X)=1\times\dfrac{3}{10}+2\times\dfrac{3}{5}+3\times\dfrac{1}{10}=\dfrac{9}{5},$

$E(X^2)=1^2\times\dfrac{3}{10}+2^2\times\dfrac{3}{5}+3^2\times\dfrac{1}{10}=\dfrac{18}{5}$이므로

$V(X)=E(X^2)-\{E(X)\}^2=\dfrac{18}{5}-\left(\dfrac{9}{5}\right)^2=\dfrac{9}{25}$

$\therefore \sigma(X)=\sqrt{V(X)}=\sqrt{\dfrac{9}{25}}=\dfrac{3}{5}$

$\therefore \sigma\left(\dfrac{1}{a}X+10b\right)=\sigma\left(\dfrac{5}{3}X+1\right)$

$\qquad\qquad=\left|\dfrac{5}{3}\right|\sigma(X)=\dfrac{5}{3}\times\dfrac{3}{5}=1$

049 답 **7**

확률변수 X에 대하여

$E(X)=0\times\dfrac{5}{12}+1\times\dfrac{1}{4}+2\times\dfrac{1}{4}+3\times\dfrac{1}{12}=1,$

$E(X^2)=0^2\times\dfrac{5}{12}+1^2\times\dfrac{1}{4}+2^2\times\dfrac{1}{4}+3^2\times\dfrac{1}{12}=2$이므로

$V(X)=E(X^2)-\{E(X)\}^2=2-1^2=1$

$E(X)=1$이므로 $E(Y)=-1$에서

$E(aX+b)=-1,\ aE(X)+b=-1$

$\therefore a+b=-1$ $\cdots\cdots$ ㉠

$V(X)=1$이므로 $V(Y)=16$에서

$V(aX+b)=16,\ a^2V(X)=16$

$a^2=16$ $\therefore a=-4\ (\because a<0)$

이를 ㉠에 대입하면

$-4+b=-1$ $\therefore b=3$

$\therefore b-a=3-(-4)=7$

050 답 ⑤

확률변수 X가 가질 수 있는 값은 0, 1, 2이고, 그 확률은 각각

$P(X=0)=\dfrac{{}_4C_0\times{}_5C_2}{{}_9C_2}=\dfrac{5}{18}$

$P(X=1)=\dfrac{{}_4C_1\times{}_5C_1}{{}_9C_2}=\dfrac{5}{9}$

$P(X=2)=\dfrac{{}_4C_2\times{}_5C_0}{{}_9C_2}=\dfrac{1}{6}$

확률변수 X의 확률분포를 표로 나타내면 다음과 같다.

X	0	1	2	합계
$P(X=x)$	$\dfrac{5}{18}$	$\dfrac{5}{9}$	$\dfrac{1}{6}$	1

따라서 확률변수 X에 대하여

$E(X)=0\times\dfrac{5}{18}+1\times\dfrac{5}{9}+2\times\dfrac{1}{6}=\dfrac{8}{9},$

$E(X^2)=0^2\times\dfrac{5}{18}+1^2\times\dfrac{5}{9}+2^2\times\dfrac{1}{6}=\dfrac{11}{9}$이므로

$V(X)=E(X^2)-\{E(X)\}^2=\dfrac{11}{9}-\left(\dfrac{8}{9}\right)^2=\dfrac{35}{81}$

$\therefore V(Y)=V(9X-28)=9^2V(X)=81\times\dfrac{35}{81}=35$

051 답 ①

확률변수 X가 가질 수 있는 값은 1, 2, 3, 4, 5, 6이므로 확률변수 X의 확률분포를 표로 나타내면 다음과 같다.

X	1	2	3	4	5	6	합계
$P(X=x)$	$\frac{1}{6}$	$\frac{1}{6}$	$\frac{1}{6}$	$\frac{1}{6}$	$\frac{1}{6}$	$\frac{1}{6}$	1

따라서 확률변수 X에 대하여

$E(X)=1\times\frac{1}{6}+2\times\frac{1}{6}+3\times\frac{1}{6}+4\times\frac{1}{6}+5\times\frac{1}{6}+6\times\frac{1}{6}=\frac{7}{2}$

$\therefore E(2X-5)=2E(X)-5=2\times\frac{7}{2}-5=2$

052 답 $\sqrt{26}$

확률변수 X가 가질 수 있는 값은 1, 2, 4, a이므로 확률변수 X의 확률분포를 표로 나타내면 다음과 같다.

X	1	2	4	a	합계
$P(X=x)$	$\frac{1}{5}$	$\frac{2}{5}$	$\frac{1}{5}$	$\frac{1}{5}$	1

따라서 확률변수 X에 대하여

$E(X)=1\times\frac{1}{5}+2\times\frac{2}{5}+4\times\frac{1}{5}+a\times\frac{1}{5}=\frac{1}{5}a+\frac{9}{5}$

이때 $E(5X-3)=9$에서

$5E(X)-3=9$, $5\left(\frac{1}{5}a+\frac{9}{5}\right)-3=9$ $\therefore a=3$

$\therefore E(X)=\frac{1}{5}\times3+\frac{9}{5}=\frac{12}{5}$

$E(X^2)=1^2\times\frac{1}{5}+2^2\times\frac{2}{5}+4^2\times\frac{1}{5}+3^2\times\frac{1}{5}=\frac{34}{5}$이므로

$V(X)=E(X^2)-\{E(X)\}^2=\frac{34}{5}-\left(\frac{12}{5}\right)^2=\frac{26}{25}$

$\therefore \sigma(X)=\sqrt{V(X)}=\sqrt{\frac{26}{25}}=\frac{\sqrt{26}}{5}$

$\therefore \sigma(5X-3)=|5|\sigma(X)=5\times\frac{\sqrt{26}}{5}=\sqrt{26}$

053 답 3

8개의 꼭짓점 중에서 3개를 택하여 만들 수 있는 서로 다른 삼각형의 종류는 다음 그림과 같다.

[그림 1]　　　[그림 2]　　　[그림 3]

(i) [그림 1]과 같은 삼각형인 경우

삼각형의 넓이는 $\frac{1}{2}\times1\times1=\frac{1}{2}$

이때 정사각형인 한 면에 4개의 삼각형이 존재하므로 그 개수는

$4\times6=24$

(ii) [그림 2]와 같은 삼각형인 경우

삼각형의 넓이는 $\frac{1}{2}\times\sqrt{2}\times1=\frac{\sqrt{2}}{2}$

이때 정사각형인 한 면에 2개의 대각선이 있고, 하나의 대각선에 대하여 2개의 삼각형이 존재하므로 그 개수는

$2\times2\times6=24$

(iii) [그림 3]과 같은 삼각형인 경우

삼각형의 넓이는 $\frac{\sqrt{3}}{4}\times(\sqrt{2})^2=\frac{\sqrt{3}}{2}$

이때 정사각형인 한 면에 2개의 대각선이 있고, 하나의 대각선에 대하여 2개의 삼각형이 존재한다.

그런데 세 변의 길이가 모두 면의 대각선으로 3번 중복되므로 그 개수는

$2\times2\times6\div3=8$

즉, 확률변수 X가 가질 수 있는 값은 $\frac{1}{4}$, $\frac{1}{2}$, $\frac{3}{4}$이고, 그 확률은 각각

$P\left(X=\frac{1}{4}\right)=\frac{24}{_8C_3}=\frac{3}{7}$

$P\left(X=\frac{1}{2}\right)=\frac{24}{_8C_3}=\frac{3}{7}$

$P\left(X=\frac{3}{4}\right)=\frac{8}{_8C_3}=\frac{1}{7}$

확률변수 X의 확률분포를 표로 나타내면 다음과 같다.

X	$\frac{1}{4}$	$\frac{1}{2}$	$\frac{3}{4}$	합계
$P(X=x)$	$\frac{3}{7}$	$\frac{3}{7}$	$\frac{1}{7}$	1

따라서 확률변수 X에 대하여

$E(X)=\frac{1}{4}\times\frac{3}{7}+\frac{1}{2}\times\frac{3}{7}+\frac{3}{4}\times\frac{1}{7}=\frac{3}{7}$

$\therefore E(7X)=7E(X)=7\times\frac{3}{7}=3$

054 답 ②

확률변수 X는 이항분포 $B\left(20,\frac{4}{5}\right)$를 따르므로 X의 확률질량함수는

$P(X=x)=_{20}C_x\left(\frac{4}{5}\right)^x\left(\frac{1}{5}\right)^{20-x}$ $(x=0, 1, 2, \cdots, 20)$

$\therefore P(X\geq1)=1-P(X=0)$

$=1-_{20}C_0\left(\frac{4}{5}\right)^0\left(\frac{1}{5}\right)^{20}$

$=1-\left(\frac{1}{5}\right)^{20}$

055 답 2

확률변수 X의 확률질량함수는

$P(X=x)=_5C_x\left(\frac{1}{3}\right)^x\left(\frac{2}{3}\right)^{5-x}$ $(x=0, 1, 2, 3, 4, 5)$

이때 $P(X=1)=kP(X=3)$에서

$_5C_1\left(\frac{1}{3}\right)^1\left(\frac{2}{3}\right)^4=k\times_5C_3\left(\frac{1}{3}\right)^3\left(\frac{2}{3}\right)^2$

$\frac{5\times2^4}{3^5}=k\times\frac{5\times2^3}{3^5}$ $\therefore k=2$

056 답 $\frac{15}{128}$

확률변수 X는 이항분포 $B\left(10,\frac{1}{2}\right)$을 따르므로 X의 확률질량함수는

$P(X=x)=_{10}C_x\left(\frac{1}{2}\right)^x\left(\frac{1}{2}\right)^{10-x}$ $(x=0, 1, 2, \cdots, 10)$

$\therefore P(X=3)=_{10}C_3\left(\frac{1}{2}\right)^3\left(\frac{1}{2}\right)^7=\frac{15}{128}$

057 답 ⑤

확률변수 X는 이항분포 $B\left(6, \dfrac{1}{10}\right)$을 따르므로 X의 확률질량함수는

$$P(X=x)={}_6C_x\left(\frac{1}{10}\right)^x\left(\frac{9}{10}\right)^{6-x}\ (x=0,\,1,\,2,\,\cdots,\,6)$$

$$\begin{aligned}\therefore\ P(4<X\le6)&=P(X=5)+P(X=6)\\&={}_6C_5\left(\frac{1}{10}\right)^5\left(\frac{9}{10}\right)^1+{}_6C_6\left(\frac{1}{10}\right)^6\left(\frac{9}{10}\right)^0\\&=\frac{11}{2\times10^5}\end{aligned}$$

따라서 $a=2$, $b=11$이므로

$a+b=13$

058 답 ⑤

항공권을 구입하고 항공기에 탑승하는 사람의 수를 확률변수 X라 하면 X는 이항분포 $B(27,\,0.9)$를 따르므로 X의 확률질량함수는

$$P(X=x)={}_{27}C_x\,0.9^x\times0.1^{27-x}\ (x=0,\,1,\,2,\,\cdots,\,27)$$

이때 좌석이 부족하려면 탑승하는 사람의 수가 25명을 초과해야 하므로 구하는 확률은

$$\begin{aligned}P(X>25)&=P(X=26)+P(X=27)\\&={}_{27}C_{26}\,0.9^{26}\times0.1^1+{}_{27}C_{27}\,0.9^{27}\times0.1^0\\&=2.7\times0.9^{26}+0.9^{27}=3\times0.9^{27}+0.9^{27}\\&=4\times0.9^{27}=4\times0.0581=0.2324\end{aligned}$$

059 답 ①

$E(X)=20$에서 $np=20$ …… ㉠

$V(X)=\dfrac{50}{3}$에서 $np(1-p)=\dfrac{50}{3}$

이 식에 ㉠을 대입하면

$20(1-p)=\dfrac{50}{3}$, $1-p=\dfrac{5}{6}$

$\therefore p=\dfrac{1}{6}$

이를 ㉠에 대입하면

$\dfrac{1}{6}n=20$ $\therefore n=120$

060 답 $\dfrac{3}{5}$

$V(X)=24$에서 $100p(1-p)=24$

$25p^2-25p+6=0$, $(5p-2)(5p-3)=0$

$\therefore p=\dfrac{3}{5}\left(\because p>\dfrac{1}{2}\right)$

061 답 평균: 6, 분산: $\dfrac{24}{5}$

확률변수 X는 이항분포 $B\left(30, \dfrac{1}{5}\right)$을 따르므로

$E(X)=30\times\dfrac{1}{5}=6$, $V(X)=30\times\dfrac{1}{5}\times\dfrac{4}{5}=\dfrac{24}{5}$

062 답 $\dfrac{1}{3}$

$E(X)=3$에서 $np=3$ …… ㉠

$V(X)=E(X^2)-\{E(X)\}^2$에서

$V(X)=11-3^2=2$ $\therefore np(1-p)=2$

이 식에 ㉠을 대입하면

$3(1-p)=2$, $1-p=\dfrac{2}{3}$ $\therefore p=\dfrac{1}{3}$

이를 ㉠에 대입하면

$\dfrac{1}{3}n=3$ $\therefore n=9$

따라서 확률변수 X는 이항분포 $B\left(9, \dfrac{1}{3}\right)$을 따르므로 X의 확률질량함수는

$$P(X=x)={}_9C_x\left(\frac{1}{3}\right)^x\left(\frac{2}{3}\right)^{9-x}\ (x=0,\,1,\,2,\,\cdots,\,9)$$

$$\begin{aligned}\therefore\ \frac{P(X=6)}{P(X=5)}&=\frac{{}_9C_6\left(\frac{1}{3}\right)^6\left(\frac{2}{3}\right)^3}{{}_9C_5\left(\frac{1}{3}\right)^5\left(\frac{2}{3}\right)^4}\\&=\frac{84\times\frac{2^3}{3^9}}{126\times\frac{2^4}{3^9}}=\frac{1}{3}\end{aligned}$$

063 답 5

$$\begin{aligned}V(X)&=10p(1-p)=-10p^2+10p\\&=-10\left(p-\frac{1}{2}\right)^2+\frac{5}{2}\end{aligned}$$

따라서 $p=\dfrac{1}{2}$일 때 확률변수 X의 분산이 최대이다.

즉, 이항분포 $B\left(10, \dfrac{1}{2}\right)$을 따르는 확률변수 X의 평균은

$E(X)=10\times\dfrac{1}{2}=5$

064 답 920

한 번의 시행에서 3의 배수의 눈이 나올 확률이 $\dfrac{1}{3}$이므로 확률변수 X는 이항분포 $B\left(90, \dfrac{1}{3}\right)$을 따른다.

$\therefore E(X)=90\times\dfrac{1}{3}=30$,

$V(X)=90\times\dfrac{1}{3}\times\dfrac{2}{3}=20$

따라서 $V(X)=E(X^2)-\{E(X)\}^2$에서

$E(X^2)=V(X)+\{E(X)\}^2=20+30^2=920$

065 답 ②

한 번의 시행에서 불이 붙지 않는 성냥이 나올 확률이 $\dfrac{10}{100}=\dfrac{1}{10}$이므로 확률변수 X는 이항분포 $B\left(200, \dfrac{1}{10}\right)$을 따른다.

$\therefore \sigma(X)=\sqrt{200\times\dfrac{1}{10}\times\dfrac{9}{10}}=\sqrt{18}=3\sqrt{2}$

066 답 ③

한 번의 시행에서 썩은 사과가 나올 확률이 $\frac{1}{4}$이므로 확률변수 X는 이항분포 $\mathrm{B}\left(n, \frac{1}{4}\right)$을 따른다.

$\mathrm{E}(X)=16$에서

$n\times\frac{1}{4}=16$ $\therefore n=64$

따라서 확률변수 X는 이항분포 $\mathrm{B}\left(64, \frac{1}{4}\right)$을 따르므로

$\mathrm{V}(X)=64\times\frac{1}{4}\times\frac{3}{4}=12$

067 답 ③

한 개의 주사위를 한 번 던질 때 3의 눈이 나올 확률이 $\frac{1}{6}$이므로 확률변수 X는 이항분포 $\mathrm{B}\left(30, \frac{1}{6}\right)$을 따른다.

$\therefore \mathrm{V}(X)=30\times\frac{1}{6}\times\frac{5}{6}=\frac{25}{6}$

한 개의 동전을 한 번 던질 때 앞면이 나올 확률이 $\frac{1}{2}$이므로 확률변수 Y는 이항분포 $\mathrm{B}\left(n, \frac{1}{2}\right)$을 따른다.

$\therefore \mathrm{V}(Y)=n\times\frac{1}{2}\times\frac{1}{2}=\frac{n}{4}$

이때 $\mathrm{V}(Y)>\mathrm{V}(X)$이어야 하므로

$\frac{n}{4}>\frac{25}{6}$ $\therefore n>\frac{50}{3}=16.6\times\times$

따라서 n의 최솟값은 17이다.

068 답 28

한 번의 시행에서 빨간 공이 나올 확률이 $\frac{a}{a+4}$이므로 확률변수 X는 이항분포 $\mathrm{B}\left(n, \frac{a}{a+4}\right)$를 따른다.

$\mathrm{E}(X)=12$에서 $n\times\frac{a}{a+4}=12$ ⋯⋯ ㉠

$\mathrm{V}(X)=3$에서

$n\times\frac{a}{a+4}\times\left(1-\frac{a}{a+4}\right)=3$

$\therefore n\times\frac{a}{a+4}\times\frac{4}{a+4}=3$

이 식에 ㉠을 대입하면

$12\times\frac{4}{a+4}=3$ $\therefore a=12$

이를 ㉠에 대입하면

$\frac{3}{4}n=12$ $\therefore n=16$

$\therefore a+n=12+16=28$

069 답 ⑤

한 번의 경기에서 승리할 확률이 $\frac{80}{100}=\frac{4}{5}$이므로 확률변수 X는 이항분포 $\mathrm{B}\left(50, \frac{4}{5}\right)$를 따른다.

따라서 $\mathrm{E}(X)=50\times\frac{4}{5}=40$이므로

$\mathrm{E}(2X-4)=2\mathrm{E}(X)-4=2\times40-4=76$

070 답 ④

$\mathrm{E}(X)=n\times\frac{1}{6}=\frac{1}{6}n$이므로

$\mathrm{E}(3X-2)=3\mathrm{E}(X)-2$

$=3\times\frac{1}{6}n-2$

$=\frac{1}{2}n-2$

이때 $\mathrm{E}(3X-2)=5$에서

$\frac{1}{2}n-2=5$, $\frac{1}{2}n=7$

$\therefore n=14$

071 답 73

한 번의 시행에서 당첨 제비가 나올 확률이 $\frac{2}{6}=\frac{1}{3}$이므로 확률변수 X는 이항분포 $\mathrm{B}\left(45, \frac{1}{3}\right)$을 따른다.

따라서 $\mathrm{E}(X)=45\times\frac{1}{3}=15$, $\mathrm{V}(X)=45\times\frac{1}{3}\times\frac{2}{3}=10$이므로

$\mathrm{E}(2X+3)=2\mathrm{E}(X)+3=2\times15+3=33$

$\mathrm{V}(2X+3)=2^2\mathrm{V}(X)=4\times10=40$

$\therefore \mathrm{E}(2X+3)+\mathrm{V}(2X+3)=33+40=73$

072 답 7

확률변수 X의 확률질량함수는

$\mathrm{P}(X=x)={}_{10}\mathrm{C}_x p^x(1-p)^{10-x}$ $(x=0, 1, 2, \cdots, 10)$

$4\mathrm{P}(X=4)=5\mathrm{P}(X=5)$이므로

$4\times{}_{10}\mathrm{C}_4 p^4(1-p)^6=5\times{}_{10}\mathrm{C}_5 p^5(1-p)^5$

$840p^4(1-p)^6=1260p^5(1-p)^5$

$2(1-p)=3p$ $(\because 0<p<1)$

$\therefore p=\frac{2}{5}$

따라서 확률변수 X는 이항분포 $\mathrm{B}\left(10, \frac{2}{5}\right)$를 따르므로

$\mathrm{E}(X)=10\times\frac{2}{5}=4$

$\therefore \mathrm{E}(3X-5)=3\mathrm{E}(X)-5$

$=3\times4-5=7$

073 답 ④

게임을 24번 할 때 동전의 앞면이 나오는 횟수를 확률변수 Y라 하면 뒷면이 나오는 횟수는 $24-Y$이므로

$X=4Y-2(24-Y)=6Y-48$

한 번의 게임에서 동전의 앞면이 나올 확률이 $\frac{1}{2}$이므로 확률변수 Y는 이항분포 $\mathrm{B}\left(24, \frac{1}{2}\right)$을 따른다.

따라서 $\mathrm{E}(Y)=24\times\frac{1}{2}=12$이므로

$\mathrm{E}(X)=\mathrm{E}(6Y-48)$

$=6\mathrm{E}(Y)-48$

$=6\times12-48=24$

074 답 ⑤

확률의 총합은 1이므로

$P(X=-2)+P(X=-1)+P(X=0)+P(X=1)+P(X=2)=1$

$\left(k+\dfrac{2}{11}\right)+\left(k+\dfrac{1}{11}\right)+k+\left(k+\dfrac{1}{11}\right)+\left(k+\dfrac{2}{11}\right)=1$

$5k+\dfrac{6}{11}=1,\ 5k=\dfrac{5}{11}$ $\therefore k=\dfrac{1}{11}$

075 답 $\dfrac{3}{4}$

확률의 총합은 1이므로

$a+2b+3b=1$ $\therefore a+5b=1$ …… ㉠

$P(X=1)=\dfrac{3}{2}P(X=2)$에서

$a=\dfrac{3}{2}\times 2b$ $\therefore a=3b$ …… ㉡

㉠, ㉡을 연립하여 풀면 $a=\dfrac{3}{8},\ b=\dfrac{1}{8}$

$\therefore P(X=1\ \text{또는}\ X=3)=P(X=1)+P(X=3)$

$=a+3b=\dfrac{3}{8}+3\times\dfrac{1}{8}=\dfrac{3}{4}$

076 답 ②

$X^2-2X=0$에서 $X(X-2)=0$

$\therefore X=0\ \text{또는}\ X=2$

따라서 $P(X=0),\ P(X=2)$를 구하면

$P(X=0)=\dfrac{{}_3C_0\times{}_7C_3}{{}_{10}C_3}=\dfrac{7}{24}$

$P(X=2)=\dfrac{{}_3C_2\times{}_7C_1}{{}_{10}C_3}=\dfrac{7}{40}$

$\therefore P(X^2-2X=0)=P(X=0\ \text{또는}\ X=2)$

$=P(X=0)+P(X=2)$

$=\dfrac{7}{24}+\dfrac{7}{40}=\dfrac{7}{15}$

077 답 ②

확률의 총합은 1이므로

$a+\dfrac{1}{3}+b=1$ $\therefore a+b=\dfrac{2}{3}$ …… ㉠

$E(X)=3$에서

$1\times a+3\times\dfrac{1}{3}+4\times b=3$ $\therefore a+4b=2$ …… ㉡

㉠, ㉡을 연립하여 풀면

$a=\dfrac{2}{9},\ b=\dfrac{4}{9}$ $\therefore b-a=\dfrac{2}{9}$

078 답 $\dfrac{9}{25}$

확률변수 X가 가질 수 있는 값은 0, 1, 2이고, 그 확률은 각각

$P(X=0)=\dfrac{{}_2C_0\times{}_3C_3}{{}_5C_3}=\dfrac{1}{10}$, $P(X=1)=\dfrac{{}_2C_1\times{}_3C_2}{{}_5C_3}=\dfrac{3}{5}$,

$P(X=2)=\dfrac{{}_2C_2\times{}_3C_1}{{}_5C_3}=\dfrac{3}{10}$

확률변수 X의 확률분포를 표로 나타내면 다음과 같다.

X	0	1	2	합계
$P(X=x)$	$\dfrac{1}{10}$	$\dfrac{3}{5}$	$\dfrac{3}{10}$	1

따라서 확률변수 X에 대하여

$E(X)=0\times\dfrac{1}{10}+1\times\dfrac{3}{5}+2\times\dfrac{3}{10}=\dfrac{6}{5}$,

$E(X^2)=0^2\times\dfrac{1}{10}+1^2\times\dfrac{3}{5}+2^2\times\dfrac{3}{10}=\dfrac{9}{5}$이므로

$V(X)=E(X^2)-\{E(X)\}^2=\dfrac{9}{5}-\left(\dfrac{6}{5}\right)^2=\dfrac{9}{25}$

079 답 8625원

복권 1장으로 받을 수 있는 당첨금을 X원이라 할 때, 확률변수 X가 가질 수 있는 값은 0, 5000, 20000, 300000이고, 그 확률은 각각

$P(X=0)=\dfrac{{}_3C_0\times{}_7C_3}{{}_{10}C_3}=\dfrac{7}{24}$

$P(X=5000)=\dfrac{{}_3C_1\times{}_7C_2}{{}_{10}C_3}=\dfrac{21}{40}$

$P(X=20000)=\dfrac{{}_3C_2\times{}_7C_1}{{}_{10}C_3}=\dfrac{7}{40}$

$P(X=300000)=\dfrac{{}_3C_3\times{}_7C_0}{{}_{10}C_3}=\dfrac{1}{120}$

확률변수 X의 확률분포를 표로 나타내면 다음과 같다.

X	0	5000	20000	300000	합계
$P(X=x)$	$\dfrac{7}{24}$	$\dfrac{21}{40}$	$\dfrac{7}{40}$	$\dfrac{1}{120}$	1

따라서 확률변수 X에 대하여

$E(X)=0\times\dfrac{7}{24}+5000\times\dfrac{21}{40}+20000\times\dfrac{7}{40}+300000\times\dfrac{1}{120}$

$=8625$

즉, 구하는 최소 판매 금액은 8625원이다.

080 답 48800

$E(X)=30000,\ \sigma(X)=8000$에서

$E(Y)=E\left(\dfrac{6}{5}X+3200\right)=\dfrac{6}{5}E(X)+3200$

$=\dfrac{6}{5}\times 30000+3200=39200$

$\sigma(Y)=\sigma\left(\dfrac{6}{5}X+3200\right)=\left|\dfrac{6}{5}\right|\sigma(X)$

$=\dfrac{6}{5}\times 8000=9600$

$\therefore E(Y)+\sigma(Y)=39200+9600=48800$

081 답 ③

확률의 총합은 1이므로

$\dfrac{1}{10}+a+\dfrac{3}{10}+\dfrac{1}{5}a=1$ $\therefore a=\dfrac{1}{2}$

따라서 확률변수 X에 대하여

$E(X)=1\times\dfrac{1}{10}+2\times\dfrac{1}{2}+3\times\dfrac{3}{10}+4\times\dfrac{1}{10}=\dfrac{12}{5}$,

$E(X^2)=1^2\times\dfrac{1}{10}+2^2\times\dfrac{1}{2}+3^2\times\dfrac{3}{10}+4^2\times\dfrac{1}{10}=\dfrac{32}{5}$이므로

$V(X)=E(X^2)-\{E(X)\}^2=\dfrac{32}{5}-\left(\dfrac{12}{5}\right)^2=\dfrac{16}{25}$

$\therefore V(aX+2)=V\left(\dfrac{1}{2}X+2\right)=\left(\dfrac{1}{2}\right)^2 V(X)$

$=\dfrac{1}{4}\times\dfrac{16}{25}=\dfrac{4}{25}$

082 답 ④

확률변수 X가 가질 수 있는 값은 1, 2, 3, 4이다.

택한 두 수를 a, b $(a<b)$라 하면 순서쌍 (a, b)에 대하여

(i) 두 수의 차가 1인 경우

$(1, 2)$, $(2, 3)$, $(3, 4)$, $(4, 5)$ ➡ 4가지

(ii) 두 수의 차가 2인 경우

$(1, 3)$, $(2, 4)$, $(3, 5)$ ➡ 3가지

(iii) 두 수의 차가 3인 경우

$(1, 4)$, $(2, 5)$ ➡ 2가지

(iv) 두 수의 차가 4인 경우

$(1, 5)$ ➡ 1가지

(i)~(iv)에서

$P(X=1)=\dfrac{4}{{}_5C_2}=\dfrac{2}{5}$

$P(X=2)=\dfrac{3}{{}_5C_2}=\dfrac{3}{10}$

$P(X=3)=\dfrac{2}{{}_5C_2}=\dfrac{1}{5}$

$P(X=4)=\dfrac{1}{{}_5C_2}=\dfrac{1}{10}$

확률변수 X의 확률분포를 표로 나타내면 다음과 같다.

X	1	2	3	4	합계
$P(X=x)$	$\dfrac{2}{5}$	$\dfrac{3}{10}$	$\dfrac{1}{5}$	$\dfrac{1}{10}$	1

따라서 확률변수 X에 대하여

$E(X)=1\times\dfrac{2}{5}+2\times\dfrac{3}{10}+3\times\dfrac{1}{5}+4\times\dfrac{1}{10}=2$,

$E(X^2)=1^2\times\dfrac{2}{5}+2^2\times\dfrac{3}{10}+3^2\times\dfrac{1}{5}+4^2\times\dfrac{1}{10}=5$이므로

$V(X)=E(X^2)-\{E(X)\}^2=5-2^2=1$

$\therefore \sigma(X)=\sqrt{V(X)}=1$

$\therefore \sigma(6X-1)=|6|\sigma(X)=6\times1=6$

083 답 4

확률변수 X가 가질 수 있는 값은 0, 1, 2이고, 그 확률은 각각

$P(X=0)=\dfrac{{}_3C_0\times{}_2C_2}{{}_5C_2}=\dfrac{1}{10}$

$P(X=1)=\dfrac{{}_3C_1\times{}_2C_1}{{}_5C_2}=\dfrac{3}{5}$

$P(X=2)=\dfrac{{}_3C_2\times{}_2C_0}{{}_5C_2}=\dfrac{3}{10}$

확률변수 X의 확률분포를 표로 나타내면 다음과 같다.

X	0	1	2	합계
$P(X=x)$	$\dfrac{1}{10}$	$\dfrac{3}{5}$	$\dfrac{3}{10}$	1

따라서 확률변수 X에 대하여

$E(X)=0\times\dfrac{1}{10}+1\times\dfrac{3}{5}+2\times\dfrac{3}{10}=\dfrac{6}{5}$,

$E(X^2)=0^2\times\dfrac{1}{10}+1^2\times\dfrac{3}{5}+2^2\times\dfrac{3}{10}=\dfrac{9}{5}$이므로

$V(X)=E(X^2)-\{E(X)\}^2$

$=\dfrac{9}{5}-\left(\dfrac{6}{5}\right)^2=\dfrac{9}{25}$

$E(X)=\dfrac{6}{5}$이므로 $E(Y)=5$에서

$E(aX+b)=5$, $aE(X)+b=5$

$\therefore \dfrac{6}{5}a+b=5$ ...... ㉠

$V(X)=\dfrac{9}{25}$이므로 $V(Y)=9$에서

$V(aX+b)=9$, $a^2V(X)=9$

$\dfrac{9}{25}a^2=9$, $a^2=25$

$\therefore a=5$ $(\because a>0)$

이를 ㉠에 대입하면

$6+b=5$ $\therefore b=-1$

$\therefore a+b=5+(-1)=4$

084 답 ③

확률변수 X는 이항분포 $B\left(4, \dfrac{3}{5}\right)$을 따르므로 X의 확률질량함수는

$P(X=x)={}_4C_x\left(\dfrac{3}{5}\right)^x\left(\dfrac{2}{5}\right)^{4-x}$ $(x=0, 1, 2, 3, 4)$

$\therefore P(X\geq3)=P(X=3)+P(X=4)$

$={}_4C_3\left(\dfrac{3}{5}\right)^3\left(\dfrac{2}{5}\right)^1+{}_4C_4\left(\dfrac{3}{5}\right)^4\left(\dfrac{2}{5}\right)^0$

$=\dfrac{297}{625}$

085 답 $\dfrac{495}{8}$

$E(X)=\dfrac{15}{2}$에서

$30p=\dfrac{15}{2}$ $\therefore p=\dfrac{1}{4}$

즉, 확률변수 X는 이항분포 $B\left(30, \dfrac{1}{4}\right)$을 따르므로

$V(X)=30\times\dfrac{1}{4}\times\dfrac{3}{4}=\dfrac{45}{8}$

따라서 $V(X)=E(X^2)-\{E(X)\}^2$에서

$E(X^2)=V(X)+\{E(X)\}^2$

$=\dfrac{45}{8}+\left(\dfrac{15}{2}\right)^2=\dfrac{495}{8}$

086 답 80

주머니에 들어 있는 검은 구슬의 개수를 x라 하면 한 번의 시행에서 검은 구슬이 나올 확률은 $\dfrac{x}{12}$이므로 확률변수 X는 이항분포 $B\left(36, \dfrac{x}{12}\right)$를 따른다.

$E(X)=6$에서

$36\times\dfrac{x}{12}=6$ $\therefore x=2$

따라서 확률변수 X는 이항분포 $B\left(36, \dfrac{1}{6}\right)$을 따르므로

$V(X)=36\times\dfrac{1}{6}\times\dfrac{5}{6}=5$

$\therefore V(4X+1)=4^2V(X)=16\times5=80$

001 답 ⑤

$f(x)=a(2x-3)$ $(-1 \le x \le 1)$은 확률밀도함수이므로 $a<0$이고 그 그래프는 오른쪽 그림과 같다.

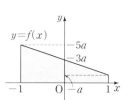

이때 $y=f(x)$의 그래프와 x축 및 두 직선 $x=-1$, $x=1$로 둘러싸인 도형의 넓이가 1이어야 하므로

$\dfrac{1}{2} \times \{-5a+(-a)\} \times 2=1$, $-6a=1$

$\therefore a=-\dfrac{1}{6}$

002 답 ⑤

$f(x)=a(6-x)$ $(0 \le x \le 6)$는 확률밀도함수이므로 $a>0$이고 그 그래프는 오른쪽 그림과 같다.

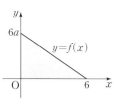

이때 $y=f(x)$의 그래프와 x축 및 y축으로 둘러싸인 도형의 넓이가 1이어야 하므로

$\dfrac{1}{2} \times 6 \times 6a=1$, $18a=1$

$\therefore a=\dfrac{1}{18}$

$\therefore f(x)=\dfrac{1}{18}(6-x)$ $(0 \le x \le 6)$

따라서 $\mathrm{P}(2 \le X \le 5)$는 오른쪽 그림과 같이 직선 $y=\dfrac{1}{18}(6-x)$와 x축 및 두 직선 $x=2$, $x=5$로 둘러싸인 도형의 넓이와 같으므로

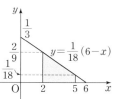

$\mathrm{P}(2 \le X \le 5)=\dfrac{1}{2} \times \left(\dfrac{2}{9}+\dfrac{1}{18}\right) \times 3$

$\qquad\qquad\qquad =\dfrac{5}{12}$

003 답 ㄱ, ㄷ

ㄱ. 확률변수 X_1의 정규분포 곡선의 대칭축이 확률변수 X_2의 정규분포 곡선의 대칭축보다 왼쪽에 있으므로
　$\mathrm{E}(X_1)<\mathrm{E}(X_2)$

ㄴ. 확률변수 X_1의 정규분포 곡선의 가운데 부분의 높이가 확률변수 X_2의 정규분포 곡선의 가운데 부분의 높이보다 높으므로
　$\sigma(X_1)<\sigma(X_2)$　$\therefore \mathrm{V}(X_1)<\mathrm{V}(X_2)$

ㄷ. $f(\mathrm{E}(X_1))=f(x_1)$, $g(\mathrm{E}(X_2))=g(x_2)$이고, $f(x_1)>g(x_2)$이므로
　$f(\mathrm{E}(X_1))>g(\mathrm{E}(X_2))$

따라서 보기 중 옳은 것은 ㄱ, ㄷ이다.

004 답 ③

$m=60$, $\sigma=4$이므로

$\mathrm{P}(48 \le X \le 64)=\mathrm{P}(60-3 \times 4 \le X \le 60+4)$

$\qquad\qquad\qquad =\mathrm{P}(m-3\sigma \le X \le m+\sigma)$

$\qquad\qquad\qquad =\mathrm{P}(m-3\sigma \le X \le m)+\mathrm{P}(m \le X \le m+\sigma)$

$\qquad\qquad\qquad =\mathrm{P}(m \le X \le m+3\sigma)+\mathrm{P}(m \le X \le m+\sigma)$

$\qquad\qquad\qquad =0.4987+0.3413=0.84$

005 답 ⑤

$\mathrm{P}(X \le a)=0.9772$에서

$\mathrm{P}(X \le m)+\mathrm{P}(m \le X \le a)=0.9772$

$0.5+\mathrm{P}(m \le X \le a)=0.9772$

$\therefore \mathrm{P}(m \le X \le a)=0.4772$

이때 $\mathrm{P}(m \le X \le m+2\sigma)=0.4772$이므로

$a=m+2\sigma$

$m=40$, $\sigma=6$이므로

$a=40+2 \times 6=52$

006 답 ③

두 확률변수 X, Y가 각각 정규분포 $\mathrm{N}(20, 4^2)$, $\mathrm{N}(30, 5^2)$을 따르므로 $Z_X=\dfrac{X-20}{4}$, $Z_Y=\dfrac{Y-30}{5}$으로 놓으면 두 확률변수 Z_X, Z_Y는 모두 표준정규분포 $\mathrm{N}(0, 1)$을 따른다.

$\mathrm{P}(24 \le X \le 32)=\mathrm{P}(35 \le Y \le k)$에서

$\mathrm{P}\left(\dfrac{24-20}{4} \le Z_X \le \dfrac{32-20}{4}\right)=\mathrm{P}\left(\dfrac{35-30}{5} \le Z_Y \le \dfrac{k-30}{5}\right)$

$\mathrm{P}(1 \le Z_X \le 3)=\mathrm{P}\left(1 \le Z_Y \le \dfrac{k-30}{5}\right)$

따라서 $3=\dfrac{k-30}{5}$이므로

$k-30=15$　$\therefore k=45$

007 답 ④

확률변수 X가 정규분포 $\mathrm{N}(40, 5^2)$을 따르므로 $Z=\dfrac{X-40}{5}$으로 놓으면 확률변수 Z는 표준정규분포 $\mathrm{N}(0, 1)$을 따른다.

$\therefore \mathrm{P}(34 \le X \le 43)=\mathrm{P}\left(\dfrac{34-40}{5} \le Z \le \dfrac{43-40}{5}\right)$

$\qquad\qquad\qquad =\mathrm{P}(-1.2 \le Z \le 0.6)$

$\qquad\qquad\qquad =\mathrm{P}(-1.2 \le Z \le 0)+\mathrm{P}(0 \le Z \le 0.6)$

$\qquad\qquad\qquad =\mathrm{P}(0 \le Z \le 1.2)+\mathrm{P}(0 \le Z \le 0.6)$

$\qquad\qquad\qquad =0.3849+0.2257=0.6106$

008 답 ②

확률변수 X가 정규분포 $\mathrm{N}(21, 3^2)$을 따르므로 $Z=\dfrac{X-21}{3}$로 놓으면 확률변수 Z는 표준정규분포 $\mathrm{N}(0, 1)$을 따른다.

$\mathrm{P}(15 \le X \le a)=0.9104$에서

$\mathrm{P}\left(\dfrac{15-21}{3} \le Z \le \dfrac{a-21}{3}\right)=0.9104$

$\mathrm{P}\left(-2 \le Z \le \dfrac{a-21}{3}\right)=0.9104$

$$P(-2 \le Z \le 0) + P\left(0 \le Z \le \frac{a-21}{3}\right) = 0.9104$$

$$P(0 \le Z \le 2) + P\left(0 \le Z \le \frac{a-21}{3}\right) = 0.9104$$

$$0.4772 + P\left(0 \le Z \le \frac{a-21}{3}\right) = 0.9104$$

$$\therefore P\left(0 \le Z \le \frac{a-21}{3}\right) = 0.4332$$

이때 $P(0 \le Z \le 1.5) = 0.4332$이므로

$$\frac{a-21}{3} = 1.5, \quad a-21 = 4.5$$

$$\therefore a = 25.5$$

009 답 국어, 영어, 수학

지형이네 반 전체 학생의 국어, 영어, 수학 시험 성적을 각각 X_A점, X_B점, X_C점이라 하면 세 확률변수 X_A, X_B, X_C는 각각 정규분포 $N(56, 8^2)$, $N(58, 10^2)$, $N(64, 14^2)$을 따르므로

$$Z_A = \frac{X_A - 56}{8}, \quad Z_B = \frac{X_B - 58}{10}, \quad Z_C = \frac{X_C - 64}{14}$$

로 놓으면 세 확률변수 Z_A, Z_B, Z_C는 모두 표준정규분포 $N(0, 1)$을 따른다.

다른 학생들보다 지형이의 국어, 영어, 수학 시험 성적이 높을 확률은 각각

$$P(X_A < 72) = P\left(Z_A < \frac{72-56}{8}\right) = P(Z_A < 2)$$

$$P(X_B < 75) = P\left(Z_B < \frac{75-58}{10}\right) = P(Z_B < 1.7)$$

$$P(X_C < 78) = P\left(Z_C < \frac{78-64}{14}\right) = P(Z_C < 1)$$

이때 $P(Z_A < 2) > P(Z_B < 1.7) > P(Z_C < 1)$이므로

$$P(X_A < 72) > P(X_B < 75) > P(X_C < 78)$$

따라서 지형이의 성적이 상대적으로 좋은 과목부터 순서대로 나열하면 국어, 영어, 수학이다.

010 답 $\frac{1}{8}$

$f(x) = ax \, (0 \le x \le 4)$는 확률밀도함수이므로 $a > 0$이고 그 그래프는 오른쪽 그림과 같다.

이때 $y = f(x)$의 그래프와 x축 및 직선 $x = 4$로 둘러싸인 도형의 넓이가 1이어야 하므로

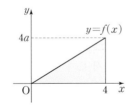

$$\frac{1}{2} \times 4 \times 4a = 1, \quad 8a = 1$$

$$\therefore a = \frac{1}{8}$$

011 답 $\frac{1}{3}$

$y = f(x)$의 그래프와 x축으로 둘러싸인 도형의 넓이가 1이어야 하므로

$$\frac{1}{2} \times (1+5) \times k = 1, \quad 3k = 1$$

$$\therefore k = \frac{1}{3}$$

012 답 ⑤

① $0 \le x < 1$에서 $f(x) < 0$이므로 확률밀도함수의 그래프가 될 수 없다.

② $y = f(x)$의 그래프와 x축 및 두 직선 $x = 0$, $x = 2$로 둘러싸인 도형의 넓이가 $2 \times 1 = 2$이므로 확률밀도함수의 그래프가 될 수 없다.

③ $0 \le x \le 2$에서 $f(x) < 0$이므로 확률밀도함수의 그래프가 될 수 없다.

④ $0 < x < 2$에서 $f(x) < 0$이므로 확률밀도함수의 그래프가 될 수 없다.

⑤ $0 \le x \le 2$에서 $f(x) \ge 0$이고 $y = f(x)$의 그래프와 x축으로 둘러싸인 도형의 넓이가 $\frac{1}{2} \times 2 \times 1 = 1$이므로 확률밀도함수의 그래프이다.

따라서 확률밀도함수 $y = f(x)$의 그래프가 될 수 있는 것은 ⑤이다.

013 답 $\frac{1}{5}$

$f(x)$는 확률밀도함수이므로 $a > 0$이고 그 그래프는 오른쪽 그림과 같다.

이때 $y = f(x)$의 그래프와 x축으로 둘러싸인 도형의 넓이가 1이어야 하므로

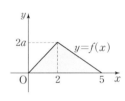

$$\frac{1}{2} \times 5 \times 2a = 1, \quad 5a = 1$$

$$\therefore a = \frac{1}{5}$$

014 답 ⑤

$f(x) = a(x+2) \, (-1 \le x \le 1)$는 확률밀도함수이므로 $a > 0$이고 그 그래프는 오른쪽 그림과 같다.

이때 $y = f(x)$의 그래프와 x축 및 두 직선 $x = -1$, $x = 1$로 둘러싸인 도형의 넓이가 1이어야 하므로

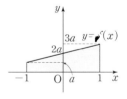

$$\frac{1}{2} \times (a+3a) \times 2 = 1, \quad 4a = 1$$

$$\therefore a = \frac{1}{4}$$

$$\therefore f(x) = \frac{1}{4}(x+2) \, (-1 \le x \le 1)$$

따라서 $P(X \le 0)$은 오른쪽 그림과 같이 직선 $y = \frac{1}{4}(x+2)$와 x축 및 두 직선 $x = -1$, $x = 0$으로 둘러싸인 도형의 넓이와 같으므로

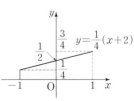

$$P(X \le 0) = \frac{1}{2} \times \left(\frac{1}{4} + \frac{1}{2}\right) \times 1$$

$$= \frac{3}{8}$$

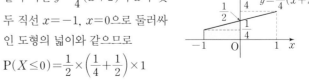

015 답 $\dfrac{19}{20}$

함수 $y=f(x)$의 그래프는 오른쪽 그림
과 같다.

이때 구하는 확률은 $P(X\le 18)$이므로
오른쪽 그림의 색칠한 도형의 넓이와
같다.

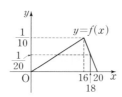

$$\therefore P(X\le 18)=1-P(18\le X\le 20)$$
$$=1-\dfrac{1}{2}\times 2\times \dfrac{1}{20}$$
$$=\dfrac{19}{20}$$

016 답 5

$y=f(x)$의 그래프와 x축으로 둘러싸인 도형의 넓이가 1이어야
하므로

$$\dfrac{1}{2}\times a\times \dfrac{4}{5}=1,\ \dfrac{2}{5}a=1$$

$$\therefore a=\dfrac{5}{2}$$

한편 $P(0\le X\le b)$는 $y=f(x)$의 그래프와 x축 및 직선 $x=b$로
둘러싸인 도형의 넓이와 같으므로 $P(0\le X\le b)=\dfrac{4}{5}$에서

$$\dfrac{1}{2}\times b\times \dfrac{4}{5}=\dfrac{4}{5},\ \dfrac{2}{5}b=\dfrac{4}{5}$$

$$\therefore b=2$$

$$\therefore ab=\dfrac{5}{2}\times 2=5$$

017 답 $\dfrac{1}{4}$

$y=f(x)$의 그래프와 x축 및 두 직선 $x=-2$, $x=3$으로 둘러싸인
도형의 넓이가 1이어야 하므로

$$\dfrac{1}{2}\times 1\times k+\dfrac{1}{2}\times 4\times k=1,\ \dfrac{5}{2}k=1$$

$$\therefore k=\dfrac{2}{5}$$

$-1\le x\le 3$에서 $y=f(x)$의 그래프는 두 점 $(-1,\ 0)$, $\left(3,\ \dfrac{2}{5}\right)$를
지나는 직선이므로

$$y=\dfrac{\dfrac{2}{5}-0}{3-(-1)}\{x-(-1)\},\ y=\dfrac{1}{10}(x+1)$$

$$\therefore f(x)=\dfrac{1}{10}(x+1)\ (-1\le x\le 3)$$

따라서 $f(1)=\dfrac{1}{5}$, $f(2)=\dfrac{3}{10}$이고
$P(1\le X\le 2)$는 오른쪽 그림과 같이
$y=f(x)$의 그래프와 x축 및 두 직선
$x=1$, $x=2$로 둘러싸인 도형의 넓이와
같으므로

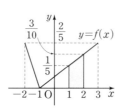

$$P(1\le X\le 2)=\dfrac{1}{2}\times \left(\dfrac{1}{5}+\dfrac{3}{10}\right)\times 1$$
$$=\dfrac{1}{4}$$

018 답 ⑤

$0\le x\le 3$에서 $y=f(x)$의 그래프는 두 점 $(0,\ 0)$, $\left(3,\ \dfrac{1}{2}\right)$을 지나
는 직선이므로

$$y=\dfrac{\dfrac{1}{2}-0}{3-0}x,\ y=\dfrac{1}{6}x$$

$$\therefore f(x)=\dfrac{1}{6}x\ (0\le x\le 3)$$

따라서 $f(a)=\dfrac{1}{6}a$이고 $P(a\le X\le 3)$은
오른쪽 그림과 같이 $y=f(x)$의 그래프
와 x축 및 두 직선 $x=a$, $x=3$으로 둘
러싸인 도형의 넓이와 같으므로

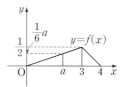

$$P(a\le X\le 3)=\dfrac{1}{2}\times \left(\dfrac{1}{6}a+\dfrac{1}{2}\right)\times (3-a)$$
$$=\dfrac{3}{4}-\dfrac{1}{12}a^2$$

한편 $P(3\le X\le 4)$는 $y=f(x)$의 그래프와 x축 및 직선 $x=3$으로
둘러싸인 도형의 넓이와 같으므로

$$P(3\le X\le 4)=\dfrac{1}{2}\times 1\times \dfrac{1}{2}=\dfrac{1}{4}$$

따라서 $P(a\le X\le 3)=P(3\le X\le 4)$에서

$$\dfrac{3}{4}-\dfrac{1}{12}a^2=\dfrac{1}{4},\ a^2=6$$

$$\therefore a=\sqrt{6}\ (\because 0<a<3)$$

019 답 ㄱ

ㄱ. 확률변수 X_1의 정규분포 곡선의 대칭축이 확률변수 X_2의 정
   규분포 곡선의 대칭축보다 왼쪽에 있으므로
   $$E(X_1)<E(X_2)$$

ㄴ. 확률변수 X_1의 정규분포 곡선의 가운데 부분의 높이가 확률
   변수 X_2의 정규분포 곡선의 가운데 부분의 높이보다 낮으므
   로
   $$\sigma(X_1)>\sigma(X_2)$$

ㄷ. $E(X_1)<a$이므로 $P(X_1\ge a)<0.5$
   $E(X_2)>a$이므로 $P(X_2\ge a)>0.5$
   $$\therefore P(X_1\ge a)<P(X_2\ge a)$$

따라서 보기 중 옳은 것은 ㄱ이다.

020 답 ④

평균이 클수록 정규분포 곡선의 대칭축은 오른쪽에 있으므로 A
의 대칭축보다 B의 대칭축이 오른쪽에 있다.

표준편차가 클수록 정규분포 곡선의 가운데 부분의 높이는 낮아
지고 양쪽으로 넓게 퍼지므로 A의 가운데 부분의 높이보다 B의
가운데 부분의 높이가 낮고 양쪽으로 넓게 퍼진다.

021 답 18

정규분포 곡선은 직선 $x=m$에 대하여 대칭이고
$P(X\le 7)=P(X\ge 11)$이므로

$$m=\dfrac{7+11}{2}=9$$

또 $V\left(\dfrac{1}{3}X\right)=9$에서 $\left(\dfrac{1}{3}\right)^2 V(X)=9$ $\therefore V(X)=81$

즉, $\sigma^2=81$이므로 $\sigma=9\ (\because \sigma>0)$

$\therefore m+\sigma=9+9=18$

022 답 ③

확률변수 X의 평균이 12이므로 X의 확률밀도함수는 $x=12$에서
최댓값을 갖고, 정규분포 곡선은 직선 $x=12$에 대하여 대칭이다.
따라서 $P(a-6\le X\le a+4)$가 최대가
되려면 오른쪽 그림과 같이 $a-6$, $a+4$
의 평균이 12이어야 하므로

$\dfrac{(a-6)+(a+4)}{2}=12$, $a-1=12$

$\therefore a=13$

023 답 0.1574

$m=45$, $\sigma=3$이므로

$P(36\le X\le 42)=P(45-3\times 3\le X\le 45-3)$
$\qquad =P(m-3\sigma\le X\le m-\sigma)$
$\qquad =P(m+\sigma\le X\le m+3\sigma)$
$\qquad =P(m\le X\le m+3\sigma)-P(m\le X\le m+\sigma)$
$\qquad =0.4987-0.3413=0.1574$

024 답 ③

$P(m-\sigma\le X\le m+\sigma)=a$에서

$2P(m\le X\le m+\sigma)=a$

$\therefore P(m\le X\le m+\sigma)=\dfrac{a}{2}$

한편 $P(m-2\sigma\le X\le m+2\sigma)=b$에서

$2P(m\le X\le m+2\sigma)=b$

$\therefore P(m\le X\le m+2\sigma)=\dfrac{b}{2}$

$\therefore P(m-2\sigma\le X\le m-\sigma)$
$\quad =P(m-2\sigma\le X\le m)-P(m-\sigma\le X\le m)$
$\quad =P(m\le X\le m+2\sigma)-P(m\le X\le m+\sigma)$
$\quad =\dfrac{b}{2}-\dfrac{a}{2}=\dfrac{b-a}{2}$

025 답 0.6826

$P(X\le m-\sigma)=0.1587$에서

$P(X\le m)-P(m-\sigma\le X\le m)=0.1587$

$0.5-P(m-\sigma\le X\le m)=0.1587$

$\therefore P(m-\sigma\le X\le m)=0.3413$

$\therefore P(m-\sigma\le X\le m+\sigma)$
$\quad =P(m-\sigma\le X\le m)+P(m\le X\le m+\sigma)$
$\quad =P(m-\sigma\le X\le m)+P(m-\sigma\le X\le m)$
$\quad =2P(m-\sigma\le X\le m)=2\times 0.3413=0.6826$

026 답 0.3641

정규분포 곡선은 직선 $x=m$에 대하여 대칭이고

$P(40\le X\le 45)=P(55\le X\le 60)$이므로

$m=\dfrac{45+55}{2}=50$

$\therefore P(X\le 40)+P(50\le X\le 55)$
$\quad =P(X\le 40)+P(45\le X\le 50)$
$\quad =P(X\le 50)-P(40\le X\le 45)$
$\quad =0.5-0.1359=0.3641$

027 답 0.3413

곡선 $y=x^2+2Xx-X+2$와 직선 $y=4x$가 만나지 않으려면 x에
대한 이차방정식 $x^2+2Xx-X+2=4x$, 즉
$x^2+2(X-2)x-X+2=0$이 허근을 가져야 한다.

이 이차방정식의 판별식을 D라 하면

$\dfrac{D}{4}=(X-2)^2-(-X+2)<0$

$X^2-3X+2<0$, $(X-1)(X-2)<0$

$\therefore 1<X<2$

이때 $m=2$, $\sigma=1$이므로

$P(1<X<2)=P(2-1<X<2)$
$\qquad =P(m-\sigma<X<m)$
$\qquad =P(m\le X\le m+\sigma)$
$\qquad =0.3413$

028 답 ③

$P(X\le a)=0.1587$에서

$P(X\le m)-P(a\le X\le m)=0.1587$

$0.5-P(a\le X\le m)=0.1587$

$\therefore P(a\le X\le m)=0.3413$

한편 $P(m\le X\le m+\sigma)=0.3413$에서

$P(m-\sigma\le X\le m)=0.3413$이므로 $a=m-\sigma$

따라서 $m=15$, $\sigma=2$이므로

$a=15-2=13$

029 답 0.5

$P(m-k\sigma\le X\le m+k\sigma)=0.383$에서

$P(m-k\sigma\le X\le m)+P(m\le X\le m+k\sigma)=0.383$

$P(m\le X\le m+k\sigma)+P(m\le X\le m+k\sigma)=0.383$

$2P(m\le X\le m+k\sigma)=0.383$

$\therefore P(m\le X\le m+k\sigma)=0.1915$

이때 $P(m\le X\le m+0.5\sigma)=0.1915$이므로

$k=0.5$

030 답 39

$P(X\ge a)=0.9332$에서

$P(X\ge m)+P(a\le X\le m)=0.9332$

$0.5+P(a\le X\le m)=0.9332$

$\therefore P(a\le X\le m)=0.4332$

한편 $P(m\le X\le m+1.5\sigma)=0.4332$에서

$P(m-1.5\sigma<X<m)=0.4332$이므로 $a=m-1.5\sigma$

따라서 $m=48$, $\sigma=6$이므로

$a=48-1.5\times 6=39$

031 답 **4**

두 확률변수 X, Y가 각각 정규분포 $N(7, 3^2)$, $N(0, 4^2)$을 따르므로 $Z_X = \dfrac{X-7}{3}$, $Z_Y = \dfrac{Y}{4}$로 놓으면 두 확률변수 Z_X, Z_Y는 모두 표준정규분포 $N(0, 1)$을 따른다.

$P(X \geq 4k) = P(Y \geq 3k)$에서

$P\left(Z_X \geq \dfrac{4k-7}{3}\right) = P\left(Z_Y \geq \dfrac{3k}{4}\right)$

따라서 $\dfrac{4k-7}{3} = \dfrac{3k}{4}$이므로

$16k - 28 = 9k$, $7k = 28$ $\quad\therefore k = 4$

032 답 ②

확률변수 X가 정규분포 $N(25, 4^2)$을 따르므로 $Z = \dfrac{X-25}{4}$로 놓으면 두 확률변수 Z, Y는 모두 표준정규분포 $N(0, 1)$을 따른다.

$P(X \leq a) = P(Y \geq a)$에서

$P\left(Z \leq \dfrac{a-25}{4}\right) = P(Y \geq a)$

$\therefore P\left(Z \leq \dfrac{a-25}{4}\right) = P(Y \leq -a)$

따라서 $\dfrac{a-25}{4} = -a$이므로

$a - 25 = -4a$, $5a = 25$ $\quad\therefore a = 5$

033 답 **16**

두 확률변수 X, Y가 각각 정규분포 $N(18, 6^2)$, $N(m, 4^2)$을 따르므로 $Z_X = \dfrac{X-18}{6}$, $Z_Y = \dfrac{Y-m}{4}$으로 놓으면 두 확률변수 Z_X, Z_Y는 모두 표준정규분포 $N(0, 1)$을 따른다.

$2P(18 \leq X \leq 24) = P(12 \leq Y \leq 2m-12)$에서

$2P\left(\dfrac{18-18}{6} \leq Z_X \leq \dfrac{24-18}{6}\right) = P\left(\dfrac{12-m}{4} \leq Z_Y \leq \dfrac{2m-12-m}{4}\right)$

$2P(0 \leq Z_X \leq 1) = P\left(-\dfrac{m-12}{4} \leq Z_Y \leq \dfrac{m-12}{4}\right)$

$\qquad = P\left(-\dfrac{m-12}{4} \leq Z_Y \leq 0\right) + P\left(0 \leq Z_Y \leq \dfrac{m-12}{4}\right)$

$\qquad = P\left(0 \leq Z_Y \leq \dfrac{m-12}{4}\right) + P\left(0 \leq Z_Y \leq \dfrac{m-12}{4}\right)$

$\qquad = 2P\left(0 \leq Z_Y \leq \dfrac{m-12}{4}\right)$

$\therefore P(0 \leq Z_X \leq 1) = P\left(0 \leq Z_Y \leq \dfrac{m-12}{4}\right)$

따라서 $1 = \dfrac{m-12}{4}$이므로

$m - 12 = 4$ $\quad\therefore m = 16$

034 답 **0.8185**

확률변수 X가 정규분포 $N(60, 10^2)$을 따르므로 $Z = \dfrac{X-60}{10}$으로 놓으면 확률변수 Z는 표준정규분포 $N(0, 1)$을 따른다.

$\therefore P(50 \leq X \leq 80) = P\left(\dfrac{50-60}{10} \leq Z \leq \dfrac{80-60}{10}\right)$

$\qquad = P(-1 \leq Z \leq 2)$

$\qquad = P(-1 \leq Z \leq 0) + P(0 \leq Z \leq 2)$

$\qquad = P(0 \leq Z \leq 1) + P(0 \leq Z \leq 2)$

$\qquad = 0.3413 + 0.4772 = 0.8185$

035 답 ㄱ, ㄴ, ㄷ

확률변수 X가 정규분포 $N(32, 4^2)$을 따르므로 $Z = \dfrac{X-32}{4}$로 놓으면 확률변수 Z는 표준정규분포 $N(0, 1)$을 따른다.

ㄱ. $P(20 \leq X \leq 32) = P\left(\dfrac{20-32}{4} \leq Z \leq \dfrac{32-32}{4}\right)$

$\qquad = P(-3 \leq Z \leq 0)$

$\qquad = P(0 \leq Z \leq 3)$

$\qquad = 0.4987$

ㄴ. $P(X \geq 20) = P\left(Z \geq \dfrac{20-32}{4}\right)$

$\qquad = P(Z \geq -3) = P(Z \leq 3)$

$\qquad = P(Z \leq 0) + P(0 \leq Z \leq 3)$

$\qquad = 0.5 + 0.4987 = 0.9987$

ㄷ. $P(X \geq 44) = P\left(Z \geq \dfrac{44-32}{4}\right)$

$\qquad = P(Z \geq 3)$

$\qquad = P(Z \geq 0) - P(0 \leq Z \leq 3)$

$\qquad = 0.5 - 0.4987 = 0.0013$

따라서 보기 중 옳은 것은 ㄱ, ㄴ, ㄷ이다.

036 답 **0.1359**

확률변수 X가 정규분포 $N(15, 3^2)$을 따르므로 $Z = \dfrac{X-15}{3}$로 놓으면 확률변수 Z는 표준정규분포 $N(0, 1)$을 따른다.

$Y = 3X + 4$이므로

$P(58 \leq Y \leq 67) = P(58 \leq 3X+4 \leq 67)$

$\qquad = P(18 \leq X \leq 21)$

$\qquad = P\left(\dfrac{18-15}{3} \leq Z \leq \dfrac{21-15}{3}\right)$

$\qquad = P(1 \leq Z \leq 2)$

$\qquad = P(0 \leq Z \leq 2) - P(0 \leq Z \leq 1)$

$\qquad = 0.4772 - 0.3413 = 0.1359$

037 답 **0.6915**

확률변수 X의 평균이 m이므로 확률변수 X의 정규분포 곡선은 직선 $x = m$에 대하여 대칭이다.

㈎에서 $f(5) = f(25)$이므로

$m = \dfrac{5+25}{2} = 15$

즉, 두 확률변수 X, Y가 각각 정규분포 $N(15, 5^2)$, $N(30, \sigma^2)$을 따르므로 $Z_X = \dfrac{X-15}{5}$, $Z_Y = \dfrac{Y-30}{\sigma}$으로 놓으면 두 확률변수 Z_X, Z_Y는 모두 표준정규분포 $N(0, 1)$을 따른다.

㈏에서 $P(X \leq 5) + P(Y \geq 26) = 1$이므로

$P\left(Z_X \leq \dfrac{5-15}{5}\right) + P\left(Z_Y \geq \dfrac{26-30}{\sigma}\right) = 1$

$P(Z_X \leq -2) + P\left(Z_Y \geq -\dfrac{4}{\sigma}\right) = 1$

따라서 $-2 = -\dfrac{4}{\sigma}$이므로

$\sigma = 2$

즉, 확률변수 Y는 정규분포 $N(30, 2^2)$을 따르므로
$$\begin{aligned}P(Y \geq 29) &= P\left(Z_Y \geq \frac{29-30}{2}\right)\\&= P(Z_Y \geq -0.5)\\&= P(Z_Y \leq 0.5)\\&= P(Z_Y \leq 0) + P(0 \leq Z_Y \leq 0.5)\\&= 0.5 + 0.1915 = 0.6915\end{aligned}$$

038 답 ④

확률변수 X가 정규분포 $N(20, 2^2)$을 따르므로 $Z = \dfrac{X-20}{2}$으로 놓으면 확률변수 Z는 표준정규분포 $N(0, 1)$을 따른다.

$P(a \leq X \leq 23) = 0.7745$에서
$$P\left(\frac{a-20}{2} \leq Z \leq \frac{23-20}{2}\right) = 0.7745$$
$$P\left(\frac{a-20}{2} \leq Z \leq 1.5\right) = 0.7745$$
$$P\left(\frac{a-20}{2} \leq Z \leq 0\right) + P(0 \leq Z \leq 1.5) = 0.7745$$
$$P\left(0 \leq Z \leq -\frac{a-20}{2}\right) + 0.4332 = 0.7745$$
$$\therefore P\left(0 \leq Z \leq -\frac{a-20}{2}\right) = 0.3413$$
이때 $P(0 \leq Z \leq 1) = 0.3413$이므로
$$-\frac{a-20}{2} = 1, \ a-20 = -2$$
$$\therefore a = 18$$

039 답 1.25

확률변수 X가 정규분포 $N(m, \sigma^2)$을 따르므로 $Z = \dfrac{X-m}{\sigma}$으로 놓으면 확률변수 Z는 표준정규분포 $N(0, 1)$을 따른다.

$P(m-k\sigma \leq X \leq m+k\sigma) = 0.7888$에서
$$P\left(\frac{m-k\sigma-m}{\sigma} \leq Z \leq \frac{m+k\sigma-m}{\sigma}\right) = 0.7888$$
$$P(-k \leq Z \leq k) = 0.7888$$
$$P(-k \leq Z \leq 0) + P(0 \leq Z \leq k) = 0.7888$$
$$P(0 \leq Z \leq k) + P(0 \leq Z \leq k) = 0.7888$$
$$2P(0 \leq Z \leq k) = 0.7888$$
$$\therefore P(0 \leq Z \leq k) = 0.3944$$
이때 $P(0 \leq Z \leq 1.25) = 0.3944$이므로
$$k = 1.25$$

040 답 0.0668

확률변수 X가 정규분포 $N(24, 4^2)$을 따르므로 $Z = \dfrac{X-24}{4}$로 놓으면 확률변수 Z는 표준정규분포 $N(0, 1)$을 따른다.

$P(X \leq 24-k) = 0.3085$에서
$$P\left(Z \leq \frac{24-k-24}{4}\right) = 0.3085$$
$$P\left(Z \leq -\frac{k}{4}\right) = 0.3085$$
$$P\left(Z \geq \frac{k}{4}\right) = 0.3085$$
$$P(Z \geq 0) - P\left(0 \leq Z \leq \frac{k}{4}\right) = 0.3085$$
$$0.5 - P\left(0 \leq Z \leq \frac{k}{4}\right) = 0.3085$$
$$\therefore P\left(0 \leq Z \leq \frac{k}{4}\right) = 0.1915$$
이때 $P(0 \leq Z \leq 0.5) = 0.1915$이므로
$$\frac{k}{4} = 0.5 \quad \therefore k = 2$$
$$\begin{aligned}\therefore P(X \geq 15k) &= P(X \geq 30)\\&= P\left(Z \geq \frac{30-24}{4}\right)\\&= P(Z \geq 1.5)\\&= P(Z \geq 0) - P(0 \leq Z \leq 1.5)\\&= 0.5 - 0.4332 = 0.0668\end{aligned}$$

041 답 2차 필기시험, 실기 시험, 1차 필기시험

회사 전체 입사 지원자의 1차 필기시험, 2차 필기시험, 실기 시험 성적을 각각 X_A점, X_B점, X_C점이라 하면 세 확률변수 X_A, X_B, X_C는 각각 정규분포 $N(60, 9^2)$, $N(55, 12^2)$, $N(64, 10^2)$을 따르므로
$$Z_A = \frac{X_A-60}{9}, \ Z_B = \frac{X_B-55}{12}, \ Z_C = \frac{X_C-64}{10}$$
로 놓으면 세 확률변수 Z_A, Z_B, Z_C는 모두 표준정규분포 $N(0, 1)$을 따른다.

다른 지원자들보다 정연이의 1차 필기시험, 2차 필기시험, 실기 시험 성적이 높을 확률은 각각
$$P(X_A < 68) = P\left(Z_A < \frac{68-60}{9}\right) = P\left(Z_A < \frac{8}{9}\right)$$
$$P(X_B < 67) = P\left(Z_B < \frac{67-55}{12}\right) = P(Z_B < 1)$$
$$P(X_C < 73) = P\left(Z_C < \frac{73-64}{10}\right) = P\left(Z_C < \frac{9}{10}\right)$$
이때 $P(Z_B < 1) > P\left(Z_C < \dfrac{9}{10}\right) > P\left(Z_A < \dfrac{8}{9}\right)$이므로
$$P(X_B < 67) > P(X_C < 73) > P(X_A < 68)$$
따라서 정연이의 성적이 상대적으로 좋은 시험부터 순서대로 나열하면 2차 필기시험, 실기 시험, 1차 필기시험이다.

042 답 ③

세 확률변수 X, Y, W가 각각 정규분포 $N(59, 4^2)$, $N(65, 5^2)$, $N(67, 6^2)$을 따르므로
$$Z_X = \frac{X-59}{4}, \ Z_Y = \frac{Y-65}{5}, \ Z_W = \frac{W-67}{6}$$
로 놓으면 세 확률변수 Z_X, Z_Y, Z_W는 모두 표준정규분포 $N(0, 1)$을 따른다.
$$a = P(X \geq 65) = P\left(Z_X \geq \frac{65-59}{4}\right) = P(Z_X \geq 1.5)$$
$$\begin{aligned}b = P(Y \leq 57) &= P\left(Z_Y \leq \frac{57-65}{5}\right) = P(Z_Y \leq -1.6)\\&= P(Z_Y \geq 1.6)\end{aligned}$$
$$c = P(W \geq 73) = P\left(Z_W \geq \frac{73-67}{6}\right) = P(Z_W \geq 1)$$
이때 $P(Z_Y \geq 1.6) < P(Z_X \geq 1.5) < P(Z_W \geq 1)$이므로
$$b < a < c$$

06

043 답 A, C, B

1팀, 2팀, 3팀 직원들의 하루 스마트폰 사용 시간을 각각 X_1분, X_2분, X_3분이라 하면 세 확률변수 X_1, X_2, X_3은 각각 정규분포 $N(68, 8^2)$, $N(72, 5^2)$, $N(70, 4^2)$을 따르므로

$$Z_1=\frac{X_1-68}{8},\ Z_2=\frac{X_2-72}{5},\ Z_3=\frac{X_3-70}{4}$$

으로 놓으면 세 확률변수 Z_1, Z_2, Z_3은 모두 표준정규분포 $N(0, 1)$을 따른다.

각 팀 직원들의 하루 스마트폰 사용 시간이 64분보다 적을 확률은 각각

$$P(X_1<64)=P\left(Z_1<\frac{64-68}{8}\right)=P(Z_1<-0.5)$$

$$P(X_2<64)=P\left(Z_2<\frac{64-72}{5}\right)=P(Z_2<-1.6)$$

$$P(X_3<64)=P\left(Z_3<\frac{64-70}{4}\right)=P(Z_3<-1.5)$$

이때 $P(Z_1<-0.5)>P(Z_3<-1.5)>P(Z_2<-1.6)$이므로

$$P(X_1<64)>P(X_3<64)>P(X_2<64)$$

따라서 소속된 각 팀에서 상대적으로 하루 스마트폰 사용 시간이 많은 직원부터 순서대로 나열하면 A, C, B이다.

044 답 ②

제품 한 개의 무게를 X g이라 하면 확률변수 X는 정규분포 $N(20, 5^2)$을 따르므로 $Z=\frac{X-20}{5}$으로 놓으면 확률변수 Z는 표준정규분포 $N(0, 1)$을 따른다.

따라서 구하는 확률은

$$P(X\geq30)=P\left(Z\geq\frac{30-20}{5}\right)=P(Z\geq2)$$
$$=P(Z\geq0)-P(0\leq Z\leq2)$$
$$=0.5-0.48=0.02$$

045 답 328

학생의 확률과 통계 시험 점수를 X점이라 하면 확률변수 X는 정규분포 $N(58, 8^2)$을 따르므로 $Z=\frac{X-58}{8}$로 놓으면 확률변수 Z는 표준정규분포 $N(0, 1)$을 따른다.

확률과 통계 시험 점수가 42점 이상 66점 이하일 확률은

$$P(42\leq X\leq66)=P\left(\frac{42-58}{8}\leq Z\leq\frac{66-58}{8}\right)$$
$$=P(-2\leq Z\leq1)$$
$$=P(-2\leq Z\leq0)+P(0\leq Z\leq1)$$
$$=P(0\leq Z\leq2)+P(0\leq Z\leq1)$$
$$=0.48+0.34=0.82$$

따라서 구하는 학생 수는

$$400\times0.82=328$$

046 답 47점

학생의 평가 점수를 X점이라 하면 확률변수 X는 정규분포 $N(40, 5^2)$을 따르므로 $Z=\frac{X-40}{5}$으로 놓으면 확률변수 Z는 표준정규분포 $N(0, 1)$을 따른다.

상위 8 %에 속하는 학생의 최저 점수를 a점이라 하면

$$P(X\geq a)=0.08$$
$$P\left(Z\geq\frac{a-40}{5}\right)=0.08$$
$$P(Z\geq0)-P\left(0\leq Z\leq\frac{a-40}{5}\right)=0.08$$
$$0.5-P\left(0\leq Z\leq\frac{a-40}{5}\right)=0.08$$
$$\therefore P\left(0\leq Z\leq\frac{a-40}{5}\right)=0.42$$

이때 $P(0\leq Z\leq1.4)=0.42$이므로

$$\frac{a-40}{5}=1.4,\ a-40=7\qquad\therefore a=47$$

따라서 A학점을 받은 학생의 최저 점수는 47점이다.

047 답 ③

확률변수 X가 이항분포 $B\left(100, \frac{1}{5}\right)$을 따르므로

$$E(X)=100\times\frac{1}{5}=20,\ V(X)=100\times\frac{1}{5}\times\frac{4}{5}=16$$

즉, 확률변수 X는 근사적으로 정규분포 $N(20, 4^2)$을 따르므로 $Z=\frac{X-20}{4}$이라 하면 확률변수 Z는 표준정규분포 $N(0, 1)$을 따른다.

$$\therefore P(X\geq24)=P\left(Z\geq\frac{24-20}{4}\right)$$
$$=P(Z\geq1)$$
$$=P(Z\geq0)-P(0\leq Z\leq1)$$
$$=0.5-0.3413=0.1587$$

048 답 ④

한 번의 시행에서 동전의 앞면이 나올 확률은 $\frac{1}{2}$이므로 앞면이 나오는 횟수를 X라 하면 확률변수 X는 이항분포 $B\left(100, \frac{1}{2}\right)$을 따른다.

$$\therefore E(X)=100\times\frac{1}{2}=50,\ V(X)=100\times\frac{1}{2}\times\frac{1}{2}=25$$

즉, 확률변수 X는 근사적으로 정규분포 $N(50, 5^2)$을 따르므로 $Z=\frac{X-50}{5}$으로 놓으면 확률변수 Z는 표준정규분포 $N(0, 1)$을 따른다.

따라서 구하는 확률은

$$P(45\leq X\leq65)=P\left(\frac{45-50}{5}\leq Z\leq\frac{65-50}{5}\right)$$
$$=P(-1\leq Z\leq3)$$
$$=P(-1\leq Z\leq0)+P(0\leq Z\leq3)$$
$$=P(0\leq Z\leq1)+P(0\leq Z\leq3)$$
$$=0.3413+0.4987=0.84$$

049 답 ③

한 번의 시행에서 문제를 맞힐 확률은 $\frac{1}{5}$이므로 맞힌 문제의 개수를 X라 하면 확률변수 X는 이항분포 $B\left(25, \frac{1}{5}\right)$을 따른다.

$$\therefore E(X)=25\times\frac{1}{5}=5,\ V(X)=25\times\frac{1}{5}\times\frac{4}{5}=4$$

즉, 확률변수 X는 근사적으로 정규분포 $N(5, 2^2)$을 따르므로 $Z=\dfrac{X-5}{2}$로 놓으면 확률변수 Z는 표준정규분포 $N(0, 1)$을 따른다.

문제를 a개 이상 맞힐 확률이 0.01이므로 $P(X \geq a)=0.01$에서

$$P\left(Z \geq \frac{a-5}{2}\right)=0.01$$

$$P(Z \geq 0)-P\left(0 \leq Z \leq \frac{a-5}{2}\right)=0.01$$

$$0.5-P\left(0 \leq Z \leq \frac{a-5}{2}\right)=0.01$$

$$\therefore P\left(0 \leq Z \leq \frac{a-5}{2}\right)=0.49$$

이때 $P(0 \leq Z \leq 2.5)=0.49$이므로

$$\frac{a-5}{2}=2.5, \ a-5=5 \quad \therefore a=10$$

050 답 0.3085

승용차 한 대를 세차하는 데 걸리는 시간을 X분이라 하면 확률변수 X는 정규분포 $N(20, 2^2)$을 따르므로 $Z=\dfrac{X-20}{2}$으로 놓으면 확률변수 Z는 표준정규분포 $N(0, 1)$을 따른다.

따라서 구하는 확률은

$$P(X \geq 21)=P\left(Z \geq \frac{21-20}{2}\right)$$
$$=P(Z \geq 0.5)$$
$$=P(Z \geq 0)-P(0 \leq Z \leq 0.5)$$
$$=0.5-0.1915=0.3085$$

051 답 0.6687

밥 한 공기의 열량을 X kcal라 하면 확률변수 X는 정규분포 $N(320, 8^2)$을 따르므로 $Z=\dfrac{X-320}{8}$으로 놓으면 확률변수 Z는 표준정규분포 $N(0, 1)$을 따른다.

따라서 구하는 확률은

$$P(304 \leq X \leq 324)=P\left(\frac{304-320}{8} \leq Z \leq \frac{324-320}{8}\right)$$
$$=P(-2 \leq Z \leq 0.5)$$
$$=P(-2 \leq Z \leq 0)+P(0 \leq Z \leq 0.5)$$
$$=P(0 \leq Z \leq 2)+P(0 \leq Z \leq 0.5)$$
$$=0.4772+0.1915=0.6687$$

052 답 ⑤

과자 한 개의 무게를 X g이라 하면 확률변수 X는 정규분포 $N(18, 0.3^2)$을 따르므로 $Z=\dfrac{X-18}{0.3}$로 놓으면 확률변수 Z는 표준정규분포 $N(0, 1)$을 따른다.

과자 한 개의 무게가 18.75 g 이하일 확률은

$$P(X \leq 18.75)=P\left(Z \leq \frac{18.75-18}{0.3}\right)$$
$$=P(Z \leq 2.5)$$
$$=P(Z \leq 0)+P(0 \leq Z \leq 2.5)$$
$$=0.5+0.49=0.99$$

따라서 무게가 18.75 g 이하인 과자는 전체의 99 %이다.

053 답 0.0668

공원까지 가는 데 걸리는 시간을 X분이라 하면 확률변수 X는 정규분포 $N(25, 4^2)$을 따르므로 $Z=\dfrac{X-25}{4}$로 놓으면 확률변수 Z는 표준정규분포 $N(0, 1)$을 따른다.

집에서 공원까지 가는 데 걸리는 시간이 31분을 초과하면 약속 시간에 늦으므로 구하는 확률은

$$P(X>31)=P\left(Z>\frac{31-25}{4}\right)$$
$$=P(Z>1.5)=P(Z \geq 1.5)$$
$$=P(Z \geq 0)-P(0 \leq Z \leq 1.5)$$
$$=0.5-0.4332=0.0668$$

054 답 ②

이 고등학교 2학년 학생의 키를 X cm라 하면 확률변수 X는 정규분포 $N(169, 6.5^2)$을 따르므로 $Z=\dfrac{X-169}{6.5}$로 놓으면 확률변수 Z는 표준정규분포 $N(0, 1)$을 따른다.

학생의 키가 182 cm 이상일 확률은

$$P(X \geq 182)=P\left(Z \geq \frac{182-169}{6.5}\right)$$
$$=P(Z \geq 2)$$
$$=P(Z \geq 0)-P(0 \leq Z \leq 2)$$
$$=0.5-0.48=0.02$$

따라서 구하는 학생 수는 $150 \times 0.02=3$

055 답 477

확률변수 X는 정규분포 $N(62, 2^2)$을 따르므로 $Z=\dfrac{X-62}{2}$로 놓으면 확률변수 Z는 표준정규분포 $N(0, 1)$을 따른다.

키위의 무게가 58 g 이상 66 g 이하일 확률은

$$P(58 \leq X \leq 66)=P\left(\frac{58-62}{2} \leq Z \leq \frac{66-62}{2}\right)$$
$$=P(-2 \leq Z \leq 2)$$
$$=P(-2 \leq Z \leq 0)+P(0 \leq Z \leq 2)$$
$$=P(0 \leq Z \leq 2)+P(0 \leq Z \leq 2)$$
$$=2P(0 \leq Z \leq 2)$$
$$=2 \times 0.477=0.954$$

따라서 정상 제품의 개수는 $500 \times 0.954=477$

056 답 ④

세계지리 시험 성적을 X점이라 하면 확률변수 X는 정규분포 $N(70, 8^2)$을 따르므로 $Z=\dfrac{X-70}{8}$으로 놓으면 확률변수 Z는 표준정규분포 $N(0, 1)$을 따른다.

시험 성적이 62점 이하일 확률은

$$P(X \leq 62)=P\left(Z \leq \frac{62-70}{8}\right)$$
$$=P(Z \leq -1)=P(Z \geq 1)$$
$$=P(Z \geq 0)-P(0 \leq Z \leq 1)$$
$$=0.5-0.34=0.16$$

따라서 재평가를 받아야 하는 학생 수는 $200 \times 0.16=32$

057 답 2766명

이 지역 50대 주민의 최고 혈압을 X mmHg라 하면 확률변수 X는 정규분포 $N(143, 6^2)$을 따르므로 $Z=\dfrac{X-143}{6}$으로 놓으면 확률변수 Z는 표준정규분포 $N(0, 1)$을 따른다.

최고 혈압이 140 mmHg 이상일 확률은

$$P(X\geq140)=P\left(Z\geq\dfrac{140-143}{6}\right)$$
$$=P(Z\geq-0.5)$$
$$=P(Z\leq0.5)$$
$$=P(Z\leq0)+P(0\leq Z\leq0.5)$$
$$=0.5+0.1915=0.6915$$

따라서 최고 혈압이 고혈압의 범위에 속하는 50대 주민은

$4000\times0.6915=2766$(명)

058 답 550초

학생의 오래매달리기 기록을 X초라 하면 확률변수 X는 정규분포 $N(480, 40^2)$을 따르므로 $Z=\dfrac{X-480}{40}$으로 놓으면 확률변수 Z는 표준정규분포 $N(0, 1)$을 따른다.

메달을 받은 학생의 최저 기록을 a초라 하면 기록이 a초보다 길어야 메달을 받으므로

$$P(X\geq a)=0.04$$
$$P\left(Z\geq\dfrac{a-480}{40}\right)=0.04$$
$$P(Z\geq0)-P\left(0\leq Z\leq\dfrac{a-480}{40}\right)=0.04$$
$$0.5-P\left(0\leq Z\leq\dfrac{a-480}{40}\right)=0.04$$
$$\therefore\ P\left(0\leq Z\leq\dfrac{a-480}{40}\right)=0.46$$

이때 $P(0\leq Z\leq1.75)=0.46$이므로

$$\dfrac{a-480}{40}=1.75,\ a-480=70$$
$$\therefore\ a=550$$

따라서 메달을 받은 학생의 최저 기록은 550초이다.

059 답 ③

응시자의 시험 점수를 X점이라 하면 확률변수 X는 정규분포 $N(60, 2^2)$을 따르므로 $Z=\dfrac{X-60}{2}$으로 놓으면 확률변수 Z는 표준정규분포 $N(0, 1)$을 따른다.

합격자의 최저 점수를 a점이라 하면

$$P(X\geq a)=\dfrac{21}{300}=0.07$$
$$P\left(Z\geq\dfrac{a-60}{2}\right)=0.07$$
$$P(Z\geq0)-P\left(0\leq Z\leq\dfrac{a-60}{2}\right)=0.07$$
$$0.5-P\left(0\leq Z\leq\dfrac{a-60}{2}\right)=0.07$$
$$\therefore\ P\left(0\leq Z\leq\dfrac{a-60}{2}\right)=0.43$$

이때 $P(0\leq Z\leq1.5)=0.43$이므로

$$\dfrac{a-60}{2}=1.5,\ a-60=3$$
$$\therefore\ a=63$$

따라서 합격자의 최저 점수는 63점이다.

060 답 55 m

선수의 기록을 X m라 하면 확률변수 X는 정규분포 $N(45, 5^2)$을 따르므로 $Z=\dfrac{X-45}{5}$로 놓으면 확률변수 Z는 표준정규분포 $N(0, 1)$을 따른다.

3등을 한 선수의 기록을 a m라 하면

$$P(X\geq a)=\dfrac{3}{150}=0.02$$
$$P\left(Z\geq\dfrac{a-45}{5}\right)=0.02$$
$$P(Z\geq0)-P\left(0\leq Z\leq\dfrac{a-45}{5}\right)=0.02$$
$$0.5-P\left(0\leq Z\leq\dfrac{a-45}{5}\right)=0.02$$
$$\therefore\ P\left(0\leq Z\leq\dfrac{a-45}{5}\right)=0.48$$

이때 $P(0\leq Z\leq2)=0.48$이므로

$$\dfrac{a-45}{5}=2,\ a-45=10$$
$$\therefore\ a=55$$

따라서 3등을 한 선수의 기록은 55 m이다.

061 답 2점

응시자의 점수를 X점이라 하면 확률변수 X는 정규분포 $N(68, 10^2)$을 따르므로 $Z=\dfrac{X-68}{10}$로 놓으면 확률변수 Z는 표준정규분포 $N(0, 1)$을 따른다.

1차 합격자의 최저 점수를 a점이라 하면

$$P(X\geq a)=\dfrac{30}{600}=0.05$$
$$P\left(Z\geq\dfrac{a-68}{10}\right)=0.05$$
$$P(Z\geq0)-P\left(0\leq Z\leq\dfrac{a-68}{10}\right)=0.05$$
$$0.5-P\left(0\leq Z\leq\dfrac{a-68}{10}\right)=0.05$$
$$\therefore\ P\left(0\leq Z\leq\dfrac{a-68}{10}\right)=0.45$$

이때 $P(0\leq Z\leq1.64)=0.45$이므로

$$\dfrac{a-68}{10}=1.64,\ a-68=16.4$$
$$\therefore\ a=84.4$$

한편 2차 합격자의 최저 점수를 b점이라 하면

$$P(X\geq b)=\dfrac{30+15}{600}=0.075$$
$$P\left(Z\geq\dfrac{b-68}{10}\right)=0.075$$
$$P(Z\geq0)-P\left(0\leq Z\leq\dfrac{b-68}{10}\right)=0.075$$
$$0.5-P\left(0\leq Z\leq\dfrac{b-68}{10}\right)=0.075$$

$$\therefore P\left(0 \leq Z \leq \frac{b-68}{10}\right)=0.425$$

이때 $P(0 \leq Z \leq 1.44)=0.425$이므로

$$\frac{b-68}{10}=1.44, \ b-68=14.4$$

$$\therefore b=82.4$$

따라서 1차 합격자와 2차 합격자의 최저 점수의 차는

$a-b=84.4-82.4=2$(점)

062 답 0.8351

확률변수 X가 이항분포 $B\left(150, \frac{3}{5}\right)$을 따르므로

$$E(X)=150 \times \frac{3}{5}=90, \ V(X)=150 \times \frac{3}{5} \times \frac{2}{5}=36$$

즉, 확률변수 X는 근사적으로 정규분포 $N(90, 6^2)$을 따르므로

$Z=\dfrac{X-90}{6}$으로 놓으면 확률변수 Z는 표준정규분포 $N(0, 1)$을 따른다.

$$\begin{aligned}
\therefore P(75 \leq X \leq 96) &=P\left(\frac{75-90}{6} \leq Z \leq \frac{96-90}{6}\right)\\
&=P(-2.5 \leq Z \leq 1)\\
&=P(-2.5 \leq Z \leq 0)+P(0 \leq Z \leq 1)\\
&=P(0 \leq Z \leq 2.5)+P(0 \leq Z \leq 1)\\
&=0.4938+0.3413\\
&=0.8351
\end{aligned}$$

063 답 51

확률변수 X가 이항분포 $B\left(64, \frac{1}{2}\right)$을 따르므로

$$E(X)=64 \times \frac{1}{2}=32, \ V(X)=64 \times \frac{1}{2} \times \frac{1}{2}=16$$

즉, 확률변수 X는 근사적으로 정규분포 $N(32, 4^2)$을 따르므로 $a=32$, $b=16$

$Z=\dfrac{X-32}{4}$로 놓으면 확률변수 Z는 표준정규분포 $N(0, 1)$을 따르므로

$$\begin{aligned}
P(32 \leq X \leq 44)&=P\left(\frac{32-32}{4} \leq Z \leq \frac{44-32}{4}\right)\\
&=P(0 \leq Z \leq 3)
\end{aligned}$$

따라서 $c=3$이므로

$a+b+c=32+16+3=51$

064 답 0.0082

확률변수 X가 이항분포 $B(180, p)$를 따르므로 $V(X)=25$에서

$180p(1-p)=25$, $36p^2-36p+5=0$

$(6p-1)(6p-5)=0$ $\quad \therefore p=\dfrac{5}{6}$ $(\because 0.5<p<1)$

확률변수 X가 이항분포 $B\left(180, \frac{5}{6}\right)$를 따르므로

$$E(X)=180 \times \frac{5}{6}=150$$

즉, 확률변수 X는 근사적으로 정규분포 $N(150, 5^2)$을 따르므로

$Z=\dfrac{X-150}{5}$으로 놓으면 확률변수 Z는 표준정규분포 $N(0, 1)$을 따른다.

$$\begin{aligned}
\therefore P\left(X \geq \frac{135}{p}\right)&=P\left(X \geq 135 \times \frac{6}{5}\right)\\
&=P(X \geq 162)\\
&=P\left(Z \geq \frac{162-150}{5}\right)\\
&=P(Z \geq 2.4)\\
&=P(Z \geq 0)-P(0 \leq Z \leq 2.4)\\
&=0.5-0.4918\\
&=0.0082
\end{aligned}$$

065 답 0.1587

${}_{100}C_x\left(\dfrac{9}{10}\right)^x\left(\dfrac{1}{10}\right)^{100-x}$ 은 한 번의 시행에서 일어날 확률이 $\dfrac{9}{10}$인 어떤 사건이 100번의 독립시행에서 x번 일어날 확률이다.

이 사건이 일어나는 횟수를 X라 하면 확률변수 X는 이항분포 $B\left(100, \dfrac{9}{10}\right)$를 따르므로

$$E(X)=100 \times \frac{9}{10}=90$$

$$V(X)=100 \times \frac{9}{10} \times \frac{1}{10}=9$$

즉, 확률변수 X는 근사적으로 정규분포 $N(90, 3^2)$을 따르므로

$Z=\dfrac{X-90}{3}$으로 놓으면 확률변수 Z는 표준정규분포 $N(0, 1)$을 따른다.

$$\begin{aligned}
\therefore {}_{100}C_{100}&\left(\frac{9}{10}\right)^{100}+{}_{100}C_{99}\left(\frac{9}{10}\right)^{99}\left(\frac{1}{10}\right)+\cdots+{}_{100}C_{93}\left(\frac{9}{10}\right)^{93}\left(\frac{1}{10}\right)^{7}\\
&=P(X=100)+P(X=99)+\cdots+P(X=93)\\
&=P(X \geq 93)\\
&=P\left(Z \geq \frac{93-90}{3}\right)\\
&=P(Z \geq 1)\\
&=P(Z \geq 0)-P(0 \leq Z \leq 1)\\
&=0.5-0.3413\\
&=0.1587
\end{aligned}$$

066 답 ②

한 번의 시행에서 주사위의 1의 눈이 나올 확률은 $\dfrac{1}{6}$이므로 1의 눈이 나오는 횟수를 X라 하면 확률변수 X는 이항분포 $B\left(720, \dfrac{1}{6}\right)$을 따른다.

$$\therefore E(X)=720 \times \frac{1}{6}=120, \ V(X)=720 \times \frac{1}{6} \times \frac{5}{6}=100$$

즉, 확률변수 X는 근사적으로 정규분포 $N(120, 10^2)$을 따르므로

$Z=\dfrac{X-120}{10}$으로 놓으면 확률변수 Z는 표준정규분포 $N(0, 1)$을 따른다.

따라서 구하는 확률은

$$\begin{aligned}
P(X \geq 140)&=P\left(Z \geq \frac{140-120}{10}\right)\\
&=P(Z \geq 2)\\
&=P(Z \geq 0)-P(0 \leq Z \leq 2)\\
&=0.5-0.4772\\
&=0.0228
\end{aligned}$$

067 답 0.0668

한 명이 재구매할 확률이 $\dfrac{60}{100} = \dfrac{3}{5}$이므로 재구매하는 사람의 수를 X라 하면 확률변수 X는 이항분포 $B\left(150, \dfrac{3}{5}\right)$을 따른다.

$\therefore \mathrm{E}(X) = 150 \times \dfrac{3}{5} = 90$, $\mathrm{V}(X) = 150 \times \dfrac{3}{5} \times \dfrac{2}{5} = 36$

즉, 확률변수 X는 근사적으로 정규분포 $N(90, 6^2)$을 따르므로 $Z = \dfrac{X - 90}{6}$으로 놓으면 확률변수 Z는 표준정규분포 $N(0, 1)$을 따른다.

따라서 구하는 확률은

$$\begin{aligned} \mathrm{P}(X \geq 99) &= \mathrm{P}\left(Z \geq \dfrac{99 - 90}{6}\right) \\ &= \mathrm{P}(Z \geq 1.5) \\ &= \mathrm{P}(Z \geq 0) - \mathrm{P}(0 \leq Z \leq 1.5) \\ &= 0.5 - 0.4332 = 0.0668 \end{aligned}$$

068 답 0.9332

초청장을 받은 한 명이 공연을 보러 올 확률은 $\dfrac{80}{100} = \dfrac{4}{5}$이므로 공연을 보러 온 사람의 수를 X라 하면 확률변수 X는 이항분포 $B\left(400, \dfrac{4}{5}\right)$를 따른다.

$\therefore \mathrm{E}(X) = 400 \times \dfrac{4}{5} = 320$, $\mathrm{V}(X) = 400 \times \dfrac{4}{5} \times \dfrac{1}{5} = 64$

즉, 확률변수 X는 근사적으로 정규분포 $N(320, 8^2)$을 따르므로 $Z = \dfrac{X - 320}{8}$으로 놓으면 확률변수 Z는 표준정규분포 $N(0, 1)$을 따른다.

따라서 구하는 확률은

$$\begin{aligned} \mathrm{P}(X \leq 332) &= \mathrm{P}\left(Z \leq \dfrac{332 - 320}{8}\right) \\ &= \mathrm{P}(Z \leq 1.5) \\ &= \mathrm{P}(Z \leq 0) + \mathrm{P}(0 \leq Z \leq 1.5) \\ &= 0.5 + 0.4332 = 0.9332 \end{aligned}$$

069 답 ③

등록한 합격자의 수를 X라 하면 확률변수 X는 이항분포 $B\left(192, \dfrac{3}{4}\right)$을 따르므로

$\mathrm{E}(X) = 192 \times \dfrac{3}{4} = 144$, $\mathrm{V}(X) = 192 \times \dfrac{3}{4} \times \dfrac{1}{4} = 36$

즉, 확률변수 X는 근사적으로 정규분포 $N(144, 6^2)$을 따르므로 $Z = \dfrac{X - 144}{6}$로 놓으면 확률변수 Z는 표준정규분포 $N(0, 1)$을 따른다.

따라서 구하는 확률은

$$\begin{aligned} \mathrm{P}(X \geq 138) &= \mathrm{P}\left(Z \geq \dfrac{138 - 144}{6}\right) \\ &= \mathrm{P}(Z \geq -1) \\ &= \mathrm{P}(Z \leq 1) \\ &= \mathrm{P}(Z \leq 0) + \mathrm{P}(0 \leq Z \leq 1) \\ &= 0.5 + 0.3413 = 0.8413 \end{aligned}$$

070 답 0.02

10점을 얻은 횟수를 X라 하면 2점을 잃은 횟수는 $1200 - X$이므로 얻은 점수가 1560점 이상이 되려면

$10X - 2(1200 - X) \geq 1560$

$\therefore X \geq 330$

확률변수 X는 이항분포 $B\left(1200, \dfrac{1}{4}\right)$을 따르므로

$\mathrm{E}(X) = 1200 \times \dfrac{1}{4} = 300$, $\mathrm{V}(X) = 1200 \times \dfrac{1}{4} \times \dfrac{3}{4} = 225$

즉, 확률변수 X는 근사적으로 정규분포 $N(300, 15^2)$을 따르므로 $Z = \dfrac{X - 300}{15}$으로 놓으면 확률변수 Z는 표준정규분포 $N(0, 1)$을 따른다.

따라서 구하는 확률은

$$\begin{aligned} \mathrm{P}(X \geq 330) &= \mathrm{P}\left(Z \geq \dfrac{330 - 300}{15}\right) \\ &= \mathrm{P}(Z \geq 2) \\ &= \mathrm{P}(Z \geq 0) - \mathrm{P}(0 \leq Z \leq 2) \\ &= 0.5 - 0.48 = 0.02 \end{aligned}$$

071 답 220

한 명이 찬성할 확률은 $\dfrac{1}{2}$이므로 찬성한 사람의 수를 X라 하면 확률변수 X는 이항분포 $B\left(400, \dfrac{1}{2}\right)$을 따른다.

$\therefore \mathrm{E}(X) = 400 \times \dfrac{1}{2} = 200$, $\mathrm{V}(X) = 400 \times \dfrac{1}{2} \times \dfrac{1}{2} = 100$

즉, 확률변수 X는 근사적으로 정규분포 $N(200, 10^2)$을 따르므로 $Z = \dfrac{X - 200}{10}$으로 놓으면 확률변수 Z는 표준정규분포 $N(0, 1)$을 따른다.

$\mathrm{P}(X \geq a) = 0.02$에서

$\mathrm{P}\left(Z \geq \dfrac{a - 200}{10}\right) = 0.02$

$\mathrm{P}(Z \geq 0) - \mathrm{P}\left(0 \leq Z \leq \dfrac{a - 200}{10}\right) = 0.02$

$0.5 - \mathrm{P}\left(0 \leq Z \leq \dfrac{a - 200}{10}\right) = 0.02$

$\therefore \mathrm{P}\left(0 \leq Z \leq \dfrac{a - 200}{10}\right) = 0.48$

이때 $\mathrm{P}(0 \leq Z \leq 2) = 0.48$이므로

$\dfrac{a - 200}{10} = 2$, $a - 200 = 20$

$\therefore a = 220$

072 답 315

확률변수 X가 이항분포 $B\left(450, \dfrac{2}{3}\right)$를 따르므로

$\mathrm{E}(X) = 450 \times \dfrac{2}{3} = 300$, $\mathrm{V}(X) = 450 \times \dfrac{2}{3} \times \dfrac{1}{3} = 100$

즉, 확률변수 X는 근사적으로 정규분포 $N(300, 10^2)$을 따르므로 $Z = \dfrac{X - 300}{10}$으로 놓으면 확률변수 Z는 표준정규분포 $N(0, 1)$을 따른다.

$P(300 \le X \le a)=0.43$에서

$P\left(\dfrac{300-300}{10} \le Z \le \dfrac{a-300}{10}\right)=0.43$

$\therefore P\left(0 \le Z \le \dfrac{a-300}{10}\right)=0.43$

이때 $P(0 \le Z \le 1.5)=0.43$이므로

$\dfrac{a-300}{10}=1.5, \ a-300=15$

$\therefore a=315$

073 답 ②

제품 한 개가 불량품일 확률은 $\dfrac{2}{100}=\dfrac{1}{50}$이므로 확률변수 X는 이항분포 $B\left(2500, \dfrac{1}{50}\right)$을 따른다.

$\therefore E(X)=2500 \times \dfrac{1}{50}=50, \ V(X)=2500 \times \dfrac{1}{50} \times \dfrac{49}{50}=49$

즉, 확률변수 X는 근사적으로 정규분포 $N(50, 7^2)$을 따르므로 $Z=\dfrac{X-50}{7}$으로 놓으면 확률변수 Z는 표준정규분포 $N(0, 1)$을 따른다.

$P(|X-50| \ge k)=0.04$에서

$P(X-50 \le -k)+P(X-50 \ge k)=0.04$

$P(X \le 50-k)+P(X \ge 50+k)=0.04$

$P\left(Z \le \dfrac{50-k-50}{7}\right)+P\left(Z \ge \dfrac{50+k-50}{7}\right)=0.04$

$P\left(Z \le -\dfrac{k}{7}\right)+P\left(Z \ge \dfrac{k}{7}\right)=0.04$

$P\left(Z \ge \dfrac{k}{7}\right)+P\left(Z \ge \dfrac{k}{7}\right)=0.04$

$2P\left(Z \ge \dfrac{k}{7}\right)=0.04$

$P\left(Z \ge \dfrac{k}{7}\right)=0.02$

$P(Z \ge 0)-P\left(0 \le Z \le \dfrac{k}{7}\right)=0.02$

$0.5-P\left(0 \le Z \le \dfrac{k}{7}\right)=0.02$

$\therefore P\left(0 \le Z \le \dfrac{k}{7}\right)=0.48$

이때 $P(0 \le Z \le 2)=0.48$이므로

$\dfrac{k}{7}=2 \qquad \therefore k=14$

074 답 0.9772

입장한 관객 한 명이 어린이일 확률은 $\dfrac{1}{10}$이므로 입장한 어린이의 수를 X라 하면 확률변수 X는 이항분포 $B\left(100, \dfrac{1}{10}\right)$을 따른다.

$\therefore E(X)=100 \times \dfrac{1}{10}=10, \ V(X)=100 \times \dfrac{1}{10} \times \dfrac{9}{10}=9$

즉, 확률변수 X는 근사적으로 정규분포 $N(10, 3^2)$을 따르므로 $Z=\dfrac{X-10}{3}$으로 놓으면 확률변수 Z는 표준정규분포 $N(0, 1)$을 따른다.

어린이가 a명 이상일 확률이 0.1587이므로 $P(X \ge a)=0.1587$에서

$P\left(Z \ge \dfrac{a-10}{3}\right)=0.1587$

$P(Z \ge 0)-P\left(0 \le Z \le \dfrac{a-10}{3}\right)=0.1587$

$0.5-P\left(0 \le Z \le \dfrac{a-10}{3}\right)=0.1587$

$\therefore P\left(0 \le Z \le \dfrac{a-10}{3}\right)=0.3413$

이때 $P(0 \le Z \le 1)=0.3413$이므로

$\dfrac{a-10}{3}=1, \ a-10=3$

$\therefore a=13$

100명 중에서 어른은 $(100-X)$명이므로 구하는 확률은

$P(100-X \ge 6a+6)=P(100-X \ge 6 \times 13+6)$

$\qquad\qquad\qquad\quad =P(X \le 16)$

$\qquad\qquad\qquad\quad =P\left(Z \le \dfrac{16-10}{3}\right)$

$\qquad\qquad\qquad\quad =P(Z \le 2)$

$\qquad\qquad\qquad\quad =P(Z \le 0)+P(0 \le Z \le 2)$

$\qquad\qquad\qquad\quad =0.5+0.4772$

$\qquad\qquad\qquad\quad =0.9772$

075 답 ④

$f(x)$는 확률밀도함수이므로 $a>0$이고 그 그래프는 오른쪽 그림과 같다.

이때 $y=f(x)$의 그래프와 x축 및 두 직선 $x=0$, $x=3$으로 둘러싸인 도형의 넓이가 1이어야 하므로

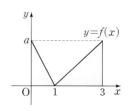

$\dfrac{1}{2} \times 1 \times a + \dfrac{1}{2} \times 2 \times a=1, \ \dfrac{3}{2}a=1$

$\therefore a=\dfrac{2}{3}$

076 답 $\dfrac{1}{9}$

$y=f(x)$의 그래프와 x축 및 직선 $x=6$으로 둘러싸인 도형의 넓이가 1이어야 하므로

$\dfrac{1}{2} \times 6 \times p=1, \ 3p=1 \qquad \therefore p=\dfrac{1}{3}$

$0 \le x \le 6$에서 $y=f(x)$의 그래프는 두 점 $(0, 0)$, $\left(6, \dfrac{1}{3}\right)$을 지나는 직선이므로

$y=\dfrac{\frac{1}{3}}{6}x \qquad \therefore f(x)=\dfrac{1}{18}x \ (0 \le x \le 6)$

따라서 $f(6p)=f(2)=\dfrac{1}{9}$이고

$P(0 \le X \le 2)$는 오른쪽 그림과 같이 $y=f(x)$의 그래프와 x축 및 직선 $x=2$로 둘러싸인 도형의 넓이와 같으므로

$P(0 \le X \le 2)=\dfrac{1}{2} \times 2 \times \dfrac{1}{9}=\dfrac{1}{9}$

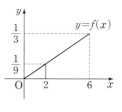

077 답 ㄷ

ㄱ. A, B의 정규분포 곡선의 대칭축이 같으므로 A 동아리 회원들과 B 동아리 회원들은 평균적으로 연습량이 같다.

ㄴ. B의 정규분포 곡선의 대칭축보다 C의 정규분포 곡선의 대칭축이 오른쪽에 있으므로 연습량이 많은 회원은 B 동아리보다 C 동아리에 더 많다.

ㄷ. B의 정규분포 곡선이 C의 정규분포 곡선보다 가운데 부분의 높이가 높고 좁게 모여 있으므로 B 동아리 회원들이 C 동아리 회원들보다 연습량이 더 고르다.

따라서 보기 중 옳은 것은 ㄷ이다.

078 답 ①

확률변수 X의 확률밀도함수는 $x=m$에서 최댓값을 갖고, 정규분포 곡선은 직선 $x=m$에 대하여 대칭이다.

따라서 $g(9)=\mathrm{P}(5\leq X\leq15)$가 최댓값이 되려면 5와 15의 평균이 m이어야 하므로

$$m=\frac{5+15}{2}=10$$

079 답 59

$\mathrm{P}(|X|\geq k)=0.0026$에서

$\mathrm{P}(X\leq-k)+\mathrm{P}(X\geq k)=0.0026$

$\mathrm{P}(X\geq k)+\mathrm{P}(X\geq k)=0.0026$

$2\mathrm{P}(X\geq k)=0.0026$

$\mathrm{P}(X\geq k)=0.0013$

$\mathrm{P}(X\geq m)-\mathrm{P}(m\leq X\leq k)=0.0013$

$0.5-\mathrm{P}(m\leq X\leq k)=0.0013$

$\therefore \mathrm{P}(m\leq X\leq k)=0.4987$

이때 $\mathrm{P}(m\leq X\leq m+3\sigma)=0.4987$이므로

$k=m+3\sigma$

따라서 $m=50$, $\sigma=3$이므로

$k=50+3\times3=59$

080 답 62

A 양계장과 B 양계장에서 생산하는 달걀 한 개의 무게를 각각 X g, Y g이라 하면 두 확률변수 X, Y는 각각 정규분포 $\mathrm{N}(60,\,10^2)$, $\mathrm{N}(65,\,15^2)$을 따르므로 $Z_X=\dfrac{X-60}{10}$, $Z_Y=\dfrac{Y-65}{15}$로 놓으면 두 확률변수 Z_X, Z_Y는 모두 표준정규분포 $\mathrm{N}(0,\,1)$을 따른다.

A 양계장에서 임의로 택한 달걀 한 개의 무게가 a g 이상일 확률은

$$\mathrm{P}(X\geq a)=\mathrm{P}\left(Z_X\geq\frac{a-60}{10}\right) \qquad \cdots\cdots \, \text{㉠}$$

B 양계장에서 임의로 택한 달걀 한 개의 무게가 a g 이하일 확률은

$$\mathrm{P}(Y\leq a)=\mathrm{P}\left(Z_Y\leq\frac{a-65}{15}\right)=\mathrm{P}\left(Z_Y\geq\frac{65-a}{15}\right) \qquad \cdots\cdots \, \text{㉡}$$

㉠, ㉡이 서로 일치하므로

$\dfrac{a-60}{10}=\dfrac{65-a}{15}$, $3a-180=130-2a$

$5a=310$ $\therefore a=62$

081 답 0.1587

확률변수 X가 정규분포 $\mathrm{N}(20,\,5^2)$을 따르므로 $Z=\dfrac{X-20}{5}$로 놓으면 확률변수 Z는 표준정규분포 $\mathrm{N}(0,\,1)$을 따른다.

$Y=3X+2$이므로

$\begin{aligned}\mathrm{P}(Y\leq47)&=\mathrm{P}(3X+2\leq47)\\&=\mathrm{P}(X\leq15)\\&=\mathrm{P}\left(Z\leq\frac{15-20}{5}\right)\\&=\mathrm{P}(Z\leq-1)\\&=\mathrm{P}(Z\geq1)\\&=\mathrm{P}(Z\geq0)-\mathrm{P}(0\leq Z\leq1)\\&=0.5-0.3413=0.1587\end{aligned}$

082 답 0.927

$f(52-x)=f(52+x)$이므로 함수 $f(x)$의 그래프는 직선 $x=52$에 대하여 대칭이다.

$\therefore m=52$

확률변수 X는 정규분포 $\mathrm{N}(52,\,\sigma^2)$을 따르므로 $Z=\dfrac{X-52}{\sigma}$로 놓으면 $\mathrm{P}(m\leq X\leq m+4)=0.4772$에서

$\mathrm{P}(52\leq X\leq56)=0.4772$

$\mathrm{P}\left(\dfrac{52-52}{\sigma}\leq Z\leq\dfrac{56-52}{\sigma}\right)=0.4772$

$\therefore \mathrm{P}\left(0\leq Z\leq\dfrac{4}{\sigma}\right)=0.4772$

이때 $\mathrm{P}(0\leq Z\leq2)=0.4772$이므로

$\dfrac{4}{\sigma}=2$ $\therefore \sigma=2$

$\begin{aligned}\therefore \mathrm{P}(49\leq X\leq57)&=\mathrm{P}\left(\frac{49-52}{2}\leq Z\leq\frac{57-52}{2}\right)\\&=\mathrm{P}(-1.5\leq Z\leq2.5)\\&=\mathrm{P}(-1.5\leq Z\leq0)+\mathrm{P}(0\leq Z\leq2.5)\\&=\mathrm{P}(0\leq Z\leq1.5)+\mathrm{P}(0\leq Z\leq2.5)\\&=0.4332+0.4938=0.927\end{aligned}$

083 답 ③

확률변수 X가 정규분포 $\mathrm{N}(60,\,2^2)$을 따르므로 $Z=\dfrac{X-60}{2}$로 놓으면 확률변수 Z는 표준정규분포 $\mathrm{N}(0,\,1)$을 따른다.

$\mathrm{P}(X\geq k)=0.0228$에서

$\mathrm{P}\left(Z\geq\dfrac{k-60}{2}\right)=0.0228$

$\mathrm{P}(Z\geq0)-\mathrm{P}\left(0\leq Z\leq\dfrac{k-60}{2}\right)=0.0228$

$0.5-\mathrm{P}\left(0\leq Z\leq\dfrac{k-60}{2}\right)=0.0228$

$\therefore \mathrm{P}\left(0\leq Z\leq\dfrac{k-60}{2}\right)=0.4772$

이때 $\mathrm{P}(0\leq Z\leq2)=0.4772$이므로

$\dfrac{k-60}{2}=2$, $k-60=4$

$\therefore k=64$

084 답 ㄷ

지민이네 학교 전체 학생의 물리학, 화학, 생명과학, 지구과학 시험 성적을 각각 X_A점, X_B점, X_C점, X_D점이라 하면 네 확률변수 X_A, X_B, X_C, X_D는 각각 정규분포 $N(44, 16^2)$, $N(42, 12^2)$, $N(52, 14^2)$, $N(68, 10^2)$을 따르므로

$$Z_A = \frac{X_A - 44}{16}, \quad Z_B = \frac{X_B - 42}{12}, \quad Z_C = \frac{X_C - 52}{14}, \quad Z_D = \frac{X_D - 68}{10}$$

로 놓으면 네 확률변수 Z_A, Z_B, Z_C, Z_D는 모두 표준정규분포 $N(0, 1)$을 따른다.

다른 학생들보다 지민이의 물리학, 화학, 생명과학, 지구과학 시험 성적이 높을 확률은 각각

$$P(X_A < 56) = P\left(Z_A < \frac{56 - 44}{16}\right) = P\left(Z_A < \frac{3}{4}\right)$$

$$P(X_B < 54) = P\left(Z_B < \frac{54 - 42}{12}\right) = P(Z_B < 1)$$

$$P(X_C < 59) = P\left(Z_C < \frac{59 - 52}{14}\right) = P\left(Z_C < \frac{1}{2}\right)$$

$$P(X_D < 74) = P\left(Z_D < \frac{74 - 68}{10}\right) = P\left(Z_D < \frac{3}{5}\right)$$

이때 $P(Z_B < 1) > P\left(Z_A < \frac{3}{4}\right) > P\left(Z_D < \frac{3}{5}\right) > P\left(Z_C < \frac{1}{2}\right)$이므로

$$P(X_B < 54) > P(X_A < 56) > P(X_D < 74) > P(X_C < 59)$$

ㄱ. 물리학 성적이 지구과학 성적보다 상대적으로 높다.

ㄴ. 상대적으로 화학 성적이 가장 높고 생명과학 성적이 가장 낮다.

ㄷ. 화학 성적이 54점으로 가장 낮지만 물리학 성적보다 상대적으로 높다.

따라서 보기 중 옳은 것은 ㄷ이다.

085 답 ④

학생의 키를 X cm라 하면 확률변수 X는 정규분포 $N(171, 7^2)$을 따르므로 $Z = \frac{X - 171}{7}$로 놓으면 확률변수 Z는 표준정규분포 $N(0, 1)$을 따른다.

키가 164 cm 이상 178 cm 이하일 확률은

$$\begin{aligned}
P(164 \le X \le 178) &= P\left(\frac{164 - 171}{7} \le Z \le \frac{178 - 171}{7}\right)\\
&= P(-1 \le Z \le 1)\\
&= P(-1 \le Z \le 0) + P(0 \le Z \le 1)\\
&= P(0 \le Z \le 1) + P(0 \le Z \le 1)\\
&= 2P(0 \le Z \le 1)\\
&= 2 \times 0.34\\
&= 0.68
\end{aligned}$$

따라서 키가 164 cm 이상 178 cm 이하인 학생은 전체 학생의 68 %이다.

086 답 68.12점

사원의 점수를 X점이라 하면 확률변수 X는 정규분포 $N(55, 8^2)$을 따르므로 $Z = \frac{X - 55}{8}$로 놓으면 확률변수 Z는 표준정규분포 $N(0, 1)$을 따른다.

10등 이내에 들기 위한 최저 점수를 k점이라 하면

$$P(X \ge k) = \frac{10}{200} = 0.05$$

$$P\left(Z \ge \frac{k - 55}{8}\right) = 0.05$$

$$P(Z \ge 0) - P\left(0 \le Z \le \frac{k - 55}{8}\right) = 0.05$$

$$0.5 - P\left(0 \le Z \le \frac{k - 55}{8}\right) = 0.05$$

$$\therefore P\left(0 \le Z \le \frac{k - 55}{8}\right) = 0.45$$

이때 $P(0 \le Z \le 1.64) = 0.45$이므로

$$\frac{k - 55}{8} = 1.64, \quad k - 55 = 13.12$$

$$\therefore k = 68.12$$

따라서 10등 이내에 들기 위한 최저 점수는 68.12점이다.

087 답 0.9772

확률변수 X가 이항분포 $B\left(400, \frac{1}{5}\right)$을 따르므로

$$E(X) = 400 \times \frac{1}{5} = 80, \quad V(X) = 400 \times \frac{1}{5} \times \frac{4}{5} = 64$$

즉, 확률변수 X는 근사적으로 정규분포 $N(80, 8^2)$을 따르므로 $Z = \frac{X - 80}{8}$으로 놓으면 확률변수 Z는 표준정규분포 $N(0, 1)$을 따른다.

$$\begin{aligned}
\therefore P(X \le 96) &= P\left(Z \le \frac{96 - 80}{8}\right)\\
&= P(Z \le 2)\\
&= P(Z \le 0) + P(0 \le Z \le 2)\\
&= 0.5 + 0.4772\\
&= 0.9772
\end{aligned}$$

088 답 0.9452

동전을 100번 던질 때 앞면이 나오는 횟수를 X라 하면 뒷면이 나오는 횟수는 $100 - X$이므로 점 P의 좌표가 26 이상이 되려면

$$2X - (100 - X) \ge 26, \quad 3X \ge 126$$

$$\therefore X \ge 42$$

확률변수 X는 이항분포 $B\left(100, \frac{1}{2}\right)$을 따르므로

$$E(X) = 100 \times \frac{1}{2} = 50, \quad V(X) = 100 \times \frac{1}{2} \times \frac{1}{2} = 25$$

즉, 확률변수 X는 근사적으로 정규분포 $N(50, 5^2)$을 따르므로 $Z = \frac{X - 50}{5}$으로 놓으면 확률변수 Z는 표준정규분포 $N(0, 1)$을 따른다.

따라서 구하는 확률은

$$\begin{aligned}
P(X \ge 42) &= P\left(Z \ge \frac{42 - 50}{5}\right)\\
&= P(Z \ge -1.6)\\
&= P(Z \le 1.6)\\
&= P(Z \le 0) + P(0 \le Z \le 1.6)\\
&= 0.5 + 0.4452\\
&= 0.9452
\end{aligned}$$

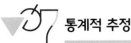

001 답 237

모평균이 15, 모표준편차가 6, 표본의 크기가 3이므로

$\mathrm{E}(\overline{X})=15$, $\mathrm{V}(\overline{X})=\dfrac{6^2}{3}=12$

따라서 $\mathrm{V}(\overline{X})=\mathrm{E}(\overline{X}^2)-\{\mathrm{E}(\overline{X})\}^2$에서

$\mathrm{E}(\overline{X}^2)=\mathrm{V}(\overline{X})+\{\mathrm{E}(\overline{X})\}^2=12+15^2=237$

002 답 $\dfrac{35}{18}$

확률의 총합은 1이므로 $\dfrac{1}{4}+a+\dfrac{1}{4}+\dfrac{1}{3}=1$ $\quad\therefore a=\dfrac{1}{6}$

따라서 확률변수 X에 대하여

$\mathrm{E}(X)=0\times\dfrac{1}{4}+1\times\dfrac{1}{6}+2\times\dfrac{1}{4}+3\times\dfrac{1}{3}=\dfrac{5}{3}$

$\mathrm{V}(X)=0^2\times\dfrac{1}{4}+1^2\times\dfrac{1}{6}+2^2\times\dfrac{1}{4}+3^2\times\dfrac{1}{3}-\left(\dfrac{5}{3}\right)^2$

$\qquad=\dfrac{25}{6}-\dfrac{25}{9}=\dfrac{25}{18}$

이때 표본의 크기가 5이므로

$\mathrm{E}(\overline{X})=\dfrac{5}{3}$, $\mathrm{V}(\overline{X})=\dfrac{\frac{25}{18}}{5}=\dfrac{5}{18}$

$\therefore \mathrm{E}(\overline{X})+\mathrm{V}(\overline{X})=\dfrac{5}{3}+\dfrac{5}{18}=\dfrac{35}{18}$

003 답 ③

공 한 개를 임의로 택할 때, 공에 적힌 수를 X라 하고 확률변수 X의 확률분포를 표로 나타내면 다음과 같다.

X	1	3	5	7	합계
$\mathrm{P}(X=x)$	$\dfrac{1}{4}$	$\dfrac{1}{4}$	$\dfrac{1}{4}$	$\dfrac{1}{4}$	1

따라서 확률변수 X에 대하여

$\mathrm{E}(X)=1\times\dfrac{1}{4}+3\times\dfrac{1}{4}+5\times\dfrac{1}{4}+7\times\dfrac{1}{4}=4$

$\mathrm{V}(X)=1^2\times\dfrac{1}{4}+3^2\times\dfrac{1}{4}+5^2\times\dfrac{1}{4}+7^2\times\dfrac{1}{4}-4^2=21-16=5$

이때 표본의 크기가 2이므로 $\mathrm{E}(\overline{X})=4$, $\mathrm{V}(\overline{X})=\dfrac{5}{2}$

$\therefore \mathrm{E}(\overline{X})\mathrm{V}(\overline{X})=4\times\dfrac{5}{2}=10$

004 답 0.8185

모집단이 정규분포 $\mathrm{N}(260,\ 15^2)$을 따르고 표본의 크기가 25이므로 표본평균 $\overline{X}$는 정규분포 $\mathrm{N}\left(260,\ \dfrac{15^2}{25}\right)$, 즉 $\mathrm{N}(260,\ 3^2)$을 따른다.

$Z=\dfrac{\overline{X}-260}{3}$으로 놓으면 확률변수 Z는 표준정규분포 $\mathrm{N}(0,\ 1)$을 따르므로 구하는 확률은

$\mathrm{P}(257\le\overline{X}\le266)=\mathrm{P}\left(\dfrac{257-260}{3}\le Z\le\dfrac{266-260}{3}\right)$

$\qquad=\mathrm{P}(-1\le Z\le2)$

$\qquad=\mathrm{P}(-1\le Z\le0)+\mathrm{P}(0\le Z\le2)$

$\qquad=\mathrm{P}(0\le Z\le1)+\mathrm{P}(0\le Z\le2)$

$\qquad=0.3413+0.4772=0.8185$

005 답 9

모집단이 정규분포 $\mathrm{N}(640,\ 12^2)$을 따르고 표본의 크기가 n이므로 표본평균 $\overline{X}$는 정규분포 $\mathrm{N}\left(640,\ \dfrac{12^2}{n}\right)$을 따른다.

$Z=\dfrac{\overline{X}-640}{\frac{12}{\sqrt{n}}}$으로 놓으면 확률변수 Z는 표준정규분포 $\mathrm{N}(0,\ 1)$을 따르므로 $\mathrm{P}(\overline{X}\le634)=0.0668$에서

$\mathrm{P}\left(Z\le\dfrac{634-640}{\frac{12}{\sqrt{n}}}\right)=0.0668$

$\mathrm{P}\left(Z\le-\dfrac{\sqrt{n}}{2}\right)=0.0668$, $\mathrm{P}\left(Z\ge\dfrac{\sqrt{n}}{2}\right)=0.0668$

$\mathrm{P}(Z\ge0)-\mathrm{P}\left(0\le Z\le\dfrac{\sqrt{n}}{2}\right)=0.0668$

$0.5-\mathrm{P}\left(0\le Z\le\dfrac{\sqrt{n}}{2}\right)=0.0668$

$\therefore \mathrm{P}\left(0\le Z\le\dfrac{\sqrt{n}}{2}\right)=0.4332$

이때 $\mathrm{P}(0\le Z\le1.5)=0.4332$이므로

$\dfrac{\sqrt{n}}{2}=1.5$, $\sqrt{n}=3$ $\quad\therefore n=9$

006 답 $88.04\le m\le91.96$

표본의 크기가 100, 표본평균이 90, 모표준편차가 10이므로 모평균 m에 대한 신뢰도 95 %의 신뢰구간은

$90-1.96\times\dfrac{10}{\sqrt{100}}\le m\le90+1.96\times\dfrac{10}{\sqrt{100}}$

$\therefore 88.04\le m\le91.96$

007 답 4

표본의 크기가 n, 표본평균이 1500, 모표준편차가 20이므로 모평균 m에 대한 신뢰도 95 %의 신뢰구간은

$1500-1.96\times\dfrac{20}{\sqrt{n}}\le m\le1500+1.96\times\dfrac{20}{\sqrt{n}}$

이때 모평균 m에 대한 신뢰도 95 %의 신뢰구간이 $1480.4\le m\le1519.6$이므로

$1500-1.96\times\dfrac{20}{\sqrt{n}}=1480.4$, $1500+1.96\times\dfrac{20}{\sqrt{n}}=1519.6$

따라서 $1.96\times\dfrac{20}{\sqrt{n}}=19.6$이므로

$\sqrt{n}=2$ $\quad\therefore n=4$

008 답 8.6

표본의 크기가 9, 모표준편차가 5이므로 모평균을 신뢰도 99 %로 추정한 신뢰구간의 길이는

$2\times2.58\times\dfrac{5}{\sqrt{9}}=8.6$

009 답 196

표본의 크기가 n, 모표준편차가 5이므로 모평균을 신뢰도 95 %로 추정한 신뢰구간의 길이가 1.4 이하이려면

$2\times1.96\times\dfrac{5}{\sqrt{n}}\le1.4$, $\sqrt{n}\ge14$ $\quad\therefore n\ge196$

따라서 n의 최솟값은 196이다.

010 답 96

표본의 크기가 64, 모표준편차가 32이므로 $P(|Z| \le k) = \dfrac{\alpha}{100}$라 하면 모평균을 신뢰도 α %로 추정한 신뢰구간의 길이는

$2 \times k \times \dfrac{32}{\sqrt{64}} = 16.4 \qquad \therefore k = 2.05$

이때 $P(0 \le Z \le 2.05) = 0.48$이므로

$$\begin{aligned} P(|Z| \le 2.05) &= P(-2.05 \le Z \le 2.05) \\ &= P(-2.05 \le Z \le 0) + P(0 \le Z \le 2.05) \\ &= 2P(0 \le Z \le 2.05) \\ &= 2 \times 0.48 = 0.96 \end{aligned}$$

따라서 $\dfrac{\alpha}{100} = 0.96$이므로 $\alpha = 96$

011 답 97

표본의 크기가 n, 표본평균이 $\overline{x}$, 모표준편차가 5이므로 모평균 m에 대한 신뢰도 95 %의 신뢰구간은

$\overline{x} - 1.96 \times \dfrac{5}{\sqrt{n}} \le m \le \overline{x} + 1.96 \times \dfrac{5}{\sqrt{n}}$

$-\dfrac{9.8}{\sqrt{n}} \le m - \overline{x} \le \dfrac{9.8}{\sqrt{n}} \qquad \therefore |m - \overline{x}| \le \dfrac{9.8}{\sqrt{n}}$

이때 $|m - \overline{x}| \le 1$이어야 하므로

$\dfrac{9.8}{\sqrt{n}} \le 1$, $\sqrt{n} \ge 9.8 \qquad \therefore n \ge 96.04$

따라서 n의 최솟값은 97이다.

012 답 ㄱ, ㄷ

표본의 크기가 n, 모표준편차가 σ이므로 모평균을 신뢰도 α %로 추정한 신뢰구간의 길이는

$b - a = 2k \dfrac{\sigma}{\sqrt{n}}$ (단, $P(|Z| \le k) = \dfrac{\alpha}{100}$)

ㄱ. n의 값이 커지면 $\sqrt{n}$의 값이 커지므로 $b - a$의 값은 작아진다.

ㄴ. α의 값이 작아지면 k의 값이 작아지므로 $b - a$의 값도 작아진다.

ㄷ. α의 값이 커지면 k의 값이 커지고, n의 값이 작아지면 $\sqrt{n}$의 값이 작아지므로 $b - a$의 값은 커진다.

따라서 보기 중 옳은 것은 ㄱ, ㄷ이다.

013 답 102

모평균이 10, 모표준편차가 4, 표본의 크기가 8이므로

$E(\overline{X}) = 10$, $V(\overline{X}) = \dfrac{4^2}{8} = 2$

따라서 $V(\overline{X}) = E(\overline{X}^2) - \{E(\overline{X})\}^2$에서

$E(\overline{X}^2) = V(\overline{X}) + \{E(\overline{X})\}^2 = 2 + 10^2 = 102$

014 답 ⑤

모평균이 60, 모표준편차가 5, 표본의 크기가 16이므로

$E(\overline{X}) = 60$, $\sigma(\overline{X}) = \dfrac{5}{\sqrt{16}} = \dfrac{5}{4}$

$\therefore E(\overline{X})\sigma(\overline{X}) = 60 \times \dfrac{5}{4} = 75$

015 답 7

모평균이 m, 모표준편차가 6, 표본의 크기가 n이므로

$E(\overline{X}) = m = 11$

$V(\overline{X}) = \dfrac{6^2}{n} = 9 \qquad \therefore n = 4$

$\therefore m - n = 11 - 4 = 7$

016 답 1600

모표준편차가 8, 표본의 크기가 n이므로

$\sigma(\overline{X}) = \dfrac{8}{\sqrt{n}}$

이때 $\sigma(\overline{X}) \ge 0.2$이어야 하므로

$\dfrac{8}{\sqrt{n}} \ge 0.2$, $\sqrt{n} \le 40 \qquad \therefore n \le 1600$

따라서 n의 최댓값은 1600이다.

017 답 $\dfrac{55}{27}$

확률의 총합은 1이므로

$a + 2a + 3a = 1$, $6a = 1 \qquad \therefore a = \dfrac{1}{6}$

따라서 확률변수 X에 대하여

$E(X) = 1 \times \dfrac{1}{6} + 3 \times \dfrac{1}{3} + 5 \times \dfrac{1}{2} = \dfrac{11}{3}$

$V(X) = 1^2 \times \dfrac{1}{6} + 3^2 \times \dfrac{1}{3} + 5^2 \times \dfrac{1}{2} - \left(\dfrac{11}{3}\right)^2 = \dfrac{47}{3} - \dfrac{121}{9} = \dfrac{20}{9}$

이때 표본의 크기가 4이므로

$E(\overline{X}) = \dfrac{11}{3}$, $V(\overline{X}) = \dfrac{\frac{20}{9}}{4} = \dfrac{5}{9}$

$\therefore E(\overline{X})V(\overline{X}) = \dfrac{11}{3} \times \dfrac{5}{9} = \dfrac{55}{27}$

018 답 ④

확률변수 X에 대하여

$E(X) = 1 \times \dfrac{2}{5} + 2 \times \dfrac{3}{10} + 3 \times \dfrac{1}{5} + 4 \times \dfrac{1}{10} = 2$

$V(X) = 1^2 \times \dfrac{2}{5} + 2^2 \times \dfrac{3}{10} + 3^2 \times \dfrac{1}{5} + 4^2 \times \dfrac{1}{10} - 2^2 = 5 - 4 = 1$

표본의 크기가 n이므로 $V(\overline{X}) = \dfrac{1}{n}$

이때 $V(\overline{X}) = \dfrac{1}{8}$에서 $\dfrac{1}{n} = \dfrac{1}{8} \qquad \therefore n = 8$

019 답 $\dfrac{1}{2}$

확률의 총합은 1이므로

$\dfrac{5}{12} + \dfrac{1}{4} + a + b = 1 \qquad \therefore a + b = \dfrac{1}{3}$ ...... ㉠

확률변수 X에 대하여

$E(X) = 0 \times \dfrac{5}{12} + 1 \times \dfrac{1}{4} + 2 \times a + 3 \times b = 2a + 3b + \dfrac{1}{4}$

이때 $E(X) = E(\overline{X}) = 1$이므로

$2a + 3b + \dfrac{1}{4} = 1 \qquad \therefore 2a + 3b = \dfrac{3}{4}$ ...... ㉡

㉠, ㉡을 연립하여 풀면 $a = \dfrac{1}{4}$, $b = \dfrac{1}{12}$

따라서 확률변수 X에 대하여

$V(X) = 0^2 \times \dfrac{5}{12} + 1^2 \times \dfrac{1}{4} + 2^2 \times \dfrac{1}{4} + 3^2 \times \dfrac{1}{12} - 1^2 = 2 - 1 = 1$

이때 표본의 크기가 2이므로 $V(\overline{X}) = \dfrac{1}{2}$

020 답 1

확률의 총합은 1이므로

$P(X=-1)+P(X=0)+P(X=1)+P(X=2)=1$

$\dfrac{-k+2}{10}+\dfrac{1}{5}+\dfrac{k+2}{10}+\dfrac{k+1}{5}=1$

$\dfrac{k+4}{5}=1,\ k+4=5$ $\therefore k=1$

확률변수 X의 확률분포를 표로 나타내면 다음과 같다.

X	-1	0	1	2	합계
$P(X=x)$	$\dfrac{1}{10}$	$\dfrac{1}{5}$	$\dfrac{3}{10}$	$\dfrac{2}{5}$	1

따라서 확률변수 X에 대하여

$E(X)=-1\times\dfrac{1}{10}+0\times\dfrac{1}{5}+1\times\dfrac{3}{10}+2\times\dfrac{2}{5}=1$

$V(X)=(-1)^2\times\dfrac{1}{10}+0^2\times\dfrac{1}{5}+1^2\times\dfrac{3}{10}+2^2\times\dfrac{2}{5}-1^2=2-1=1$

$\therefore \sigma(X)=\sqrt{V(X)}=1$

이때 표본의 크기가 9이므로 $\sigma(\overline{X})=\dfrac{1}{\sqrt{9}}=\dfrac{1}{3}$

$\therefore \sigma(3\overline{X}+5)=|3|\sigma(\overline{X})=3\times\dfrac{1}{3}=1$

021 답 ③

공 한 개를 임의로 꺼낼 때, 공에 적힌 수를 X라 하고 확률변수 X의 확률분포를 표로 나타내면 다음과 같다.

X	1	2	3	합계
$P(X=x)$	$\dfrac{1}{2}$	$\dfrac{1}{3}$	$\dfrac{1}{6}$	1

따라서 확률변수 X에 대하여

$E(X)=1\times\dfrac{1}{2}+2\times\dfrac{1}{3}+3\times\dfrac{1}{6}=\dfrac{5}{3}$

$V(X)=1^2\times\dfrac{1}{2}+2^2\times\dfrac{1}{3}+3^2\times\dfrac{1}{6}-\left(\dfrac{5}{3}\right)^2=\dfrac{10}{3}-\dfrac{25}{9}=\dfrac{5}{9}$

이때 표본의 크기가 4이므로

$E(\overline{X})=\dfrac{5}{3},\ V(\overline{X})=\dfrac{\frac{5}{9}}{4}=\dfrac{5}{36}$ $\therefore \dfrac{E(\overline{X})}{V(\overline{X})}=\dfrac{\frac{5}{3}}{\frac{5}{36}}=12$

022 답 13000

동전의 앞면을 H, 뒷면을 T라 하고 게임을 한 번 하여 나오는 모든 경우를 표로 나타내면 다음과 같다.

500원	100원	상금(원)
H	H	600
H	T	500
T	H	100
T	T	0

게임을 한 번 하여 받을 수 있는 금액을 X원이라 하고 확률변수 X의 확률분포를 표로 나타내면 다음과 같다.

X	0	100	500	600	합계
$P(X=x)$	$\dfrac{1}{4}$	$\dfrac{1}{4}$	$\dfrac{1}{4}$	$\dfrac{1}{4}$	1

따라서 확률변수 X에 대하여

$E(X)=0\times\dfrac{1}{4}+100\times\dfrac{1}{4}+500\times\dfrac{1}{4}+600\times\dfrac{1}{4}=300$

$V(X)=0^2\times\dfrac{1}{4}+100^2\times\dfrac{1}{4}+500^2\times\dfrac{1}{4}+600^2\times\dfrac{1}{4}-300^2$

$=155000-90000=65000$

이때 표본의 크기가 5이므로

$V(\overline{X})=\dfrac{65000}{5}=13000$

023 답 32

구슬 한 개를 임의로 꺼낼 때, 구슬에 적힌 수를 X라 하고 확률변수 X의 확률분포를 표로 나타내면 다음과 같다.

X	3	5	7	합계
$P(X=x)$	$\dfrac{2}{7}$	$\dfrac{3}{7}$	$\dfrac{2}{7}$	1

따라서 확률변수 X에 대하여

$E(X)=3\times\dfrac{2}{7}+5\times\dfrac{3}{7}+7\times\dfrac{2}{7}=5$

$V(X)=3^2\times\dfrac{2}{7}+5^2\times\dfrac{3}{7}+7^2\times\dfrac{2}{7}-5^2=\dfrac{191}{7}-25=\dfrac{16}{7}$

표본의 크기가 n이므로 $V(\overline{X})=\dfrac{\frac{16}{7}}{n}=\dfrac{16}{7n}$

이때 $V(\overline{X})=\dfrac{1}{14}$에서

$\dfrac{16}{7n}=\dfrac{1}{14}$ $\therefore n=32$

024 답 0.8185

모집단이 정규분포 $N(60,\ 8^2)$을 따르고 표본의 크기가 16이므로 표본평균 $\overline{X}$는 정규분포 $N\left(60,\ \dfrac{8^2}{16}\right)$, 즉 $N(60,\ 2^2)$을 따른다.

$Z=\dfrac{\overline{X}-60}{2}$으로 놓으면 확률변수 Z는 표준정규분포 $N(0,\ 1)$을 따르므로 귤의 무게의 평균이 58 g 이상 64 g 이하일 확률은

$P(58\leq\overline{X}\leq64)=P\left(\dfrac{58-60}{2}\leq Z\leq\dfrac{64-60}{2}\right)$

$=P(-1\leq Z\leq2)$

$=P(-1\leq Z\leq0)+P(0\leq Z\leq2)$

$=P(0\leq Z\leq1)+P(0\leq Z\leq2)$

$=0.3413+0.4772=0.8185$

025 답 0.8413

모집단이 정규분포 $N(350,\ 12^2)$을 따르고 표본의 크기가 36이므로 표본평균 $\overline{X}$는 정규분포 $N\left(350,\ \dfrac{12^2}{36}\right)$, 즉 $N(350,\ 2^2)$을 따른다.

$Z=\dfrac{\overline{X}-350}{2}$으로 놓으면 확률변수 Z는 표준정규분포 $N(0,\ 1)$을 따르므로 구하는 확률은

$P(\overline{X}\geq348)=P\left(Z\geq\dfrac{348-350}{2}\right)$

$=P(Z\geq-1)=P(Z\leq1)$

$=P(Z\leq0)+P(0\leq Z\leq1)$

$=0.5+0.3413=0.8413$

026 답 $\dfrac{11}{54}$

크기가 3인 표본을 X_1, X_2, X_3이라 하면 순서쌍 (X_1, X_2, X_3)에 대하여 $\overline{X}=2$인 경우는

$(1, 2, 3)$, $(1, 3, 2)$, $(2, 1, 3)$, $(2, 3, 1)$, $(3, 1, 2)$, $(3, 2, 1)$, $(2, 2, 2)$

$\therefore P(\overline{X}=2)=6\times\left(\dfrac{1}{2}\times\dfrac{1}{3}\times\dfrac{1}{6}\right)+\dfrac{1}{3}\times\dfrac{1}{3}\times\dfrac{1}{3}=\dfrac{11}{54}$

027 답 ②

모집단이 정규분포 $N(m, 20^2)$을 따르고 표본의 크기가 100이므로 표본평균 $\overline{X}$는 정규분포 $N\left(m, \dfrac{20^2}{100}\right)$, 즉 $N(m, 2^2)$을 따른다.

$Z=\dfrac{\overline{X}-m}{2}$으로 놓으면 확률변수 Z는 표준정규분포 $N(0, 1)$을 따르므로 표본평균 $\overline{X}$와 모평균 m의 차가 2시간 이하일 확률은

$$\begin{aligned}P(|\overline{X}-m|\leq2)&=P(-2\leq\overline{X}-m\leq2)\\&=P(m-2\leq\overline{X}\leq m+2)\\&=P\left(\dfrac{m-2-m}{2}\leq Z\leq\dfrac{m+2-m}{2}\right)\\&=P(-1\leq Z\leq1)\\&=P(-1\leq Z\leq0)+P(0\leq Z\leq1)\\&=2P(0\leq Z\leq1)\\&=2\times0.3413=0.6826\end{aligned}$$

028 답 0.0062

모집단이 정규분포 $N(500, 16^2)$을 따르고 표본의 크기가 4이므로 표본평균 $\overline{X}$는 정규분포 $N\left(500, \dfrac{16^2}{4}\right)$, 즉 $N(500, 8^2)$을 따른다.

$Z=\dfrac{\overline{X}-500}{8}$으로 놓으면 확률변수 Z는 표준정규분포 $N(0, 1)$을 따르므로 한 조가 하루에 만드는 빵이 2080개 이상일 확률은

$$\begin{aligned}P(4\overline{X}\geq2080)&=P(\overline{X}\geq520)\\&=P\left(Z\geq\dfrac{520-500}{8}\right)\\&=P(Z\geq2.5)\\&=P(Z\geq0)-P(0\leq Z\leq2.5)\\&=0.5-0.4938=0.0062\end{aligned}$$

029 답 36

모집단이 정규분포 $N(300, 33^2)$을 따르고 표본의 크기가 n이므로 표본평균 $\overline{X}$는 정규분포 $N\left(300, \dfrac{33^2}{n}\right)$을 따른다.

$Z=\dfrac{\overline{X}-300}{\dfrac{33}{\sqrt{n}}}$으로 놓으면 확률변수 Z는 표준정규분포 $N(0, 1)$을 따르므로 $P(\overline{X}\geq289)=0.9772$에서

$P\left(Z\geq\dfrac{289-300}{\dfrac{33}{\sqrt{n}}}\right)=0.9772$

$P\left(Z\geq-\dfrac{\sqrt{n}}{3}\right)=0.9772$

$P\left(Z\leq\dfrac{\sqrt{n}}{3}\right)=0.9772$

$P(Z\leq0)+P\left(0\leq Z\leq\dfrac{\sqrt{n}}{3}\right)=0.9772$

$0.5+P\left(0\leq Z\leq\dfrac{\sqrt{n}}{3}\right)=0.9772$

$\therefore P\left(0\leq Z\leq\dfrac{\sqrt{n}}{3}\right)=0.4772$

이때 $P(0\leq Z\leq2)=0.4772$이므로

$\dfrac{\sqrt{n}}{3}=2$, $\sqrt{n}=6$

$\therefore n=36$

030 답 ⑤

모집단이 정규분포 $N(150, 16^2)$을 따르고 표본의 크기가 n이므로 표본평균 $\overline{X}$는 정규분포 $N\left(150, \dfrac{16^2}{n}\right)$을 따른다.

$Z=\dfrac{\overline{X}-150}{\dfrac{16}{\sqrt{n}}}$으로 놓으면 확률변수 Z는 표준정규분포 $N(0, 1)$을 따르므로 $P(\overline{X}\geq152)=0.0668$에서

$P\left(Z\geq\dfrac{152-150}{\dfrac{16}{\sqrt{n}}}\right)=0.0668$

$P\left(Z\geq\dfrac{\sqrt{n}}{8}\right)=0.0668$

$P(Z\geq0)-P\left(0\leq Z\leq\dfrac{\sqrt{n}}{8}\right)=0.0668$

$0.5-P\left(0\leq Z\leq\dfrac{\sqrt{n}}{8}\right)=0.0668$

$\therefore P\left(0\leq Z\leq\dfrac{\sqrt{n}}{8}\right)=0.4332$

이때 $P(0\leq Z\leq1.5)=0.4332$이므로

$\dfrac{\sqrt{n}}{8}=1.5$, $\sqrt{n}=12$

$\therefore n=144$

031 답 355

모집단이 정규분포 $N(350, 50^2)$을 따르고 표본의 크기가 100이므로 표본평균 $\overline{X}$는 정규분포 $N\left(350, \dfrac{50^2}{100}\right)$, 즉 $N(350, 5^2)$을 따른다.

$Z=\dfrac{\overline{X}-350}{5}$으로 놓으면 확률변수 Z는 표준정규분포 $N(0, 1)$을 따르므로 $P(\overline{X}\geq k)=0.1587$에서

$P\left(Z\geq\dfrac{k-350}{5}\right)=0.1587$

$P(Z\geq0)-P\left(0\leq Z\leq\dfrac{k-350}{5}\right)=0.1587$

$0.5-P\left(0\leq Z\leq\dfrac{k-350}{5}\right)=0.1587$

$\therefore P\left(0\leq Z\leq\dfrac{k-350}{5}\right)=0.3413$

이때 $P(0\leq Z\leq1)=0.3413$이므로

$\dfrac{k-350}{5}=1$, $k-350=5$

$\therefore k=355$

032 답 ②

모집단이 정규분포 $N(180, 10^2)$을 따르고 표본의 크기가 25이므로 표본평균 $\overline{X}$는 정규분포 $N\left(180, \dfrac{10^2}{25}\right)$, 즉 $N(180, 2^2)$을 따른다.

$Z=\dfrac{\overline{X}-180}{2}$으로 놓으면 확률변수 Z는 표준정규분포 $N(0, 1)$을 따르므로 $P(|\overline{X}-180|\leq a)=0.8664$에서

$P(-a\leq \overline{X}-180\leq a)=0.8664$

$P(-a+180\leq \overline{X}\leq a+180)=0.8664$

$P\left(\dfrac{-a+180-180}{2}\leq Z\leq \dfrac{a+180-180}{2}\right)=0.8664$

$P\left(-\dfrac{a}{2}\leq Z\leq \dfrac{a}{2}\right)=0.8664$

$P\left(-\dfrac{a}{2}\leq Z\leq 0\right)+P\left(0\leq Z\leq \dfrac{a}{2}\right)=0.8664$

$2P\left(0\leq Z\leq \dfrac{a}{2}\right)=0.8664$ ∴ $P\left(0\leq Z\leq \dfrac{a}{2}\right)=0.4332$

이때 $P(0\leq Z\leq 1.5)=0.4332$이므로

$\dfrac{a}{2}=1.5$ ∴ $a=3$

033 답 4

모집단이 정규분포 $N(40, 10^2)$을 따르고 표본의 크기가 n이므로 표본평균 $\overline{X}$는 정규분포 $N\left(40, \dfrac{10^2}{n}\right)$을 따른다.

$Z=\dfrac{\overline{X}-40}{\dfrac{10}{\sqrt{n}}}$으로 놓으면 확률변수 Z는 표준정규분포 $N(0, 1)$을 따르므로 $P(30\leq \overline{X}\leq 50)\geq 0.9544$에서

$P\left(\dfrac{30-40}{\dfrac{10}{\sqrt{n}}}\leq Z\leq \dfrac{50-40}{\dfrac{10}{\sqrt{n}}}\right)\geq 0.9544$

$P(-\sqrt{n}\leq Z\leq \sqrt{n})\geq 0.9544$

$P(-\sqrt{n}\leq Z\leq 0)+P(0\leq Z\leq \sqrt{n})\geq 0.9544$

$2P(0\leq Z\leq \sqrt{n})\geq 0.9544$ ∴ $P(0\leq Z\leq \sqrt{n})\geq 0.4772$

이때 $P(0\leq Z\leq 2)=0.4772$이므로

$\sqrt{n}\geq 2$ ∴ $n\geq 4$

따라서 n의 최솟값은 4이다.

034 답 $81.08\leq m\leq 88.92$

표본의 크기가 49, 표본평균이 85, 모표준편차가 14이므로 모평균 m에 대한 신뢰도 95 %의 신뢰구간은

$85-1.96\times \dfrac{14}{\sqrt{49}}\leq m\leq 85+1.96\times \dfrac{14}{\sqrt{49}}$

∴ $81.08\leq m\leq 88.92$

035 답 ⑤

표본의 크기가 16, 표본평균이 40, 모표준편차가 12이므로 모평균 m에 대한 신뢰도 99 %의 신뢰구간은

$40-2.58\times \dfrac{12}{\sqrt{16}}\leq m\leq 40+2.58\times \dfrac{12}{\sqrt{16}}$

∴ $32.26\leq m\leq 47.74$

따라서 $\alpha=32.26$, $\beta=47.74$이므로

$100\alpha-50\beta=3226-2387=839$

036 답 ⑤

표본의 크기 144가 충분히 크므로 모표준편차 대신 표본표준편차 12를 이용할 수 있고, 표본평균이 64이므로 모평균 m에 대한 신뢰도 95 %의 신뢰구간은

$64-1.96\times \dfrac{12}{\sqrt{144}}\leq m\leq 64+1.96\times \dfrac{12}{\sqrt{144}}$

∴ $62.04\leq m\leq 65.96$

037 답 180.58

표본의 크기 100이 충분히 크므로 모표준편차 대신 표본표준편차 10을 이용할 수 있고, 표본평균이 $\overline{x}$이므로 모평균 m에 대한 신뢰도 99 %의 신뢰구간은

$\overline{x}-2.58\times \dfrac{10}{\sqrt{100}}\leq m\leq \overline{x}+2.58\times \dfrac{10}{\sqrt{100}}$

이때 모평균 m에 대한 신뢰도 99 %의 신뢰구간이 $175.42\leq m\leq a$이므로

$\overline{x}-2.58\times \dfrac{10}{\sqrt{100}}=175.42$ ∴ $\overline{x}=178$

∴ $a=\overline{x}+2.58\times \dfrac{10}{\sqrt{100}}=178+2.58\times \dfrac{10}{\sqrt{100}}=180.58$

038 답 16

표본의 크기가 n, 표본평균이 42, 모표준편차가 8이므로 모평균 m에 대한 신뢰도 99 %의 신뢰구간은

$42-2.58\times \dfrac{8}{\sqrt{n}}\leq m\leq 42+2.58\times \dfrac{8}{\sqrt{n}}$

이때 모평균 m에 대한 신뢰도 99 %의 신뢰구간이 $36.84\leq m\leq 47.16$이므로

$42-2.58\times \dfrac{8}{\sqrt{n}}=36.84$, $42+2.58\times \dfrac{8}{\sqrt{n}}=47.16$

따라서 $2.58\times \dfrac{8}{\sqrt{n}}=5.16$이므로

$\sqrt{n}=4$ ∴ $n=16$

039 답 ④

표본의 크기를 n이라 하면 표본평균이 12, 모표준편차가 10이므로 모평균 m에 대한 신뢰도 95 %의 신뢰구간은

$12-1.96\times \dfrac{10}{\sqrt{n}}\leq m\leq 12+1.96\times \dfrac{10}{\sqrt{n}}$

이때 모평균 m에 대한 신뢰도 95 %의 신뢰구간이 $11.51\leq m\leq 12.49$이므로

$12-1.96\times \dfrac{10}{\sqrt{n}}=11.51$, $12+1.96\times \dfrac{10}{\sqrt{n}}=12.49$

따라서 $1.96\times \dfrac{10}{\sqrt{n}}=0.49$이므로

$\sqrt{n}=40$ ∴ $n=1600$

따라서 국민 1600명을 대상으로 조사한 것이다.

040 답 0.98

표본의 크기가 144, 모표준편차가 3이므로 모평균을 신뢰도 95 %로 추정한 신뢰구간의 길이는

$2\times 1.96\times \dfrac{3}{\sqrt{144}}=0.98$

041 답 ②

$P(|Z| \leq k) = \dfrac{\alpha}{100}$라 하면 신뢰도 $\alpha \%$로 추정한 각각의 모평균에 대한 신뢰구간의 길이는

① $2k \times \dfrac{5}{\sqrt{25}} = 2k$ ② $2k \times \dfrac{10}{\sqrt{25}} = 4k$

③ $2k \times \dfrac{3}{\sqrt{36}} = k$ ④ $2k \times \dfrac{6}{\sqrt{36}} = 2k$

⑤ $2k \times \dfrac{9}{\sqrt{36}} = 3k$

따라서 신뢰구간의 길이가 가장 긴 것은 ②이다.

042 답 0.62

표본의 크기가 400, 모표준편차가 10이므로 모평균을 신뢰도 95 %로 추정한 신뢰구간의 길이는

$a = 2 \times 1.96 \times \dfrac{10}{\sqrt{400}} = 1.96$

한편 모평균을 신뢰도 99 %로 추정한 신뢰구간의 길이는

$b = 2 \times 2.58 \times \dfrac{10}{\sqrt{400}} = 2.58$

$\therefore b - a = 2.58 - 1.96 = 0.62$

043 답 74명

표본의 크기를 n이라 하면 모표준편차가 0.5이므로 모평균을 신뢰도 99 %로 추정한 신뢰구간의 길이가 0.3 이하이려면

$2 \times 2.58 \times \dfrac{0.5}{\sqrt{n}} \leq 0.3, \ \sqrt{n} \geq 8.6$

$\therefore n \geq 73.96$

따라서 적어도 74명의 신생아를 조사해야 한다.

044 답 ②

표본의 크기가 n, 모표준편차가 10이므로 모평균을 신뢰도 95 %로 추정한 신뢰구간의 길이가 7.84 이하이려면

$2 \times 1.96 \times \dfrac{10}{\sqrt{n}} \leq 7.84, \ \sqrt{n} \geq 5$

$\therefore n \geq 25$

따라서 n의 최솟값은 25이다.

045 답 64

표본의 크기가 n, 모표준편차가 σ이므로 모평균 m을 신뢰도 99 %로 추정한 신뢰구간의 길이는

$2 \times 2.58 \times \dfrac{\sigma}{\sqrt{n}}$

이때 $b - a$의 값은 신뢰도 99 %로 추정한 모평균의 신뢰구간의 길이와 같으므로

$2 \times 2.58 \times \dfrac{\sigma}{\sqrt{n}} = 0.645\sigma, \ \sqrt{n} = 8$

$\therefore n = 64$

046 답 ②

모표준편차를 σ, $P(|Z| \leq k) = \dfrac{\alpha}{100}$라 하면 표본의 크기가 4일 때, 모평균을 신뢰도 $\alpha \%$로 추정한 신뢰구간의 길이가 2.45이므로

$2k \times \dfrac{\sigma}{\sqrt{4}} = 2.45$ $\therefore k\sigma = 2.45$

한편 표본의 크기가 n일 때, 모평균을 신뢰도 $\alpha \%$로 추정한 신뢰구간의 길이가 0.49이므로

$2k \times \dfrac{\sigma}{\sqrt{n}} = 0.49, \ 2 \times \dfrac{2.45}{\sqrt{n}} = 0.49$

$\sqrt{n} = 10$ $\therefore n = 100$

047 답 92

표본의 크기가 25, 모표준편차가 10이므로 $P(|Z| \leq k) = \dfrac{\alpha}{100}$라 하면 모평균을 신뢰도 $\alpha \%$로 추정한 신뢰구간의 길이는

$2k \times \dfrac{10}{\sqrt{25}} = 7$ $\therefore k = 1.75$

이때 $P(0 \leq Z \leq 1.75) = 0.46$이므로

$$\begin{aligned} P(|Z| \leq 1.75) &= P(-1.75 \leq Z \leq 1.75) \\ &= 2P(0 \leq Z \leq 1.75) \\ &= 2 \times 0.46 = 0.92 \end{aligned}$$

따라서 $\dfrac{\alpha}{100} = 0.92$이므로 $\alpha = 92$

048 답 ④

모표준편차를 σ라 하면 표본의 크기가 n이므로 모평균을 신뢰도 98 %로 추정한 신뢰구간의 길이 l은

$l = 2 \times 2.2 \times \dfrac{\sigma}{\sqrt{n}}$

$P(|Z| \leq k) = \dfrac{\alpha}{100}$라 하면 신뢰도 $\alpha \%$로 추정한 모평균에 대한 신뢰구간의 길이가 $\dfrac{l}{2}$이므로

$2k \times \dfrac{\sigma}{\sqrt{n}} = \dfrac{1}{2} \times 2 \times 2.2 \times \dfrac{\sigma}{\sqrt{n}}$ $\therefore k = 1.1$

이때 $P(0 \leq Z \leq 1.1) = 0.36$이므로

$$\begin{aligned} P(|Z| \leq 1.1) &= P(-1.1 \leq Z \leq 1.1) \\ &= 2P(0 \leq Z \leq 1.1) \\ &= 2 \times 0.36 = 0.72 \end{aligned}$$

따라서 $\dfrac{\alpha}{100} = 0.72$이므로 $\alpha = 72$

049 답 30.5

$f(x) = \beta - \alpha$의 값은 신뢰도 $x \%$로 추정한 모평균의 신뢰구간의 길이와 같으므로 $P(|Z| \leq k) = \dfrac{x}{100}$라 하면

$f(x) = 2k \times \dfrac{5}{\sqrt{25}} = 2k$

$f(x_1) = 2$에서 $k = 1$이므로

$$\begin{aligned} P(|Z| \leq 1) &= P(-1 \leq Z \leq 1) \\ &= 2P(0 \leq Z \leq 1) \\ &= 2 \times 0.3413 = 0.6826 \end{aligned}$$

즉, $\dfrac{x_1}{100} = 0.6826$이므로 $x_1 = 68.26$

$f(x_2) = 5$에서 $k = 2.5$이므로

$$\begin{aligned} P(|Z| \leq 2.5) &= P(-2.5 \leq Z \leq 2.5) \\ &= 2P(0 \leq Z \leq 2.5) \\ &= 2 \times 0.4938 = 0.9876 \end{aligned}$$

즉, $\dfrac{x_2}{100} = 0.9876$이므로 $x_2 = 98.76$

$\therefore x_2 - x_1 = 98.76 - 68.26 = 30.5$

050 답 ⑤

표본의 크기가 n, 표본평균이 $\bar{x}$, 모표준편차가 10이므로 모평균 m에 대한 신뢰도 99 %의 신뢰구간은

$$\bar{x}-2.58\times\frac{10}{\sqrt{n}}\le m\le \bar{x}+2.58\times\frac{10}{\sqrt{n}}$$

$$-\frac{25.8}{\sqrt{n}}\le m-\bar{x}\le\frac{25.8}{\sqrt{n}}$$

$$\therefore |m-\bar{x}|\le\frac{25.8}{\sqrt{n}}$$

이때 $|m-\bar{x}|\le 6$이어야 하므로

$$\frac{25.8}{\sqrt{n}}\le 6,\ \sqrt{n}\ge 4.3$$

$$\therefore n\ge 18.49$$

따라서 n의 최솟값은 19이다.

051 답 9604

모평균을 m, 표본평균을 $\bar{x}$, 모표준편차를 σ라 하면 모평균 m에 대한 신뢰도 95 %의 신뢰구간은

$$\bar{x}-1.96\times\frac{\sigma}{\sqrt{n}}\le m\le \bar{x}+1.96\times\frac{\sigma}{\sqrt{n}}$$

$$-\frac{1.96\sigma}{\sqrt{n}}\le m-\bar{x}\le\frac{1.96\sigma}{\sqrt{n}}$$

$$\therefore |m-\bar{x}|\le\frac{1.96\sigma}{\sqrt{n}}$$

이때 $|m-\bar{x}|\le\dfrac{\sigma}{50}$이어야 하므로

$$\frac{1.96\sigma}{\sqrt{n}}\le\frac{\sigma}{50},\ \sqrt{n}\ge 98$$

$$\therefore n\ge 9604$$

따라서 n의 최솟값은 9604이다.

052 답 32개

표본의 크기를 n, 모평균을 m, 표본평균을 $\bar{x}$라 하면 모표준편차가 20이므로 모평균 m에 대한 신뢰도 95 %의 신뢰구간은

$$\bar{x}-1.96\times\frac{20}{\sqrt{n}}\le m\le \bar{x}+1.96\times\frac{20}{\sqrt{n}}$$

$$-\frac{39.2}{\sqrt{n}}\le m-\bar{x}\le\frac{39.2}{\sqrt{n}}$$

$$\therefore |m-\bar{x}|\le\frac{39.2}{\sqrt{n}}$$

이때 $|m-\bar{x}|\le 7$이어야 하므로

$$\frac{39.2}{\sqrt{n}}\le 7,\ \sqrt{n}\ge 5.6$$

$$\therefore n\ge 31.36$$

따라서 최소 32개를 조사해야 한다.

053 답 ③

표본의 크기를 n, 모표준편차를 σ라 하면 모평균을 신뢰도 a %로 추정한 신뢰구간의 길이는

$$2k\frac{\sigma}{\sqrt{n}}\left(\text{단},\ \mathrm{P}(|Z|\le k)=\frac{a}{100}\right)$$

ㄱ. 신뢰도가 낮아지면 k의 값이 작아지므로 신뢰구간의 길이는 짧아진다.

ㄴ. 표본의 크기가 커지면 $\sqrt{n}$의 값이 커지므로 신뢰구간의 길이는 짧아진다.

ㄷ. 표본의 크기가 커지면 $\sqrt{n}$의 값이 커지고, 신뢰도가 낮아지면 k의 값이 작아지므로 신뢰구간의 길이는 짧아진다.

ㄹ. 신뢰도가 높아지면 k의 값이 커지고, 표본의 크기가 작아지면 $\sqrt{n}$의 값이 작아지므로 신뢰구간의 길이는 길어진다.

따라서 보기 중 옳은 것은 ㄱ, ㄷ, ㄹ이다.

054 답 ①

처음 표본의 크기를 n이라 하면 모표준편차가 σ이므로 모평균을 신뢰도 a %로 추정한 신뢰구간의 길이는

$$2k\frac{\sigma}{\sqrt{n}}\left(\text{단},\ \mathrm{P}(|Z|\le k)=\frac{a}{100}\right)$$

이때 표본의 크기가 a배, 즉 an일 때 신뢰구간의 길이는 3배가 되므로

$$2k\frac{\sigma}{\sqrt{an}}=3\times 2k\frac{\sigma}{\sqrt{n}},\ \sqrt{a}=\frac{1}{3}$$

$$\therefore a=\frac{1}{9}$$

055 답 45

$\mathrm{E}(\bar{X})=\mathrm{E}(X)=5$이므로

$$\mathrm{V}(\bar{X})=\mathrm{E}(\bar{X}^2)-\{\mathrm{E}(\bar{X})\}^2=30-5^2=5$$

표본의 크기가 4이므로

$$\mathrm{V}(\bar{X})=\frac{\mathrm{V}(X)}{4}=5\qquad\therefore \mathrm{V}(X)=20$$

따라서 $\mathrm{V}(X)=\mathrm{E}(X^2)-\{\mathrm{E}(X)\}^2$에서

$$\mathrm{E}(X^2)=\mathrm{V}(X)+\{\mathrm{E}(X)\}^2=20+5^2=45$$

056 답 $\dfrac{1}{4}$

확률의 총합은 1이므로

$$\frac{1}{4}+a+\frac{1}{2}+\frac{1}{8}=1$$

$$\therefore a=\frac{1}{8}$$

따라서 확률변수 X에 대하여

$$\mathrm{E}(X)=1\times\frac{1}{4}+2\times\frac{1}{8}+3\times\frac{1}{2}+4\times\frac{1}{8}=\frac{5}{2}$$

$$\mathrm{V}(X)=1^2\times\frac{1}{4}+2^2\times\frac{1}{8}+3^2\times\frac{1}{2}+4^2\times\frac{1}{8}-\left(\frac{5}{2}\right)^2$$

$$=\frac{29}{4}-\frac{25}{4}=1$$

$$\therefore \sigma(X)=\sqrt{\mathrm{V}(X)}=1$$

이때 표본의 크기가 16이므로

$$\sigma(\bar{X})=\frac{1}{\sqrt{16}}=\frac{1}{4}$$

057 답 ②

과일 바구니 한 개를 임의로 택할 때, 과일 바구니의 무게를 X kg이라 하고 확률변수 X의 확률분포를 표로 나타내면 다음과 같다.

X	1	2	3	합계
$\mathrm{P}(X=x)$	$\dfrac{1}{4}$	$\dfrac{1}{2}$	$\dfrac{1}{4}$	1

따라서 확률변수 X에 대하여

$\mathrm{E}(X)=1\times\dfrac{1}{4}+2\times\dfrac{1}{2}+3\times\dfrac{1}{4}=2$

$\mathrm{V}(X)=1^2\times\dfrac{1}{4}+2^2\times\dfrac{1}{2}+3^2\times\dfrac{1}{4}-2^2$

$\qquad=\dfrac{9}{2}-4=\dfrac{1}{2}$

$\therefore\ \sigma(X)=\sqrt{\mathrm{V}(X)}=\sqrt{\dfrac{1}{2}}=\dfrac{\sqrt{2}}{2}$

표본의 크기가 n이므로

$\sigma(\overline{X})=\dfrac{\frac{\sqrt{2}}{2}}{\sqrt{n}}=\dfrac{\sqrt{2}}{2\sqrt{n}}$

$\therefore\ \sigma(6\overline{X}-2)=|6|\,\sigma(\overline{X})=6\times\dfrac{\sqrt{2}}{2\sqrt{n}}=\dfrac{3\sqrt{2}}{\sqrt{n}}$

이때 $\sigma(6\overline{X}-2)=\dfrac{\sqrt{3}}{2}$에서

$\dfrac{3\sqrt{2}}{\sqrt{n}}=\dfrac{\sqrt{3}}{2},\ \sqrt{n}=2\sqrt{6}$

$\therefore\ n=24$

058 답 0.9544

모집단이 정규분포 $\mathrm{N}(800,\,10^2)$을 따르고 표본의 크기가 100이므로 표본평균 $\overline{X}$는 정규분포 $\mathrm{N}\!\left(800,\,\dfrac{10^2}{100}\right)$, 즉 $\mathrm{N}(800,\,1^2)$을 따른다.

$Z=\overline{X}-800$으로 놓으면 확률변수 Z는 표준정규분포 $\mathrm{N}(0,\,1)$을 따르므로

$\mathrm{P}(798\leq\overline{X}\leq802)=\mathrm{P}(798-800\leq Z\leq802-800)$

$\qquad\qquad\qquad\quad=\mathrm{P}(-2\leq Z\leq2)$

$\qquad\qquad\qquad\quad=\mathrm{P}(-2\leq Z\leq0)+\mathrm{P}(0\leq Z\leq2)$

$\qquad\qquad\qquad\quad=2\mathrm{P}(0\leq Z\leq2)$

$\qquad\qquad\qquad\quad=2\times0.4772$

$\qquad\qquad\qquad\quad=0.9544$

059 답 64

모집단이 정규분포 $\mathrm{N}(60,\,24^2)$을 따르고 표본의 크기가 n이므로 표본평균 $\overline{X}$는 정규분포 $\mathrm{N}\!\left(60,\,\dfrac{24^2}{n}\right)$을 따른다.

$Z=\dfrac{\overline{X}-60}{\frac{24}{\sqrt{n}}}$이라 하면 확률변수 Z는 표준정규분포 $\mathrm{N}(0,\,1)$을 따르므로 $\mathrm{P}(\overline{X}\geq66)=0.0228$에서

$\mathrm{P}\!\left(Z\geq\dfrac{66-60}{\frac{24}{\sqrt{n}}}\right)=0.0228$

$\mathrm{P}\!\left(Z\geq\dfrac{\sqrt{n}}{4}\right)=0.0228$

$\mathrm{P}(Z\geq0)-\mathrm{P}\!\left(0\leq Z\leq\dfrac{\sqrt{n}}{4}\right)=0.0228$

$0.5-\mathrm{P}\!\left(0\leq Z\leq\dfrac{\sqrt{n}}{4}\right)=0.0228$

$\therefore\ \mathrm{P}\!\left(0\leq Z\leq\dfrac{\sqrt{n}}{4}\right)=0.4772$

이때 $\mathrm{P}(0\leq Z\leq2)=0.4772$이므로

$\dfrac{\sqrt{n}}{4}=2,\ \sqrt{n}=8$

$\therefore\ n=64$

060 답 $\dfrac{81}{2}$

모집단이 정규분포 $\mathrm{N}(40,\,4^2)$을 따르고 표본의 크기가 64이므로 표본평균 $\overline{X}$는 정규분포 $\mathrm{N}\!\left(40,\,\dfrac{4^2}{64}\right)$, 즉 $\mathrm{N}\!\left(40,\,\left(\dfrac{1}{2}\right)^2\right)$을 따른다.

$Z=\dfrac{\overline{X}-40}{\frac{1}{2}}=2\overline{X}-80$으로 놓으면 확률변수 Z는 표준정규분포 $\mathrm{N}(0,\,1)$을 따르므로 $\mathrm{P}(\overline{X}\geq k)\leq0.1587$에서

$\mathrm{P}(Z\geq2k-80)\leq0.1587$

$\mathrm{P}(Z\geq0)-\mathrm{P}(0\leq Z\leq2k-80)\leq0.1587$

$0.5-\mathrm{P}(0\leq Z\leq2k-80)\leq0.1587$

$\therefore\ \mathrm{P}(0\leq Z\leq2k-80)\geq0.3413$

이때 $\mathrm{P}(0\leq Z\leq1)=0.3413$이므로

$2k-80\geq1,\ 2k\geq81$

$\therefore\ k\geq\dfrac{81}{2}$

따라서 k의 최솟값은 $\dfrac{81}{2}$이다.

061 답 7

표본의 크기가 100, 표본평균이 120, 모표준편차가 20이므로 모평균 m에 대한 신뢰도 95 %의 신뢰구간은

$120-1.96\times\dfrac{20}{\sqrt{100}}\leq m\leq120+1.96\times\dfrac{20}{\sqrt{100}}$

$\therefore\ 116.08\leq m\leq123.92$

따라서 신뢰구간에 속하는 자연수는 117, 118, 119, 120, 121, 122, 123의 7개이다.

062 답 ③

표본의 크기가 n, 표본평균이 64, 모표준편차가 5이므로 모평균 m에 대한 신뢰도 95 %의 신뢰구간은

$64-1.96\times\dfrac{5}{\sqrt{n}}\leq m\leq64+1.96\times\dfrac{5}{\sqrt{n}}$

이때 모평균 m에 대한 신뢰도 95 %의 신뢰구간이 $63.02\leq m\leq64.98$이므로

$64-1.96\times\dfrac{5}{\sqrt{n}}=63.02,\ 64+1.96\times\dfrac{5}{\sqrt{n}}=64.98$

따라서 $1.96\times\dfrac{5}{\sqrt{n}}=0.98$이므로

$\sqrt{n}=10\qquad\therefore\ n=100$

063 답 5.16

$\beta-\alpha$의 값은 신뢰도 99 %로 추정한 모평균의 신뢰구간의 길이와 같다.

이때 표본의 크기가 16, 모표준편차가 4이므로

$\beta-\alpha=2\times2.58\times\dfrac{4}{\sqrt{16}}=5.16$

064 답 $\dfrac{49}{9}$

표본의 크기가 n_1인 표본을 임의추출할 때 모표준편차가 1이므로 모평균 m을 신뢰도 95 %로 추정한 신뢰구간의 길이 $b-a$는

$$b-a=2\times1.96\times\dfrac{1}{\sqrt{n_1}}$$

표본의 크기가 n_2인 표본을 임의추출할 때 모표준편차가 1이므로 모평균 m을 신뢰도 99 %로 추정한 신뢰구간의 길이 $d-c$는

$$d-c=2\times2.58\times\dfrac{1}{\sqrt{n_2}}$$

이때 $\dfrac{d-c}{b-a}=\dfrac{43}{14}$이므로

$$\dfrac{2\times2.58\times\dfrac{1}{\sqrt{n_2}}}{2\times1.96\times\dfrac{1}{\sqrt{n_1}}}=\dfrac{43}{14},\ \dfrac{\sqrt{n_1}}{\sqrt{n_2}}=\dfrac{7}{3}$$

$$\therefore\ \dfrac{n_1}{n_2}=\dfrac{49}{9}$$

065 답 92

표본의 크기가 25, 모표준편차가 25이므로 $\mathrm{P}(|Z|\leq k)=\dfrac{\alpha}{100}$라 하면 모평균을 신뢰도 α %로 추정한 신뢰구간의 길이는

$$2k\times\dfrac{25}{\sqrt{25}}=18 \quad \therefore\ k=1.8$$

이때 $\mathrm{P}(0\leq Z\leq1.8)=0.46$이므로

$$\begin{aligned}\mathrm{P}(|Z|\leq1.8)&=\mathrm{P}(-1.8\leq Z\leq1.8)\\&=\mathrm{P}(-1.8\leq Z\leq0)+\mathrm{P}(0\leq Z\leq1.8)\\&=2\mathrm{P}(0\leq Z\leq1.8)\\&=2\times0.46=0.92\end{aligned}$$

따라서 $\dfrac{\alpha}{100}=0.92$이므로 $\alpha=92$

066 답 324

모평균을 m, 표본평균을 $\overline{x}$라 하면 표본의 크기가 n, 모표준편차가 300이므로 모평균 m에 대한 신뢰도 99 %의 신뢰구간은

$$\overline{x}-2.58\times\dfrac{300}{\sqrt{n}}\leq m\leq\overline{x}+2.58\times\dfrac{300}{\sqrt{n}}$$

$$-\dfrac{774}{\sqrt{n}}\leq m-\overline{x}\leq\dfrac{774}{\sqrt{n}}$$

$$\therefore\ |m-\overline{x}|\leq\dfrac{774}{\sqrt{n}}$$

이때 $|m-\overline{x}|\leq43$이어야 하므로

$$\dfrac{774}{\sqrt{n}}\leq43,\ \sqrt{n}\geq18$$

$$\therefore\ n\geq324$$

따라서 n의 최솟값은 324이다.

067 답 ④

$$f(n,\ \alpha)=2k\dfrac{\sigma}{\sqrt{n}}\ \left(단,\ \mathrm{P}(|Z|\leq k)=\dfrac{\alpha}{100}\right)$$

ㄱ. 표본의 크기 n이 일정할 때, 신뢰도가 높아지면 신뢰구간의 길이가 길어지므로

$\quad\alpha<\beta$이면 $f(n,\ \alpha)<f(n,\ \beta)$

ㄴ. 신뢰도 α %가 일정할 때, 표본의 크기가 커지면 신뢰구간의 길이는 짧아진다.

$\quad$이때 $n>2$이면 $n^2>2n$이므로

$\quad f(n^2,\ \alpha)<f(2n,\ \alpha)$

ㄷ. $f(16n,\ \alpha)=2k\times\dfrac{\sigma}{\sqrt{16n}}=\dfrac{1}{4}\times2k\dfrac{\sigma}{\sqrt{n}}$

$$=\dfrac{1}{4}f(n,\ \alpha)$$

따라서 보기 중 옳은 것은 ㄴ, ㄷ이다.

MeMo